D0587844

La naissance dramatique
de l'absolutisme

Ouvrages de
Yves-Marie Bercé

Histoire des Croquants
Genève-Paris, Droz, 1974, 2 vol.
rééd. Éd. du Seuil, coll. « L'Univers historique », 1986
Grand Prix Gobert de l'Académie française

Croquants et Nu-pieds
Les soulèvements paysans
en France du XVIe au XIXe siècle
Gallimard, coll. « Archives », 1974

Fête et Révolte
Hachette, 1976

La Vie quotidienne
dans l'Aquitaine du XVIIIe siècle
Hachette, 1978

Révoltes et Révolutions dans l'Europe moderne
PUF, 1980

Le Chaudron et la Lancette
Croyances populaires
et médecine préventive, 1789-1830
Presses de la Renaissance, 1984

Le Roi caché. Sauveurs et imposteurs.
Mythes politiques populaires
dans l'Europe moderne
Fayard, 1990

Yves-Marie Bercé

Nouvelle histoire
de la France moderne

3

La naissance dramatique
de l'absolutisme

1598-1661

Éditions du Seuil

ISBN 2-02-013050-5 (série complète)
ISBN 2-02-015937-6

© ÉDITIONS DU SEUIL, MAI 1992

Avant-propos

Voici un ouvrage que je n'aurais sans doute pas entrepris spontanément, si un éditeur ne m'avait engagé dans cet exercice, le meilleur moyen de découvrir une époque que je croyais bien connaître. Il faut avoir hésité sur la mention d'une bataille ou d'un édit, sur leur aptitude à figurer dans un sommaire, à exprimer une tendance historique pour mieux mesurer le poids des faits particuliers et des individus dans le temps qui les entraîne.

Il s'agit d'une histoire de France, genre plurimséculaire, suscitant des attentes classiques chez les lecteurs. On doit de nécessité y trouver le récit des fortunes de la France, entité collective, communauté nationale, représentée par sa structure étatique, la monarchie, la plus ancienne de l'Europe, la matrice de tous les avatars politiques futurs de ce pays. Il semble bien qu'en France l'État ait engendré la nation ou, à tout le moins, qu'il se soit développé du même pas. C'était à la Couronne et à ses symboles, à la personne du roi, que les Français de l'âge moderne pensaient lorsqu'ils voulaient évoquer leur essence commune. Ils ne doutaient pas de son excellence native et de sa capacité à métamorphoser les mœurs et le bonheur des peuples ; ils n'hésitaient pas à introduire ses institutions et ses lois dans chaque territoire conquis par les armes françaises. On cherchera donc ici en priorité l'exposé des aventures de l'État français de 1598 à 1661. L'histoire politique ne se limite pourtant pas à la chronique des gouvernements, de leurs successions, de leurs réussites ou mécomptes ; elle devrait aussi embrasser les diversités des opinions, les institutions et pouvoirs autres qu'étatiques, les influences d'autres instances collectives, églises, familles, cités, les attentes, utopies, espérances, les mille manières d'échapper à l'emprise de la politique, de vivre en dehors de l'histoire officielle, de ses déterminismes, de ses conventions.

Bien sûr, je ne remplirai pas ce programme, mais j'y cherche la justification des quelques originalités qui pourraient surprendre.

La période 1598-1661 a été cruciale dans le destin politique de la France. La volonté encore incertaine et empirique des monarques et de leurs ministres et les contraintes de la guerre de Trente Ans ont alors fait naître un État fiscal, une nouvelle figure de la monarchie en voie de centralisation, en attente d'absolutisme. Rien cependant n'était joué à la mort de Mazarin. L'histoire aurait pu s'écrire différemment. Du moins, l'obligation de laisser la plume en 1661, d'arrêter ici le déroulement des événements offre-t-elle l'occasion, la chance d'envisager d'autres virtualités. Il me semble que l'historien risque de réduire la réalité, si, fort de son impertinente connaissance de la suite des faits, il écrit l'histoire seulement en fonction de ce déroulement à venir. Il sera plus fidèle à l'instant étudié s'il essaie d'envisager des futurs inachevés, les hypothèses d'autres destins envisagés par les contemporains. Autrement dit, on ne saurait faire l'histoire de la Fronde comme si de toute nécessité l'État louis-quatorzien en devait surgir. Enchaîner l'histoire dans ces déterminismes revient à en émousser ou appauvrir les significations. Si l'on croit que l'histoire des hommes comporte sa part d'accident et d'imprévisibilité, cette démarche, imaginative et sans doute arbitraire, devrait se révéler plus féconde. Il se trouve que je rédige ces pages pendant l'été 1991 et que la précipitation des événements à l'est de l'Europe a la conséquence — bien modeste — de conforter ce parti pris d'inventer des questions inédites et de mettre en cause les conventions du fait accompli.

Si l'histoire de France, non plus que celle d'aucun pays, ne se confond avec l'histoire de son État, elle ne s'identifie pas non plus au seul point de vue français. Il n'était pas écrit dans les astres que le Roussillon et l'Artois seraient agrégés au royaume, c'est-à-dire que les buts de guerre, les visions politiques des ministres espagnols, des princes italiens ou des marchands hollandais ont autant de pertinence et de légitimité historique que la vulgate qui fait du façonnement de l'hexagone une sorte de loi de nature. Le comparatisme vient précisément de recevoir une illustration historiographique majeure avec l'essai magistral de l'historien britannique

J. H. Elliott qui entreprend de mettre en parallèle les carrières d'Olivares et de Richelieu (Cambridge, 1984, trad. fr. *Richelieu et Olivares*, Paris, PUF, 1991).

Un dernier parti pris serait de citer plus volontiers des exemples ou anecdotes empruntés aux provinces et de tenter ainsi d'échapper à l'inévitable myopie parisienne de la grande histoire. Enfin, mes chapitres généraux, incapables dans ces limites de temps et d'espace d'offrir une vraie synthèse, présentent plutôt des pratiques et comportements populaires. Cette histoire du plus grand nombre rend parfois mal compte des événements dont le récit serait plus compréhensible vu des cours et des chancelleries, mais elle a l'avantage de révéler des rythmes plus lents et aussi, accessoirement, de renouveler les matériaux qui illustrent les manuels d'histoire.

Yves-Marie Bercé

1

Les années de paix
du règne d'Henri IV

1598, l'année de la paix.

La paix qui s'était instaurée dans le royaume de France à la fin du printemps 1598 allait être durable. Plus de trente années s'écouleraient avant que la France ne se trouve de nouveau engagée dans une guerre ouverte avec les puissances des dynasties de Habsbourg. Les guerres civiles confessionnelles qui avaient déchiré le pays depuis 1562 avaient pris fin et elles ne se rallumeraient pas dans la prochaine décennie. Ces promesses de paix, tant à l'extérieur qu'à l'intérieur du royaume, n'étaient pas seulement discernables avec le recul du temps, les contemporains en étaient profondément persuadés. L'adieu aux armes, qui résultait des articles de l'édit de Nantes, instaurant une sorte de tolérance religieuse empirique, et des clauses du traité de Vervins, mettant fin aux hostilités franco-espagnoles sur les confins de Picardie, n'avait pas la précarité des décisions politiques ou des choix de principes. Il s'était imposé aux belligérants par la force des choses, parce que aucun parti ne croyait plus sa victoire possible, parce que les ressources des provinces étaient épuisées, parce que la lassitude et la résignation étaient trop évidentes et que chacun savait que des efforts militaires pareils à ceux des dernières années s'avéraient de longtemps impraticables.

Le jour de la Saint-Jean 1598, lors du feu traditionnel allumé à Paris sur la place de Grève, devant l'Hôtel de Ville, on avait brûlé symboliquement des faisceaux d'armes, des bois de lances et des tambours. Partout dans les bonnes villes, les autorités locales auraient fait chanter des *Te Deum* dans les églises principales, allumé des feux de joie sur les places. Les exercices des années de paix avaient aussitôt repris ; les marchands avaient retrouvé les grands chemins, les foires avaient planté leurs tentes et tréteaux ; les réjouissances des jeunes gens, les danses et les musiques avaient recommencé aux beaux jours. Autre témoignage certain de cette conviction commune, des pèlerinages d'actions de grâces avaient afflué dans tous les sanctuaires accoutumés. L'année 1600, jubilé dans le monde catholique, fit converger à Rome plusieurs dizaines de milliers de pèlerins français, plus nombreux que ceux de toutes les autres nations, fervents et reconnaissants selon les témoins, «comme les réchappés d'un naufrage».

Les guerres religieuses avaient pratiquement pris fin au cours de l'année 1595, du fait des succès militaires continus des troupes royales contre les places ligueuses et surtout du fait de la proclamation de l'absolution accordée à Henri IV par le pape Clément VIII (17 novembre 1595). Le jeune duc de Guise avait conclu sa soumission pendant l'été, ralliant avec lui les villes de Champagne. Le duc de Mayenne, qui portait encore le titre de lieutenant général du royaume, acceptait de négocier et ralliait la plus grande partie de la Picardie. Des zones insoumises demeuraient aux limites du royaume. Les places de Toul et de Verdun, qui avaient été saisies en 1589 par le duc Charles III de Lorraine, allié de la Ligue, furent restituées. La garnison ligueuse de Marseille capitula en mars 1596, ramenant la paix en Provence. Seule la Bretagne, presque entièrement ligueuse, soumise à son gouverneur, le duc de Mercœur, tardait à se réconcilier, puisque Mercœur ne se résigna à traiter qu'en mars 1598. Là aussi, cependant, des trêves locales avaient été conclues et les opérations militaires avaient à peu près cessé. Ainsi l'opinion catholique radicale, qui avait gagné au parti de la Ligue vers 1590 la majeure partie du royaume et avait été alors au bord de la victoire, se trouvait désormais, non pas anéantie, mais complètement ralliée à Henri IV ; elle partageait sans réserve la commune espérance de paix. Les seules limites à la totale pacification des esprits venaient des inquiétudes du parti protestant, qui n'avait pas vu sans malaise l'abjuration du roi et son engagement irréversible du côté catholique. Les protestants avaient consacré tout leur potentiel militaire et s'étaient donné depuis 1594 une organisation politique en neuf provinces, avec des assemblées annuelles qui se passaient plus ou moins de l'autorisation royale. Il y avait là un défi politique que le roi devrait nécessairement relever pour affirmer le pouvoir de l'État monarchique.

Il fallait aussi mettre un terme à la guerre avec l'Espagne. En effet, depuis janvier 1594, Henri IV avait cru bon d'entrer en conflit ouvert avec la puissance espagnole. Un tel engagement soudain, alors que la paix intérieure revenait, avait justement pour but de calmer les inquiétudes de l'opinion protestante et surtout de satisfaire l'Angleterre et les Provinces-Unies qui avaient jusque-là aidé Henri IV de leurs subsides. Cette guerre tardive et paradoxale avait vite tourné à l'avantage des Espagnols qui avaient pris Cambrai, Doullens, Calais et même Amiens. Même si, grâce à un effort exceptionnel, les ducs de Mayenne et de Biron, l'ancien chef de la Ligue et le meilleur meneur d'hommes des royaux significativement réunis, parvenaient à reprendre la capitale de la Picardie (septembre 1597), la paix sur les frontières du Nord-Est réclamait un règlement diplomatique.

Ces deux étapes réglementaires essentielles furent conclues à peu près en même temps, la publication de l'édit de religion rédigé à Nantes le 13 avril 1598 précédant de peu de jours la signature du traité de paix avec l'Espagne survenue à Vervins le 13 mai. Les localisations de ces actes reflétaient la répartition géographique des problèmes : l'édit était publié à Nantes parce que le roi s'était avancé dans l'Ouest avec des troupes pour intimider à la fois la Bretagne ligueuse et les provinces du Centre-Ouest (Touraine, Poitou) où les réformés étaient puissants ; le traité avec l'Espagne était signé à Vervins, petite ville du Vermandois, au cœur même du théâtre du conflit, c'est-à-dire les confins du plateau picard français et des riches campagnes de l'Artois relevant des Pays-Bas et des couronnes d'Espagne.

L'édit publié à Nantes se présentait comme une loi générale fixant les conditions de l'exercice des deux confessions chrétiennes admises dans le royaume, afin que les prières des hommes envers Dieu prissent la forme d'une même intention à défaut de pouvoir prendre la même forme de religion. Le texte prévoyait d'abord le rétablissement du culte catholique partout où il avait été interrompu, ainsi que le retour à l'Église des biens qui lui avaient été confisqués. L'édit envisageait ensuite méthodiquement l'organisation de la liberté de conscience et de culte pour les réformés. Les articles énonçaient en détail les garanties collectives et individuelles qui devaient assurer la tolérance d'un culte minoritaire. Des clauses politiques, financières, juridiques et même militaires accordaient au parti protestant un statut privilégié dans l'État. L'édit n'était pas fondé sur un irénisme qui ne correspondait pas aux idées de l'époque, la tolérance qu'il instaurait ne résultait que d'un état de fait et son application dans l'avenir ne reposait que sur la force de l'autorité royale. A long terme, on pouvait envisager que des difficultés surgiraient de la complexité des multiples clauses et de l'étendue des prérogatives reconnues aux protestants. Dans l'immédiat, la plus grande partie des sujets sut y reconnaître des gages puissants de paix civile.

Les négociations avec l'Espagne duraient depuis plus d'un an sous l'égide d'un légat pontifical, Alexandre de Médicis, appelé le cardinal de Florence. Le pape se faisait ainsi, selon la tradition pluriséculaire, l'arbitre des querelles entre les princes et obtenait le retour de la paix entre les deux grandes couronnes catholiques. Des émissaires anglais et hollandais tentèrent de faire échouer la négociation, mais on était résolu, aussi bien à Paris qu'à Madrid, à arrêter une confrontation qui se révélait de part et d'autre insoutenable et inutile. Les frontières retrouvaient leur tracé accoutumé ; les Espagnols évacuaient Calais, Doullens et autres places françaises qu'ils avaient pu conquérir en trois années, ils conservaient Cambrai, partie incontestable du Hainaut. La propagande française voulut voir dans ce traité une « déroute des Espagnols ». La coïncidence de la mort du vieux roi Philippe II (13 septembre 1598) pouvait donner quelque apparence à cet argument, mais en fait les négociateurs espagnols avaient choisi de concentrer leurs forces pour la reconquête des Pays-Bas et effectivement les armées espagnoles, alors et pour plusieurs décennies encore au faîte de leur puissance, parvenaient dans les années suivantes à faire des provinces méridionales des Pays-Bas, l'actuelle Belgique, un pré carré solide, prospère et attaché à la fortune de l'Espagne.

La précarité du pouvoir royal en 1598.

La paix revenue pour longtemps, le royaume ravagé par les guerres restait à reconstruire. L'autorité de l'État, malgré les succès d'Henri IV, demeurait gravement précaire. En effet, Henri IV, marié depuis 1572 à Marguerite de Valois, sœur de Charles IX et d'Henri III, n'en avait pas eu d'enfants et s'était séparé d'elle. Or, dans le système monarchique français, la stabilité du gouvernement et la paix dans le pays dépendaient d'une dévolution facile et certaine du trône. La coutume successorale française était claire, la Couronne revenait au fils premier-né, ou au plus proche héritier masculin. Les trente années de guerres religieuses dérivaient en partie d'un problème de succession : l'absence d'un fils issu de la dernière génération des Valois obligeait à recourir au prince de Navarre dont le cousinage remontait au XIIIe siècle, et qui en 1588 adhérait encore à la Réforme. L'impossibilité pour la Ligue de découvrir un héritier catholique légitime avait entraîné son échec ultime et le triomphe d'Henri IV. La crainte commune était qu'un des accidents de santé qui assaillaient souvent le roi vînt à l'emporter brusquement, à moins qu'il ne succombe éventuellement à un de ces attentats criminels dont il avait été souvent la cible. La mort du roi aurait plongé le royaume dans les mêmes affres qu'en 1588. Le plus proche héritier aurait alors été le prince de Condé, enfant en bas âge et cousin fort lointain. Le roi était conscient du problème ; il avait résolu d'épouser son actuelle maîtresse, Gabrielle d'Estrées, qu'il avait faite duchesse de Beaufort, et de légitimer les trois enfants qu'elle lui avait donnés. La duchesse était belle, intelligente, soutenue à la fois par des protestants, qui préféraient cette alliance à celle d'une princesse venue d'une cour catholique, et par d'anciens ligueurs auxquels elle était apparentée. Cette hypothèse se heurtait pourtant à nombre de difficultés ; d'abord la dissolution canonique du mariage n'était pas prononcée et il était peu vraisemblable que la Curie romaine y consentît dans ces conditions. Un contentieux avec le Saint-Siège aurait ainsi resurgi. Dans le pays, le scandale aurait été à son comble ; des pamphlets malintentionnés et égrillards circulaient déjà contre la favorite, à qui l'on attribuait tout ce qui pouvait aller mal, la lourdeur des impôts ou l'incertitude de l'avenir, et elle était surnommée « la duchesse d'Ordure ». En cas de vacance du trône, la succession d'un des bâtards légitimés aurait certainement été mal acceptée et les guerres de factions auraient pu recommencer. Toutes ces perspectives avaient été exposées à Henri IV par ses conseillers Rosny et Villeroy sans le convaincre. Il avait admis pourtant que des démarches discrètes pussent être faites dans diverses cours à la recherche d'une princesse digne de devenir reine de France.

Pendant deux années, Henri IV se comporta à peu près comme si Gabrielle était effectivement reine, lui constituant une maison de rang royal, la logeant au Louvre, faisait même sculpter sur des murs du palais leurs chiffres enlacés HG. Une attaque de fièvre subie par Henri IV, en octobre 1598, persuada le roi de trancher. En février, il annonça son prochain mariage avec Gabrielle et en fixa la date aux environs de Pâques. Les préparatifs officiels des noces furent commencés. Le destin en décida autrement : la duchesse, après une fausse couche, vint à mourir subitement le samedi Saint 10 avril 1599. Henri IV, effondré, lui assura des obsèques magnifiques.

La mort de la duchesse de Beaufort si soudaine, inattendue et aussi, il faut bien le dire, si opportune, donna lieu à des rumeurs d'empoisonnement. Il est vrai que sa disparition simplifiait singulièrement la scène politique, mais il semble que la malheureuse ait bien réellement succombé à une terrible crise d'éclampsie. Quoi qu'il en soit, le champ était libre pour un règlement mûrement calculé du problème successoral.

Le premier pas était nécessairement l'annulation de l'ancien mariage d'Henri. Les négociations à Rome avaient été bien avancées du vivant de Gabrielle. Marguerite de Valois, qui méprisait l'ascension de Gabrielle et aurait hésité à contribuer à son couronnement, s'appliqua au contraire après la mort de la favorite à faciliter les démarches. Le principal artisan de la négociation fut l'ambassadeur à Rome, le cardinal Arnaud d'Ossat (1536-1604). Fils d'un forgeron du Magnoac, il avait, comme beaucoup d'intellectuels, dû sa carrière à l'Église. Venu à Rome en 1577 comme secrétaire d'un ambassadeur, il n'avait plus quitté la Curie et y avait défendu constamment les intérêts français. Sa perspicacité faisait merveille ; on disait de lui qu'il étudiait les caractères avec le regard d'un ingénieur envisageant l'assise d'une place forte assiégée. Il avait été le principal auteur, avec le cardinal Du Perron, de l'absolution d'Henri IV en 1595. Il avait su expliquer à Clément VIII l'opportunité de l'édit de Nantes, alors que le pape, indigné tout d'abord, assurait « avoir reçu une balafre en plein visage » et envisageait de revenir sur l'absolution. Ossat venait de recevoir le chapeau de cardinal lorsqu'il fut chargé de plaider la cause de la dissolution. Il sut à la fois trouver les arguments canoniques convenables et convaincre la Curie de l'opportunité politique du cas. La décision, prise dès août, fut proclamée effectivement en décembre 1599. Marguerite de Valois, la reine Margot, conservait, au-delà de la rupture, le titre de reine. Elle se retira à Nérac, en Gascogne, où elle réunit autour d'elle une petite cour de lettrés et de savants.

Il restait aux conseillers d'Henri IV à trouver une princesse étrangère dont on ferait une reine de France. On avait dressé des catalogues des divers partis possibles à travers l'Europe. Le choix se porta sur une nièce du grand-duc de Toscane, Maria dei Medici. Les liens des familles souveraines de Toscane et de France remontaient aux Valois, au mariage du futur Henri II avec Catherine de Médicis. Ils avaient été confirmés par le mariage en 1589 du grand-duc Ferdinand avec Christine de Lorraine, fille de Claude de France, l'une des filles de Catherine de Médicis. Il se trouvait en outre qu'au long des guerres civiles les finances royales avaient plusieurs fois recouru au crédit de banquiers florentins et que la dette française en Toscane dépassait le million d'écus. Pour les négociateurs français, l'apport de la dot d'une princesse florentine venant en déduction de la dette serait bienvenu. Pour les Toscans, le lien avec la famille royale française donnait de l'éclat à la dynastie trop récente des Médicis. De plus, l'alliance française permettrait à la Toscane d'acquérir un peu de liberté en face de la suprématie espagnole. La côte toscane était presque fermée par les places des présides espagnols (Orbetello, Piombino, Elbe) et les routes terrestres vers le nord au-delà de l'Apennin devaient traverser les plaines de Lombardie, autre possession de Madrid. Une alliance toscane signifiait pour la France une nouvelle occasion d'influence dans la péninsule où la diplomatie française était fâcheusement absente depuis le traité du Cateau-Cambrésis qui, en 1559, avait mis fin aux espoirs des guerres d'Italie. Elle marquait enfin l'attachement d'Henri IV à la cause catholique et elle confirmait la bonne entente avec la papauté, sans marquer aucune complaisance envers l'Espagne. Pour toutes ces raisons, le choix s'avérait judicieux. Maria, fille cadette du grand-duc précédent François et d'une princesse autrichienne, avait déjà vingt-sept ans ; elle était réputée belle ; l'épanouissement de sa féminité laissait bien augurer de sa santé et de sa fécondité. Les discussions conduites pendant l'année 1600 à Florence, puis à Lyon, portèrent sur le montant très considérable de la dot. Elle fut fixée à 600 000 écus, dont 350 000 effectivement versés, le reste servant à réduire la dette française.

1600, la guerre de Savoie et le mariage royal.

L'attention de la cour de France était d'autant plus attirée alors vers l'Italie qu'au même moment un dernier contentieux issu des guerres religieuses contraignait à un important effort militaire sur les Alpes.

Le duché de Piémont-Savoie occupait une situation essentielle selon les stratégies de l'époque. Les domaines ducaux étendus de part et d'autre des Alpes, des confins de la Bourgogne à ceux de Lombardie, voisinaient symétriquement avec les couronnes rivales de France et d'Espagne. Les circonstances imposaient donc aux ducs, en choisissant une alliance, de subir en même temps l'hostilité inévitable de l'autre voisin ; faute de pouvoir se concilier les deux couronnes, les ducs étaient séculairement contraints à des jeux de bascule. Charles-Emmanuel, duc de 1580 à 1630, avait choisi l'alliance espagnole et épousé en 1584 l'infante Catherine, fille de Philippe II. Il était brillant et cultivé, ambitieux, indomptable, mais aussi aventureux et chimérique. Il s'était fixé pour but de faire recouvrer au duché des territoires perdus quelques décennies plus tôt, le marquisat de Saluces en Piémont, au débouché du col de Larche, enclave française depuis 1512, et la cité de Genève, qui avait fait sécession en 1536 après un coup de force des bourgeois réformés. Aucun de ces enjeux n'était facile. Les Français avaient pris soin, lors du traité de Cateau-Cambrésis, de conserver ce point d'appui au-delà des cols, leur assurant une sorte de droit de regard dans les affaires d'Italie. Quant à la ville de Genève, qui ne comptait alors que 13 000 habitants et s'entourait d'un territoire très exigu, elle était devenue au fil des années une capitale religieuse sans commune mesure avec ses dimensions géographiques. Considérant leur ville comme un nouvel Israël, une cité sainte, jouissant d'un prestige européen et de moyens importants, les bourgeois calvinistes de Genève étaient prêts à opposer une résistance efficace aux entreprises des Savoyards.

Profitant des querelles françaises, à l'automne 1588, sans aucune déclaration préalable, Charles-Emmanuel avait chassé la petite garnison française de Saluces. De 1589 à 1598, suivant ses alliances avec l'Espagne et avec les villes françaises ligueuses, le duc avait constamment bataillé aux portes de Genève, en Dauphiné, puis enfin en Provence. La paix conclue à Vervins comprenait la Savoie, mais le cas de Saluces y avait été laissé en suspens. En décembre 1599, Charles-Emmanuel se rendit de son propre mouvement auprès d'Henri IV; il séjourna trois mois à Paris et à Fontainebleau, accompagné d'une suite brillante. Les discussions s'orientèrent alors vers un échange : le duc garderait Saluces mais céderait ses possessions de la rive droite du Rhône, les pays de Bresse, de Bugey, etc.

Au cours de l'été, Henri IV recourut à la force pour mettre un terme aux tergiversations savoyardes. Plusieurs colonnes envahirent les domaines ducaux. Biron entra à Bourg-en-Bresse dès le 12 août; la Savoie fut entièrement conquise, jusqu'aux vallées du Beaufortain, de la Tarentaise et de la Maurienne. Charles-Emmanuel tenta une contre-attaque en novembre, conduisant 20 000 soldats piémontais par les cols enneigés. Il espérait prendre appui sur la citadelle de Montmélian, qui résistait depuis l'été, mais le gouverneur, n'attendant plus de secours avec les chutes des premières neiges, venait de capituler. Le duc dut battre en retraite et passer le Petit-Saint-Bernard peu avant Noël.

La diplomatie pontificale, qui avait favorisé la politique matrimoniale d'Henri IV, s'entremit alors afin d'éviter l'extension de la guerre en Italie. Le cardinal Aldobrandini, neveu de Clément VIII, séjournait alors à Lyon en qualité de légat aux cérémonies de mariage du roi. Le pape lui donna pouvoir pour présider les négociations déjà entamées à Lyon même entre Jeannin et Sillery pour la France et les sieurs de Lucinge et d'Arconas pour la Savoie. Un traité signé à Lyon le 17 janvier 1601 accordait Saluces au duc et donnait au roi en échange la Bresse, le Bugey, le Valromey et le pays de Gex, c'est-à-dire toute la rive droite du Rhône, depuis le confluent de la Saône en aval jusqu'au territoire de Genève en amont.

Les provinces réunies au royaume valaient beaucoup plus que le petit marquisat de Saluces. Il se trouva pourtant des esprits chagrins pour regretter cet abandon, préjudiciable à l'honneur des armes de France et à leur prestige en Italie. Il est vrai que l'hégémonie espagnole s'avérait dès lors incontestable dans la péninsule. Le duc de Savoie ressentit cruellement la perte de la Bresse, au voisinage de la Bourgogne, aux portes de Lyon. Ses domaines français se limitaient désormais au duché de Savoie proprement dit. Le passage de la capitale de ses États de Chambéry à Turin, effectué en 1570, avait annoncé une évolution désormais irréversible, une italianisation du duché dont le centre de gravité était désormais en Piémont. Le territoire français acquérait dans ce traité une extension non négligeable. Lyon cessait d'être une métropole excentrique, son arrière-pays au nord était désormais français. Ces acquisitions de 1601 ne furent plus jamais remises en cause par la suite.

Henri IV, victorieux des Savoyards, attendait l'arrivée de la future reine. Le mariage avait été célébré formellement à Florence en octobre 1600, un ambassadeur tenant la place du royal époux. Maria s'embarqua à Livourne le 19 octobre et prit pied sur le sol français à Marseille le 3 novembre. La galère qui la transportait avait été escortée par seize autres galères armées en guerre, galères de Toscane, de l'État du pape et des chevaliers de Malte, pour l'honneur de la princesse et pour la sécurité du convoi, de peur d'un raid des redoutables corsaires des ports barbaresques. Après Aix et Avignon, le cortège princier remonta lentement la vallée du

Rhône et c'est seulement le 3 décembre 1600 qu'il arriva à Lyon. Quittant son armée, le roi visita sa promise dès le 9, sans attendre les cérémonies célébrées le 17 décembre par le cardinal légat Aldobrandini. La reine Marie de Médicis fit son entrée à Paris le 7 février 1601. Déjà courait la nouvelle qu'elle était enceinte et que les incertitudes successorales allaient bientôt se dissiper, à la grâce de Dieu.

Pendant les beaux jours et à l'automne, la saison de la chasse, la cour résidait au château de Fontainebleau, et même en d'autres saisons le roi quittait souvent le Louvre aux appartements vétustes et sombres pour des châteaux d'Ile-de-France, Saint-Germain-en-Laye ou bien Montceaux. C'est à Fontainebleau que, le 27 septembre 1601, la reine Marie de Médicis donna le jour à un fils premier-né, dauphin de France, héritier du trône. Dès le matin suivant, une lettre circulaire fut envoyée aux gouverneurs de provinces et de places, aux bonnes villes et aux magistrats des sièges royaux pour leur annoncer la grande nouvelle. D'autres naissances surviendraient dans la famille royale dans les années à venir ; Marie de Médicis eut six enfants. La survivance de la dynastie était assurée. Le royaume ne connaîtrait plus avant longtemps de crise de légitimité. La force du système monarchique français et l'efficacité de ses règles coutumières de dévolution du trône s'affirmaient avec éclat. L'œuvre politique d'Henri IV échappait désormais à la précarité qui obsédait les conseillers du roi depuis le retour de la paix. Afin de manifester la continuité de l'œuvre monarchique, sa pluriséculaire légitimité, le roi choisit pour son fil aîné le prénom de Louis. Ce choix rappelait le prestige merveilleux du saint roi Louis IX, auquel remontait la généalogie d'Henri IV. Il n'avait pas été porté par un roi de France depuis Louis XII, mort en 1515. C'était un signe soigneusement médité de la continuité de l'État. Le dauphin, qui avait été ondoyé à sa naissance, serait baptisé au nom de Louis le 14 septembre 1606. La cour était une fois encore à Fontainebleau, en raison de rumeurs de contagion de peste dans Paris. Le pape Paul V, ayant accepté de parrainer l'enfant, était représenté par un légat ; la duchesse de Mantoue, sœur de la reine, était la marraine.

Rarement une naissance royale avait été aussi attendue et célébrée. La naissance du dauphin achevait en quelque sorte les réussites politiques d'Henri IV. Les Français vivaient alors dans une heureuse période d'euphorie monarchique.

On prendra garde, bien sûr, à ne pas confondre ce profond loyalisme de l'opinion avec un quelconque âge d'or. La légende de la douceur du règne ne s'est formée que bien après l'avènement. Dans l'instant, il fallait reconstruire les provinces ruinées, gouverner au jour le jour, c'est-à-dire restaurer les finances, faire rentrer des impôts et susciter inévitablement des mécomptes et des mécontentements. C'est le récit de ces vicissitudes politiques des années de paix que l'on doit entreprendre maintenant.

La conspiration de Biron.

Les trente années de guerres civiles avaient considérablement favorisé la mobilité sociale et notamment suscité des ascensions remarquables liées aux bonnes fortunes des armes ; elles avaient facilité des passages vers la noblesse ou des succès familiaux spectaculaires à l'intérieur du corps de la noblesse. Celle-ci, dans ce contexte de troubles et de faiblesse royale, n'était plus une distinction sociale réglementée, dépendant d'une sanction étatique, elle s'affirmait comme un genre de vie, une forme d'estime sociale qui échappait à la logique des édits et ordonnances et qui acquérait sa dynamique propre, indépendante du pouvoir royal. Ce comportement nobiliaire, conscient d'appartenir à un ordre élitaire, puissant, ouvert, audacieux et prédateur, transcendait les provinces, les confessions et même les frontières. Dans tous les États, les noblesses revendiquaient une participation majeure aux gouvernements ou même un droit essentiel à conseiller les rois, voire à les élire et à les contrôler.

Des abus de langage font souvent qualifier de féodaux ces mouvements, comme s'ils ne faisaient que continuer des pratiques médiévales très anciennes, alors qu'il s'agissait de situations nouvelles propres à cette période charnière des XVIe et XVIIe siècles, qui voyaient l'avènement de noblesses plus diverses, plus nombreuses, plus détachées des fortunes terriennes, plus engagées dans la recherche des profits liés à l'exercice du pouvoir ou aux chances des guerres. Cette confusion avec une féodalité immémoriale résulte de l'emploi vulgarisé et sans critique du vocabulaire marxiste ou encore de la volonté historiographique de sous-estimer les tendances qui auraient pu s'opposer à un moment ou à un autre à la construction des États modernes.

Le destin d'Henri IV lui-même pouvait être assimilé à ce mouvement. De la médiocre fortune de la maison de Navarre, pauvre royaume marginal, il était parvenu d'abord à la dignité de chef d'un puissant parti religieux, puis devenu un beau jour roi de France. Certes, sa filiation capétienne, et elle seule, lui conférait la légitimité nécessaire, unique, qui faisait de lui, et de nul autre, l'héritier du trône. Mais, si l'on oubliait cette circonstance généalogique — et la familiarité de ses compagnons d'armes ainsi que les approximations de l'opinion pouvaient bien être tentées de l'oublier —, sa carrière aurait alors pu se confondre avec celles de tant de hobereaux provinciaux arrivés aux honneurs et à la richesse grâce aux intrigues de la cour ou grâce aux aventures des camps. Le cycle guerrier achevé en 1598 laissait nombre d'ambitions insatisfaites, de services sans récompenses, de frustrations, de rancœurs, de nostalgies impatientes, avides de nouvelles occasions de fortune. Bientôt une nouvelle génération de jeunes nobles se dirait lasse des loisirs de la paix, et attendrait à son tour les belles espérances des prises d'armes.

Beaucoup de gentilshommes catholiques s'étaient ralliés à Henri IV en 1589 par raison, voire par résignation. Ils reconnaissaient son droit et voyaient dans sa cause un moindre mal. Ils le servaient dans ses armées mais n'étaient pas tenus d'aimer ses gasconnades politiques ou les scandales d'une vie assez peu privée. Biron était de ceux-là. Son père Armand de Gontaud, baron de Biron en Agenais, fidèle de la maison de Navarre, avait combattu partout d'Italie jusqu'en Lorraine. Maréchal de France en 1577, catholique et homme de confiance d'Henri III, il avait plusieurs fois repoussé de Guyenne le jeune Henri de Navarre. En 1589, la continuité du devoir militaire l'avait mis sous ses ordres, il avait combattu pour lui à Arques et à Ivry et avait trouvé la mort à son service en 1592. Il n'avait jamais professé beaucoup d'estime pour la personne d'Henri IV. Charles de Gontaud, né en 1562, avait accompagné son père dès son plus jeune âge, puis reçu très tôt (en 1583) la charge de colonel des régiments suisses. Au service d'Henri IV, il avait accumulé les succès, emportant la place de Laon en 1594, parcourant victorieusement de 1595 à 1597 la Bourgogne, la Franche-Comté, la Picardie et l'Artois. Il avait reçu le bâton de maréchal, le gouvernement de Bourgogne et la dignité de duc, mais il ne jugeait pas ces récompenses considérables alors qu'il lui semblait qu'Henri IV lui devait sa couronne.

Biron n'était pas seulement homme de guerre, il avait plusieurs fois accompli des missions diplomatiques, en 1598 à Bruxelles pour la ratification du traité de Vervins, en Angleterre en 1601 pour expliquer le refus d'intervenir aux Pays-Bas. L'ambition de Biron était assez notoire pour que des émissaires espagnols et savoyards tentassent de l'attirer dans leur jeu. Les conversations avaient été très poussées en 1600 au moment de la guerre de Savoie. Il avait été proposé à Biron de contribuer à l'éviction d'Henri IV par des prises d'armes locales, peut-être par l'assassinat. Pour ce prix, Biron aurait reçu la main d'une fille du duc de Savoie et un domaine souverain lui aurait été constitué en Bourgogne et Franche-Comté. Ce territoire aurait reconstitué les domaines détenus jadis par Charles le Téméraire et ses ancêtres. Les discussions avaient eu lieu à Somma, petite cité fortifiée de la rive du lac Majeur, résidence d'été des ducs de Milanais. Le comte de Fuentes lui-même, gouverneur du Milanais, y participait. Biron était représenté par un gentilhomme bourbonnais, Jacques de La Fin, seigneur des Pluviers, qui avait cherché fortune dans des causes incertaines, au service du duc d'Anjou dans les Pays-Bas, du prince Antoine, éphémère roi du Portugal, puis de Marguerite de Valois. Des rumeurs parvinrent jusqu'à Paris par l'intermédiaire du parti français à Rome et du cardinal d'Ossat. En mars 1602, La Fin vendit l'affaire au Conseil du roi. Le 16 juin, Biron, aventuré à la cour, fut arrêté d'ordre du roi. Son procès fut diligenté par le Parlement de Paris et, le 31 juillet 1602, Biron fut décapité.

Le scandale politique fut énorme, car le duc de Biron était, à juste titre, célèbre et populaire. Il fallut dans les rues de Paris, autour de la Bastille où le duc était enfermé, et dans sa province de Bourgogne prendre des précautions militaires considérables. A la grand-chambre du Parlement, les ducs appelés à siéger pour juger leur pair avaient refusé de s'associer au procès. De toutes parts, Henri IV avait été assailli de demandes de clémence, mais la certitude des preuves apportées par La Fin et les nécessités de la raison d'État l'avaient convaincu d'un choix cruel. Bien sûr, le procès de Biron relevait des convenances politiques. D'autres conspirateurs également coupables ne seraient pas soumis à la même rigueur dans la suite du règne. Biron mourait pour l'exemple, afin d'enseigner à l'opinion en général et aux grands nobles en particulier le caractère capital des crimes contre l'État et l'unicité du pouvoir royal.

Les contemporains rapprochèrent la gloire et la mort patibulaire de Biron du destin du comte d'Essex en Angleterre. Robert Devereux, comte d'Essex, favori de la reine Élisabeth, avait été comblé d'honneurs par sa maîtresse. Il avait même reçu le titre de vice-roi d'Irlande pour tenter d'écraser les insurrections incessantes des paysans catholiques irlandais soutenus par l'Espagne. Revenu en Angleterre, il avait résolu d'évincer le principal ministre, Robert Cecil. Il avait essayé de soulever la foule londonienne et de s'emparer de la Cité. Son échec l'avait conduit à l'échafaud (juin 1601). Dans les deux cas, un favori, un ami intime du prince s'engageait dans une folle conspiration et le souverain, faisant taire son cœur, sacrifiait son amitié à la raison d'État. Deux lieux communs de politique moralisée dérivaient de ces anecdotes, les contrastes du destin et l'ingratitude des rois. Le premier enseignement, à savoir que les grands de ce monde eux-mêmes n'échappent pas aux avatars de l'existence, était une revanche ironique des humbles, une consolation millénaire, proverbiale depuis l'antiquité romaine ; elle était aussi un puissant argument d'humilité chrétienne, marquant la précarité des gloires mondaines. L'autre leçon pouvait s'entendre différemment : soit l'on marquait que l'égoïsme et la sévérité étaient pour les princes un devoir d'État, soit l'on s'indignait de leur superbe et de leur dédain ou de leur oubli des services rendus. Cette dernière interprétation s'imposa dans l'opinion tant nobiliaire que populaire. Des complaintes sur la mort du fidèle soldat, compagnon des heures difficiles, immolé ensuite par un roi impavide, circulèrent en Aquitaine où Biron et son beau-frère, le duc de La Force, étaient possessionnés. Quant à La Fin de Pluviers, il fut abattu en avril 1606 sur le pont Notre-Dame par un groupe de cavaliers inconnus, qui ne furent pas poursuivis. Aux yeux du plus grand nombre, l'affaire Biron ne racontait pas une trahison, elle évoquait au contraire le dévouement compté pour rien et la froide cruauté du roi.

Les conspirations du duc de Bouillon.

L'enquête sur la conspiration de Biron avait incriminé à tort ou à raison d'autres personnalités que la répression avait épargnées, et qui, semble-t-il, continuaient à entretenir des rapports avec des émissaires espagnols. Henri IV ne tenait pas à approfondir les faits car il lui aurait fallu mettre en cause sa principale favorite. En effet, en dépit de son mariage, le roi n'avait cessé d'entretenir des liaisons galantes, affichées et scandaleuses. Il s'était ainsi épris d'Henriette d'Entragues, fille de Marie Touchet, maîtresse de Charles IX ; il l'avait faite marquise de Verneuil. Il lui avait fait en 1599 une imprudente promesse écrite de mariage et chérissait le fils qu'il avait eu d'elle. La duchesse avait un demi-frère, fils bâtard de Charles IX, Charles de Valois, comte d'Auvergne, compagnon d'armes d'Henri IV, qui semble bien avoir été la cheville ouvrière des conspirations espagnoles. Les trames des complots s'étendaient même à des gentilshommes protestants se défiant du roi. Depuis que les églises réformées n'avaient plus de protecteur, titre qu'avait porté jadis Henri de Navarre, le plus grand prestige temporel dans les rangs de la noblesse protestante revenait à Henri de La Tour d'Auvergne, vicomte de Turenne, duc de Bouillon, maréchal de France. Ses domaines de la vicomté de Turenne, sis à la limite du Bas-Limousin (aujourd'hui la Corrèze) et du Quercy (aujourd'hui le Lot), jouissaient de privilèges et exemptions qui en faisaient comme une petite province autonome, où les officiers royaux n'entraient pas. Un mariage éphémère avec Antoinette de La Marck lui avait fait acquérir la principauté de Sedan, petit espace souverain aux confins du royaume (province de Champagne) et des territoires du prince-évêque de Liège. Il détenait ainsi en deux sites éloignés du royaume des points d'appui à peu près souverains, où le parti protestant mais aussi les révoltes nobiliaires pouvaient prendre racine. Apparenté par mariages au prince d'Orange et au prince électeur de Palatinat, il échappait aux limites du royaume et pouvait prétendre à un rôle international.

En novembre 1602, Bouillon avait été appelé par le roi à venir en cour se justifier. Loin de se soumettre, Bouillon avait visité les communautés réformées du Languedoc, puis passé à Genève et de là à Heidelberg, auprès de son beau-frère, enfin il s'était établi à Sedan. A l'abri de cette citadelle frontalière, il pouvait orchestrer les mécontentements ; il y accueillait notamment le pasteur Antoine Renaud, qui s'employait à dresser les princes allemands protestants contre Henri IV.

En novembre 1604, le roi se résigna à sévir contre la faction des Entragues. Le comte d'Auvergne fut emprisonné à la Bastille et un procès instruit au Parlement de Paris. Les sentences rendues par la cour en février 1605 étaient terribles : elles comportaient cinq condamnations à mort et ordonnaient que la marquise de Verneuil fût recluse à vie dans un couvent. Les sentences ne furent pas exécutées et, dès la fin de l'année, le roi avait repris sa liaison avec la duchesse. Seul le comte d'Auvergne demeura enfermé à la Bastille d'où on ne le tira qu'en 1616. Cette sévérité sélective avait sa signification politique : un prince de sang royal, même bâtard, détenait comme une parcelle de légitimité et incitait à cette prudence cynique.

Les clientèles nobiliaires de Biron et de Bouillon étaient dispersées dans le Centre-Ouest, du Quercy jusqu'à la Marche. Le Conseil du roi décida à l'été 1605 d'y opérer une démonstration de force. En septembre, le roi, à la tête de 7 000 hommes, s'en alla visiter Poitiers puis Limoges, où il fit une entrée volontairement solennelle. Revenu à Paris, le roi laissa derrière lui une commission de justice qui fit leurs procès à quelques obscurs gentilshommes locaux liés à Bouillon ; six d'entre eux furent décapités. Le roi, ayant ainsi neutralisé le foyer insurrectionnel de Turenne, laissa passer l'hiver et, dès que les routes furent à nouveau praticables, mit sur pied une autre expédition militaire en direction de Sedan. Cette fois, le roi avait emmené avec lui un parc d'artillerie exceptionnel, soit une quarantaine de canons. Sans attendre, le duc de Bouillon ouvrit aussitôt les portes de Sedan (avril

1606). Le roi, sur le chemin du retour, prit soin de passer la semaine sainte à Reims où il célébra la cérémonie traditionnelle du toucher des scrofuleux. Cette attention envers l'ancienne ville des sacres, alors que lui-même avait dû se faire sacrer à Chartres, marquait un nouveau lien avec la tradition pluriséculaire des rois de France. Ce geste symbolique accompli, Henri entra triomphalement à Paris, plaçant le duc de Bouillon dans son cortège pour marquer sa soumission aux yeux du public.

Ces suites de conspirations et de promenades militaires dans les provinces témoignaient de la modestie de l'État monarchique et de la fragilité de sa centralisation encore naissante. Les virtualités de la reconstitution d'un puissant duché de Bourgogne, de la formation d'une principauté protestante, d'une sécession provinciale favorisée par la Savoie ou plus puissamment et plus constamment par l'Espagne étaient toujours présentes. Dans ses rapports avec ses conseillers même les plus fidèles, Henri IV laissait deviner parfois une hantise de trahison qu'entretenaient les racontars et les intrigues des courtisans. Le duc de Lesdiguières, compagnon de longue date, longtemps chef de guerre protestant, gouverneur du Dauphiné, efficace défenseur des provinces du Sud-Est, fut accusé de vouloir se constituer à son tour un domaine souverain dans les Alpes. On dénonça au roi des tentatives de rattacher sa généalogie aux premiers dauphins de Viennois afin de s'émanciper du royaume. On faisait remarquer son autorité sur le parlement de Grenoble et sur la noblesse dauphinoise, les effectifs de ses compagnies de gardes, l'importance des fortifications, de l'artillerie et des arsenaux de Vizille et d'autres places, et enfin ses intelligences avec de grandes familles suisses et allemandes. Le duc de Lesdiguières fut donc lui aussi appelé à se justifier ; il dut réduire ses gardes à 50 hommes et expliquer que ses canons ne servaient que contre les incursions des Savoyards.

Les défiances du roi s'étendaient au jeune prince de Condé. Prince du sang, héritier potentiel du trône si Henri IV n'avait pas eu d'enfants, Henri de Condé avait tout juste vingt ans. Élevé dans la religion catholique, il avait été éloigné de Paris après la naissance du dauphin. Un mariage voulu par le roi selon les convenances politiques l'avait uni en mai 1609 à une

fille du duc de Montmorency, connétable de France. Le sort
voulut que la jeune duchesse fût très belle, que le roi s'en
éprît et voulût la séduire. Condé, sous prétexte de chasse, fit
partir sa femme de la cour, puis une nuit de novembre, avec
un équipage minime, le duc et sa femme partirent clandesti-
nement pour les Pays-Bas. Il s'agissait pour lui d'échapper
à un dilemme ridicule et dramatique, mais un prince du sang
ne s'appartenait pas, un passage à l'étranger était un acte politique, l'accomplir sans l'aveu du roi pouvait passer pour un
crime d'État. Le roi fit poursuivre les jeunes gens par les pré-
vôts et ceux-ci ne manquèrent les fuyards que de quelques
heures. Le prince de Condé, passé à Bruxelles, puis de là à
Milan, recevait les plus grands honneurs des gouverneurs
espagnols de ces territoires. Cette anecdote, anodine en apparence, illustre les implications romanesques et aventureuses
de la personnalisation de l'État, de l'incarnation de la légitimité dans une instance familiale. Ces principes, codifiés dans
les lois fondamentales du royaume, faisaient la force et la
pérennité de l'État monarchique français ; ils le soumettaient
en même temps aux menus accidents des carrières familiales
qui devenaient alors des enjeux politiques essentiels. Le règne
entier d'Henri IV aura ainsi été secoué de conspirations de
grands dignitaires et d'incertitudes politiques liées aux problèmes dynastiques. L'autorité de la Couronne, l'unité du
territoire ne relevaient pas de l'évidence. Ce n'est que rétros-
pectivement, avec les années noires du cours du siècle, que
la décennie pacifique du règne effectif d'Henri IV prendra
figure d'âge d'or. Dans l'instant, les intrigues et les mécontem-
tements n'avaient jamais cessé.

La reconstitution des finances de l'État.

En 1598, le pays était couvert de ruines et le Trésor royal
était lourdement endetté. La conduite des guerres avait obligé
les rois et surtout Henri IV à recourir à des expédients bud-
gétaires comme aliénations du domaine royal, emprunts exi-
gés du clergé de France, des principales villes, etc. Une masse
d'emprunts purs et simples, immédiatement exigibles, liait
la Couronne à des créanciers étrangers, aux principales puissances protestantes comme la reine d'Angleterre ou certains

princes allemands (Wurtemberg, Palatinat, etc.). Les Cantons suisses avaient fourni des troupes et de l'argent et leur créance se montait environ à 30 millions de livres. En Toscane, les banques Médicis, Rucellai avaient beaucoup prêté, puisque le mariage royal était un peu lié à cette situation et que des joyaux de la Couronne restèrent en gage en Italie jusqu'en 1607.

L'entreprise de restauration du Trésor fut la mission d'un des plus anciens et fidèles compagnons du roi, Maximilien de Béthune, baron de Rosny. Depuis 1576, alors qu'il n'avait que dix-sept ans, il avait servi dans les armées du prince de Navarre. Il fut fait duc de Sully en 1606 et c'est sous ce nom qu'il est passé dans l'histoire. Organisateur, épris d'exactitude, familier des chiffres, travailleur infatigable, Sully était déjà l'un des principaux conseillers du roi lorsqu'il fut admis en 1596 aux séances du Conseil plus spécialement consacrées aux finances. Dès l'année suivante, il cumulait les dignités de surintendant des finances, grand voyer et grand maître de l'artillerie, puis en 1600 celles de surintendant des bâtiments et des fortifications. C'était un homme de guerre, un gentilhomme fier de l'ancienneté de sa famille, un protestant convaincu et fidèle jusqu'à sa mort ; il se flattait de ne pas ressembler aux magistrats et autres gens de robe, tatillons et irresponsables, il se regardait comme un véritable aristocrate, distingué à la fois par la naissance, l'expérience et le goût de l'action. Jamais auparavant, dans l'histoire administrative de la France, tant de pouvoirs divers n'avaient été réunis entre les mains d'un seul ministre. La carrière de Sully, par elle-même, était une illustration de l'élan centralisateur de cette époque.

Par l'action diplomatique à l'étranger, par des discussions des titres de créance, par des réductions des taux d'intérêt, par des marchandages politiques, la dette fut lentement résorbée. Pour opérer des rachats des domaines aliénés, des contrats lièrent le Trésor à des groupes (« partis ») de financiers (« partisans ») qui s'engageaient à racheter des domaines, rentes ou offices aliénés moyennant la jouissance pendant un certain nombre d'années des revenus des domaines en cause. Ce type de contrat, comme tous les systèmes de mise en ferme des impôts, semble, aux yeux d'un lecteur d'aujourd'hui, livrer l'intérêt de l'État à des particuliers ; en fait, l'administration royale reposait sur quelques milliers d'hommes seulement, elle n'avait que peu d'officiers et de commis qui pussent mener un tel travail, de sorte qu'il était plus expédient d'utiliser les moyens humains du négoce ; surtout, il s'avérait immédiatement profitable de mobiliser au service de la dette publique le crédit des plus riches secteurs de la société.

L'essentiel des revenus de la monarchie provenait des tailles, le seul impôt direct, annuel, étendu à presque tout le royaume. La taille était calculée selon les terres dans les provinces méridionales (pays de taille dite réelle), où l'on disposait de compoix ou cadastres, et selon une estimation globale des revenus résultant de l'assentiment des autres taillables dans les provinces du Nord (pays de taille dite personnelle). Les ecclésiastiques et les nobles en étaient exempts, ce qui était relativement bien admis par l'opinion, mais aussi la plupart des villes, ce qui indignait les paysans et qui représentait effectivement un manque à gagner considérable. Ces exemptions des villes provenaient de privilèges au cours de vicissitudes politiques passées, notamment pendant les guerres franco-anglaises, où il s'agissait de s'assurer de la fidélité et du soutien des citadins et de leurs remparts. A la fin des guerres de Religion, dans de nombreuses provinces, les campagnards s'étaient insurgés contre le montant des tailles et contre leurs levées opérées au nom de factions concurrentes qui pressuraient tour à tour les mêmes communautés paysannes. Les plus graves de ces soulèvements avaient affecté le Limousin et le Périgord et les insurgés, qui s'appelaient eux-mêmes les « Tard Avisés », y avaient été surnommés les « Croquants », c'est-à-dire les rustres, armés de bâtons ou « crocs » (1594-1595).

Henri IV, très conscient du caractère dramatique de la situation fiscale, avait demandé les conseils et la caution d'une assemblée de notables, réunie à Rouen de novembre 1596 à janvier 1597. Cette instance, plus restreinte qu'une réunion d'États généraux, tout aussi consultative, avait proposé une réduction des tailles et une restriction des dépenses de guerre, notamment des fortifications internes, sources de lourdes dépenses et danger politique. En exécution des avis des notables, des commissaires furent envoyés en août 1598 dans toutes les provinces pour y enquêter sur les problèmes fiscaux. Sous Henri III déjà, il avait été procédé plusieurs fois à de telles enquêtes générales confiées à des maîtres des requêtes de l'Hôtel du roi envoyés en « chevauchées » dans les provinces pour veiller au « régalement des tailles », c'est-à-dire à l'exactitude et à la légalité de l'assiette de l'impôt. Des trésoriers de France de chaque généralité et des conseillers des différentes cours des aides accompagnaient les maîtres des requêtes dans ces commissions et leur apportaient leur connaissance plus précise des lieux. Les commissaires avaient à cœur de faire la chasse aux exemptions indues et de recevoir les plaintes locales sur les inégalités. La taille, comme tous les impôts directs de ce temps, était un impôt de répartition, c'est-à-dire que son montant — le brevet — était décidé au départ au Conseil du roi ; la somme globale était divisée ensuite entre les généralités ou bureaux des finances, puis entre les élections et enfin entre les paroisses. A chaque niveau, il y avait une proportion stable entre les unités d'assiette appelée le pied. Les « pieds des tailles » étaient calculés en fonction de ce qu'on savait des « capacités des lieux », soit de la fortune relative de chaque communauté d'habitants. Ce sont ces pieds que les commissaires avaient à réexaminer et à fixer. Les observations et recommandations des commissaires furent codifiées dans un grand édit publié en mars 1600, qui servirait pour longtemps de véritable code fiscal. Enfin, le Conseil s'attacha à réduire efficacement non seulement la part des tailles dans les revenus royaux mais même le montant réel du brevet. Elles montaient à 18 millions de livres en 1598, elles tombèrent à 13 millions en 1602, pour se stabiliser à moins de 16 millions en 1609 et 1610.

Il fallait procurer au Trésor royal d'autres ressources. L'assemblée des notables de 1596 avait suggéré de recourir à une taxe indirecte générale qui reposerait sur toutes les entrées de marchandises dans les villes, à raison d'un sou pour livre de la valeur, soit 5 %. Une déclaration de mai 1597 établit la nouvelle taxe dite « sol pour livre » ou encore « pancarte », d'après les panonceaux portant les tarifs apposés sur les guérites de perception aux portes des villes. Les obstacles opposés par la cour des aides ne permirent la mise en recouvrement effective qu'au début de 1601. Aussitôt des conseils de ville tentèrent de s'en exempter et obtinrent en effet d'éviter la très impopulaire levée aux portes en payant un forfait annuel ou «subvention» : ainsi à Angers, Caen ou Reims. Ailleurs, des échauffourées accueillirent l'arrivée des commis venus établir la pancarte, notamment à Poitiers où il fallut dépêcher un commissaire et une escorte armée en mai 1601. Pierre Damours, conseiller d'État, avait été président au Parlement de Paris. Il avait été chargé en 1598 de rétablir l'autorité royale dans les villes ligueuses de Champagne. Dès l'été 1601, il réussit à imposer la pancarte à Poitiers et dans tout l'Ouest. Au début de 1602, les émeutes urbaines reprirent, expulsant les commis de la pancarte : ainsi à La Rochelle et Limoges. Une démonstration de force fut opérée à Limoges où la commission répressive fut confiée au conseiller d'État Le Camus de Jambeville. Les consuls de Limoges furent démis et l'impôt établi. Pourtant, les résistances locales étaient trop nombreuses et, en novembre 1602, Sully se résigna à supprimer l'impôt de la pancarte. La montée des violences antifiscales esquissée en 1602 rappelait le souvenir de la grande révolte de 1548 lorsque les provinces du Sud-Ouest s'étaient soulevées contre l'extension du régime de la gabelle du sel. Sully envisagea alors d'autres moyens d'atteindre les fortunes citadines.

L'ascension sociale d'une famille se concrétisait depuis plusieurs règnes déjà par l'achat d'offices royaux. Les fonctions publiques de justice ou de finance constituaient des dignités qu'on achetait, dont on était propriétaire et dont on ne pouvait être dépossédé à moins de forfaiture. On considérait alors qu'à la fortune correspondait nécessairement assez de compétence et de responsabilité pour servir l'intérêt public et, d'autre part, que l'enracinement local assurait l'intelligence des gens et des choses. Au fil des temps, des édits avaient accordé des facilités de transmission de l'office aux héritiers, à condition que le titulaire ait résigné son office au moins quarante jours avant sa mort. Sully proposa d'accorder l'hérédité moyennant le paiement d'un droit annuel fixé au soixantième de la valeur de la charge. Une déclaration royale de décembre 1604 institua le droit annuel. Le premier financier qui afferma la perception de la taxe s'appelait Charles

Paulet, de sorte que le droit annuel fut désormais appelé la « paulette ». Son revenu s'établit autour de 1 million de livres entrant chaque année à la caisse des Parties casuelles, c'est-à-dire aux recettes incertaines, dépendant du hasard (en latin *casus*) de l'année.

La création de la paulette pouvait être considérée comme un succès : elle répondait à une demande sociale, elle fournissait un revenu modique mais régulier et épargnait les paysans. En regard, on pouvait lui reprocher d'enlever au roi le choix de ses serviteurs et le chancelier Bellièvre, pour cette raison, avait tenté en vain d'entraver la mesure. A long terme, les conséquences se révéleraient fort lourdes. La monarchie française s'enfermait dans un système de recrutement des dignitaires ou fonctionnaires qui privilégiait la fortune, au détriment aussi bien de la naissance que du mérite, de la capacité ou de la fidélité. Ainsi se constitueraient une bourgeoisie et une noblesse d'offices inamovibles, indépendantes, sans garantie ni de compétence ni d'obéissance. L'ampleur de ces perspectives était sans doute inimaginable en 1604.

Sully engagea encore la monarchie française dans une autre direction qui pareillement se révélerait durable et périlleuse : la centralisation des pouvoirs dans le royaume. A vrai dire, elle appartenait à un processus dessiné depuis fort longtemps, depuis Charles VII pourrait-on dire, en tout cas très clairement depuis Henri II.

Sully et Henri IV étaient résolus à mettre progressivement en cause les particularismes et privilèges provinciaux et spécialement ceux des pays d'États, c'est-à-dire des provinces qui possédaient séculairement leurs propres assemblées des trois ordres. Les réunions annuelles de ces États discutaient le montant des impôts, opéraient leur répartition et leur levée, décidaient les dépenses collectives telles que le logement des gens de guerre ou les travaux des ponts et chaussées. Toutes les provinces du Midi avaient leurs États particuliers et, dans le Nord, la Bourgogne et la Bretagne jouissaient des mêmes privilèges. Ils leur garantissaient des niveaux d'imposition dérisoires en regard de ceux des pays dits d'élections, où les tâches de l'administration des impôts revenaient à des officiers royaux des Bureaux des finances, au niveau de la généralité (coïncidant généralement avec une province ou région comme on dit aujourd'hui), et des cours d'élections, au niveau des circonscriptions fiscales appelées « élections » (soit à peu près la dimension d'un arrondissement).

Dès 1603, Sully choisit d'étendre le système des élections à la généralité de Bordeaux où seraient formés huit sièges nouveaux. Cette riche province jouissait de franchises des gabelles et des aides impossibles à mettre en cause du fait de la proximité des marais salants de Marennes et de la puissance du commerce des vins ; la réforme des tailles serait une première brèche dans ses redoutables privilèges. Les États d'Agenais et ceux de Périgord, qui avaient encore des séances fréquentes, se dépensèrent en démarches et députations pour empêcher l'exécution de l'édit de 1603. Ils réussirent à le retarder jusqu'en 1609, puis à obtenir sa révocation en 1611. Le modèle était toutefois esquissé et ce type de transformation institutionnelle allait se répéter dans l'avenir.

Henri IV et Sully recouraient souvent, on l'a vu, à l'envoi de commissaires extraordinaires dans les provinces. Là aussi, ils suivaient une pratique administrative bien ancrée ; la nouveauté résidait dans l'envoi, non plus de commissaires aux prérogatives précises et limitées, mais de représentants du roi dépêchés pour une durée indéterminée et avec pleins pouvoirs en tous domaines. Ainsi le conseiller Damours avait-il été commis en Champagne en 1596 dès le ralliement du duc de Guise ; on ne l'appelait pas encore intendant mais il préfigurait exactement les commissaires que l'on verrait à l'œuvre sous le règne suivant. Viçose en Guyenne, Le Camus de Jambeville en Normandie reçurent des commissions de ce type. Lyon, deuxième ville du royaume, bien que riche et peuplée, ne commandait pas une grande province et dépendait du très lointain Parlement de Paris ; l'autorité royale y était représentée par le seul gouverneur. Pour le seconder ou pour le contrôler, un commissaire ou intendant y fut implanté, comme en Champagne lors de la soumission de la Ligue (1597), mais, à la différence des autres provinces, les commissaires furent en Lyonnais sans cesse remplacés et continués par la suite. On avait là le premier exemple d'un intendant permanent dans une province.

La fiscalité fut le champ d'une dernière innovation caractéristique. Alors que le contrôle des recettes et des fermes d'impôts relevait traditionnellement du ressort des chambres des comptes, Sully choisit dès 1597 d'attribuer l'examen des comptes des financiers et partisans à une commission extraordinaire décorée du nom de Chambre de justice. Cette institution répondait à un vœu exprès de l'assemblée des notables et à une attente de l'opinion populaire, à savoir de faire rendre gorge aux traitants et financiers enrichis grâce aux opportunités des guerres. En fait, la chambre ne siégea que quelques semaines ; sa constitution se voulait seulement une menace politique qui incitait les justiciables à trouver des accommodements avec le Trésor de sorte que les affaires évoquées s'arrêtassent bientôt avec le versement de sommes de composition. Le procédé fut renouvelé encore trois fois, de 1601 à 1604, puis en 1605 et en 1607 ; au total, ces chambres siégèrent durant six années. Il s'agissait clairement d'un expédient politique et non d'une recherche exacte de la justice, au point que la chambre de 1607 fut assez brutalement dissoute lorsque son procureur du roi, Claude Mangot, trop zélé, voulut étendre les enquêtes jusqu'à de grands officiers du Trésor. Ce système serait continué pendant les règnes suivants et la décadence des chambres des comptes de plus en plus accentuée.

Sully, après une dizaine d'années d'administration des finances, pouvait se flatter d'avoir constitué dans le château de la Bastille, à Paris, où dormait le Trésor de l'Épargne, une réserve monétaire de plus de 12 millions de livres, soit une avance de revenus royaux de presque une demi-année. Cette réserve, à vrai dire, était médiocre et fragile, mais elle témoignait d'un phénomène d'opinion plus puissant et durable : la restauration du crédit de la monarchie française après l'interminable épreuve des guerres civiles. La rapidité du redressement résultait certes de l'habileté du ministre, mais aussi de l'extraordinaire dynamisme du système monarchique de la France en ce temps et des virtualités considérables de l'espace français.

2

La crise de succession
de l'année 1610

La rivalité entre la France et l'Espagne était depuis long-temps et serait encore pendant un siècle le problème domi-nant des relations entre les États de l'Europe. L'Espagne au faîte de sa fortune, à l'apogée de son âge d'or n'avait pas réussi à empêcher la sécession des Provinces-Unies, du moins la longue guerre des Pays-Bas avait-elle abordé en avril 1609 une étape d'apaisement. Une trêve de douze années avait été conclue dans les Pays-Bas et tout le continent paraissait alors en paix à l'exception de la lointaine Moscovie ou des confins de l'Empire ottoman. Or, une crise de succession dans un petit État de l'ouest de l'Allemagne survenant sur ces entre-faites sembla remettre en cause les équilibres politiques et reli-gieux dans ce secteur dangereux des pays du Nord-Ouest.

La guerre de Clèves.

Le duc Jean-Guillaume de Clèves, mort en mars 1609, lais-sait sans héritier direct un territoire sis au contact des Provinces-Unies et des Pays-Bas espagnols. Ce domaine impé-rial était composé de plusieurs seigneuries : les duchés de Clè-ves (Kleve), Juliers (Jülich), Marck, Berg, etc., toutes régions catholiques occupant une zone stratégique entre Rhin et Meuse. Deux beaux-frères pouvaient prétendre à la succes-sion, le duc de Brandebourg et le comte de Neubourg, l'un et l'autre protestants. Pour couper court aux litiges, l'empe-reur Rodolphe II avait séquestré les territoires et confié leur gestion à des commissaires impériaux, ce qui avait suscité l'inquiétude dans le camp protestant, chez les Hollandais et chez les princes allemands réunis depuis 1608 dans une Union évangélique. Henri IV y avait vu une occasion de faire pièce

aux Habsbourg et avait pris fait et cause pour les prétendants.
Dès l'été 1609, il avait mis en œuvre des préparatifs diplomatiques et même militaires pour soutenir leurs revendications contre l'empereur.

La France avait donc dépêché des ambassadeurs dans les
diverses cours pour attirer des alliés dans le cas où l'on en
viendrait aux armes. L'issue de ces nombreuses démarches
n'avait pas été décisive car elles heurtaient le vœu général de
paix. Les nonces du pape et les ambassadeurs de Philippe III
d'Espagne présentaient, de leur côté, de vigoureux plaidoyers
pour le maintien de la paix en Europe. Le seul vrai succès
français avait été remporté auprès du duc de Piémont-Savoie,
Charles-Emmanuel, qui, au traité de Brussol (Bruzòlo,
avril 1610), avait promis d'engager ses troupes contre le Milanais espagnol en cas de guerre. L'alliance était confortée par
la promesse de mariage entre deux petits princes encore dans
l'enfance, l'une des filles d'Henri IV et Victor-Amédée, héritier de Piémont. Malgré ce relatif isolement, Henri IV, sûr
de sa force matérielle, appuyé par ses conseillers bellicistes
par conviction protestante ou anti-espagnole, avait au cours
de l'hiver choisi le parti d'une démonstration militaire à l'est
et songé peut-être à une guerre plus étendue à la fois contre
les Habsbourg de Vienne et ceux de Madrid. Ce choix avait
été accéléré par la nouvelle de la fuite du prince de Condé
aux Pays-Bas. Cette médiocre anecdote, liée à la vie privée
des princes, avait pris aux yeux d'Henri IV l'apparence d'une
insulte politique, la preuve d'un complot espagnol, et aussi,
plus ou moins consciemment, une atteinte à ses caprices
amoureux.

La France avait consenti un effort militaire exceptionnel.
Une armée de 32 000 fantassins et 5 000 cavaliers avait été
formée et établie en Champagne, à Châlons et à Mézières,
prête à marcher vers le couloir de la Meuse. Cette troupe
neuve, bien soldée, bien équipée, pourvue d'un solide parc
d'artillerie, était le fruit de la politique de Sully. Depuis les
guerres d'Italie, on n'avait pas conçu d'entreprise militaire
de cette envergure. Il avait même été envisagé de lancer des
offensives secondaires, Lesdiguières conduisant des troupes
de Dauphiné en Italie du Nord et le marquis de La Force attaquant en Pays basque. Ce plan aurait provoqué une guerre

européenne, mais il n'était encore qu'une hypothèse et seule l'avancée vers Clèves avait été effectivement programmée. Elle était prévue pour la fin de mai 1610.

En attendant la saison propice, pour donner plus de solennité à cet argument, surtout pour apaiser l'opinion catholique effrayée de cette guerre contre une cause catholique, pour assurer aussi la stabilité du gouvernement pendant l'absence du roi, il avait été décidé de procéder en cérémonie au couronnement de la reine Marie. Cette fête politique fut célébrée dans la basilique Saint-Denis le jeudi 13 mai. Elle devait être complétée le dimanche suivant par une entrée solennelle de la reine dans Paris.

Le sacre de la reine n'était pas une innovation dans le cérémonial français, mais dans le cadre précis des projets de guerre il prenait une signification particulière de gage envers l'opinion publique et de précaution immédiate. Sous notre regard, celui d'une autre époque, ce rite marquait aussi la force de l'institution monarchique dans ce pays, dans sa forme familiale et dynastique. Il illustrait enfin la volonté constante d'Henri IV de parler à l'imagination populaire, de prouver sans cesse comme aux premiers jours de son avènement la légitimité de son pouvoir et d'enter ainsi une nouvelle branche dans l'arbre de succession des rois de France. Toutes ces significations, publiées clairement ou seulement implicites, allaient être effacées et oubliées du fait de l'accident politique majeur survenu le lendemain.

La mort d'Henri IV et l'avènement de Louis XIII.

Le 14 mai 1610, vers quatre heures de l'après-midi, le roi traversait Paris du Louvre à l'Arsenal pour observer les travaux de décoration de la fête du dimanche. Parvenu rue de la Ferronnerie, dans un étranglement du seul axe est-ouest de la rive droite de la capitale, alors que le carrosse du roi s'était mis au pas, un forcené, se penchant par la portière, porta au roi deux coups de couteau. Henri IV mourut quelques minutes après.

Malgré la stupéfaction et l'horreur, la permanence de l'État fut tout aussitôt affirmée, c'est-à-dire que de grands officiers de la Couronne et le Parlement de Paris reconnurent et annoncèrent dans les heures suivantes le règne de Louis XIII, le fils aîné du roi disparu, un garçonnet de neuf ans, devenu instantanément et nécessairement roi.

Les mécanismes de la transmission du trône avaient été précisés au cours des siècles, au gré des circonstances et des convenances politiques. Ce corps de règles coutumières, c'est-à-dire jamais codifiées, imposées seulement par une sagesse historique, privait les filles du droit de succession, au nom de la légendaire loi salique, loi supposée des Francs Saliens, la tribu de Clovis, premier des rois de France. La succession se faisait donc par les mâles dans l'ordre de primogéniture. Le roi était réputé majeur à l'âge de treize ans révolus ; il était soumis auparavant à un Conseil de régence. Le roi de France enfin devait être catholique, ce dernier point ayant reçu une consécration exemplaire lors de la conversion d'Henri IV. L'ensemble de ces prescriptions formait les *lois fondamentales du royaume*, lois de l'État français, de la nation, de la république ou de la *Couronne*, tous termes employés en ce temps de façon à peu près synonyme. Ces lois fondamentales étaient supérieures à la volonté du roi. Ainsi le roi de France, en dépit d'un pouvoir dit absolu, ne pouvait en aucun cas modifier l'ordre successoral voulu par ces règles. Il avait moins de droits sur le royaume qu'un propriétaire privé sur son bien. Le royaume n'était pas un patrimoine dont le roi aurait pu disposer à sa guise, mais un bénéfice qu'il recevait à son avènement et qu'il quittait à sa mort. Le roi était mortel, sa personne était précaire, alors que la dignité de la Couronne était éternelle. La clarté de cette distinction et l'automatisme de ces règles apportaient une force extraordinaire à la monarchie française ; elles lui avaient épargné par exemple les guerres civiles successorales qui avaient notamment déchiré le royaume d'Angleterre à la fin du XVe siècle.

Ces règles étaient bien connues des magistrats et hommes d'État de l'âge moderne. De ce fait, le roi n'avait pas à être proclamé par une instance quelconque telle qu'une assemblée de princes du sang, une réunion d'États ou une cour de justice, comme cela se pratiquait dans d'autres souverainetés. Le roi devenait roi à l'instant de la mort de son prédécesseur. Cette merveilleuse immédiateté était traduite par l'adage général de droit commun : « Le mort saisit le vif », et par des formules analogues de droit public : « Le roi est mort, vive le roi », ou encore : « Les rois ne meurent pas en France. » Dans un autre contexte constitutionnel, le principe est encore vivant aujourd'hui, c'est ce qu'on appelle la continuité de l'État.

Le chancelier Sillery, chef de la justice du roi, premier dignitaire de la Couronne, premier connaisseur de ses droits, s'inclina devant le petit garçon qui avait été dauphin jusque-là et qui était devenu roi. Une heure après, le duc d'Épernon, colonel général de l'infanterie, se présenta au Parlement de Paris porteur d'un message de la reine mère demandant de la reconnaître pour régente. Cette démarche était ambiguë car le Parlement de Paris n'était qu'une cour souveraine parmi d'autres ; son avantage était seulement de siéger dans la capitale, d'avoir le ressort le plus étendu (presque la moitié du territoire) et d'être la plus ancienne cour, mais il n'avait jamais été un conseil de gouvernement, ni une assemblée dépositaire du droit du royaume. L'équivoque fut levée le lendemain 15 mai où le petit roi fut conduit au Parlement pour y tenir un *lit de justice*, c'est-à-dire pour y exprimer sa volonté selon un rituel politique particulier lié à sa venue dans l'enceinte de la cour. De sa seule personne émanaient la légitimité, la force, la pertinence de tout pouvoir ; il appartenait donc au roi d'annoncer sa volonté de pourvoir à la régence. La cérémonie voyait donc le chancelier recueillir la parole royale, prendre l'avis des princes du sang non sur le fait mais sur les modalités, se tourner ensuite vers les ducs et pairs, les cardinaux et pairs ecclésiastiques, les présidents du Parlement, les conseillers d'État, les maîtres des requêtes et enfin les conseillers au Parlement. Le chancelier proclama alors le résultat du lit de justice qui déclarait la reine mère régente. La remise de la régence à une reine mère était attestée depuis les plus hautes époques ; elle avait été vérifiée récemment par les régences successives de Catherine de Médicis au nom de ses fils mineurs ou empêchés.

La cérémonie, apparemment formelle et unanime du 15 mai, dissimulait quelques non-dits ; la reine Marie, pour s'attirer la bienveillance de la cour, s'accommodait de la tutelle du droit de la Couronne que le Parlement s'attribuait ; les princes, les grands officiers et le Parlement, qui auraient

eu vocation à la régence, cédaient devant la reine dont l'autorité dans les heures graves aurait plus de prestige et donc plus
d'efficacité.

Que tous ces gestes institutionnels, dans l'affolement et
l'improvisation, aient pu s'accomplir sans querelles et sans
retard montre le degré de maturité du système monarchique
français, son enracinement dans les réflexes politiques des
Français et sa capacité d'adaptation aux situations les plus
dramatiques et les plus brutales.

La doctrine du tyrannicide.

Il faut maintenant revenir sur le meurtre du roi et analy-
ser l'événement, y reconnaître les traits d'un accident impré-
visible, l'œuvre d'un dément, ou bien le résultat d'un complot
ou encore l'aboutissement d'une ancienne crise de confiance.
Notons d'abord une banalité primordiale : le principe
même de la monarchie résumant en un seul homme l'essence
du pouvoir l'expose à de tels dangers, et il n'en va pas différemment dans les divers régimes qui supposent une personnalisation de l'autorité. Si de tels régimes peuvent se
rencontrer à des époques très différentes, le recours au meurtre politique, sa fréquence et sa légitimation répondent à des
conventions particulières, à des modes historiques précises
et limitées. Les dernières décennies du XVIᵉ siècle avaient vu
survenir ce type de péripéties sanglantes dans un peu toute
l'Europe. Des individus fanatiques qui faisaient le sacrifice
d'eux-mêmes en mettant à mort un homme d'État détesté suivaient le modèle héroïque du tyrannicide. La déchirure de
la Réforme et le scandale des guerres de Religion suscitaient
des situations dramatiques où un sujet se trouvait partagé
entre l'obéissance qui, en droite doctrine, est due au prince
et un devoir de révolte si ce même prince se révèle persécuteur
et hérétique. Lorsque les crimes d'un mauvais prince l'amè-
nent à modifier la religion de ses sujets et par conséquent à
mettre en cause le salut de leurs âmes, il revient alors à tous
ceux qui le peuvent de mettre un terme à sa carrière. Les annales politiques françaises rapportaient des exemples de tels
comportements ; les meurtres du duc François de Guise, de
l'amiral de Coligny ou du roi Henri III étaient présents dans

les mémoires. Henri IV lui-même avait fait l'objet de plusieurs tentatives de meurtre, de la part d'un soldat ligueur ancien batelier, Pierre Barrière, en 1593, d'un jeune écolier des jésuites, Jean Chastel, en 1594, etc.

Les magistrats et politiques, conscients de la terrible et permanente menace de subversion que représentait la justification morale du tyrannicide, avaient édifié à l'encontre un arsenal de règlements et de doctrine. Ils avaient imaginé et édicté des supplices effroyables contre les coupables de régicide ; ils avaient effectivement fait appliquer la peine de l'écartèlement vif contre Barrière et Chastel. Comme souvent, l'institution judiciaire tentait de compenser par l'exemplarité et l'horreur des supplices son incapacité à pénétrer les profondeurs de la société pour y exercer prévention et répression.

A la recherche d'instigateurs, les magistrats avaient dirigé leur vindicte particulière contre la Compagnie des jésuites qui, dans l'argumentaire catholique, présentait la plus vive défense de la foi contre une autorité perverse. Il est vrai qu'en se soumettant directement au Saint-Siège hors de la tutelle des instances locales tant ecclésiastiques que politiques, les jésuites constituaient un modèle d'insoumission, une liberté provocatrice qui pouvait s'opposer aux raisons d'État. Le Parlement de Paris, qui, dès l'arrivée de la Société dans son ressort, n'avait manqué aucune occasion de gêner son expansion, avait obtenu après l'attentat de Chastel l'expulsion des jésuites du royaume. Henri IV lui-même, connaissant la valeur intellectuelle et le dévouement religieux des pères de la Compagnie, avait en 1603 imposé leur rappel ; il avait dû recourir à plusieurs lettres de jussion pour contraindre le Parlement de Paris à accepter le retour de la Société dans la capitale et la réouverture de ses collèges. Le gallicanisme de la plupart des magistrats, la résolution de défendre les droits de l'État et des ecclésiastiques français contre les prérogatives du Saint-Siège les conduisaient ainsi à s'affirmer plus royalistes que le roi, plus attachés que lui à la version absolutiste du pouvoir. Ce parti pris doctrinal se vérifierait constamment jusqu'à la fin des siècles monarchiques.

En fait, les jésuites ne prêchaient et n'enseignaient pas différemment des autres familles spirituelles catholiques, par exemple Cordeliers et Feuillants très répandus alors dans nombre de provinces. Les doctrinaires protestants avaient professé pareillement, surtout pendant les années 1570, la force du devoir de révolte armée contre la tyrannie et, implicitement, ou en termes propres, la mise à mort du tyran. Le cas de conscience du tyrannicide autorisé et même imposé au fidèle chrétien était donc un lieu commun de l'époque, un de ces problèmes en forme d'aporie, abstraits et intemporels, qui dans une certaine conjoncture idéologique se présentent momentanément comme brûlants, angoissants, inévitables.

L'affaire Ravaillac.

Les polémiques très violentes des protestants contre Charles IX, des catholiques contre Henri III et Henri IV jusqu'en 1594 n'avaient plus cours en 1610. La paix religieuse était revenue dans le royaume. C'est le projet de l'expédition de Clèves qui avait fait renaître l'inquiétude chez nombre de sujets catholiques. Le récent conflit du pape avec la république de Venise pour des questions de juridiction, les invectives du roi d'Angleterre Jacques Ier contre les conspirations des catholiques anglais faisaient craindre le retour agressif d'une propagande réformée en Europe. Qu'Henri IV songeât à porter la guerre dans un petit duché catholique et contre les démarches du pape aurait enfin révélé l'insincérité de sa conversion ou le cynisme de ses convictions. Le bruit avait couru qu'à Noël 1609 les protestants allaient entreprendre un massacre des catholiques et que le roi allait faire la guerre contre le pape lui-même. L'assassin d'Henri IV l'avait entendu dire et l'avait cru. Ces rumeurs provocatrices reflétaient le malaise éprouvé par la partie la plus catholique de l'opinion. L'histoire politique comprend aussi l'étude — fort difficile — des rumeurs, fausses nouvelles, déformations, incertitudes ou idées reçues. L'épisode dramatique et passionnel de la mort du roi permet soudain de découvrir quelques aspects de ces domaines obscurs.

Le meurtrier s'appelait François Ravaillac. La personnalité de ce pauvre diable qui fait une irruption très brève et très grave sur la scène historique mérite l'attention, dans la mesure où elle éclaire la signification de son geste. Il avait un peu plus de trente ans, était originaire d'Angoulême où il avait reçu une éducation pieuse et lettrée. Comme son père, il était solliciteur de procès, mais aucun n'y trouvait de quoi vivre, son père étant réduit à la mendicité et lui se tirant d'affaire en tenant une petite école. Il avait voulu entrer chez les Feuillants, filiale des Bénédictins, mais en avait été rejeté parce qu'il était visité de visions. C'était donc un intellectuel besogneux, à la dévotion tourmentée, poussé au régicide par des scrupules exaltés qui transformaient ses fantasmes en devoirs de conscience.

Les commissaires du Parlement qui l'interrogèrent et le soumirent à la torture cherchaient avec obstination à lui faire dénoncer des complices qui l'auraient guidé dans son dessein, grands personnages conspirateurs, émissaires espagnols, ou bien religieux qui l'auraient confessé et conseillé. Tout fut vain, il fallut admettre que Ravaillac avait agi totalement seul et que son acte ne résultait que des indignations ignorées provoquées par les choix politiques du roi.

La psychose d'assassinat.

Il paraissait aux magistrats invraisemblable et en même temps scandaleux qu'un projet aussi audacieux ait pu venir d'un misérable inconnu, il leur semblait inadmissible que le délire d'un individu isolé pût entraîner de si lourdes conséquences. Ils voulaient que l'événement corresponde à leurs convictions et qu'il permette au moins d'incriminer leurs cibles favorites, comme les Espagnols ou les Jésuites. En dépit des évidences des enquêtes et des interrogatoires, en dépit de la tragique sincérité de Ravaillac, la piste d'un complot à l'origine de l'assassinat persista donc. Lorsqu'une enquête s'engage dans une telle voie, elle ne saurait manquer sa moisson de coïncidences, de paroles à double entente, de soupçons malveillants ou imprécis. La petite histoire et la raison d'État faisant alliance ont collectionné les mystères troublants. En effet, l'hypothèse de conspirations a toujours d'infinies séductions puisqu'elle accorde à celui qui la soutient un brevet d'esprit fort et qu'elle donne l'illusion de n'être pas dupe des apparences. Elle procure aux coups du destin une responsabilité humaine sur laquelle on peut assouvir son appétit de dénonciation et de vengeance. Elle conjure l'impression de frustration et d'impuissance en face des effets du hasard. Elle traverse ainsi toute l'histoire et resurgit en tout temps.

Si la croyance aux complots des puissants jouit d'une sorte de crédit éternel, une autre pente psychologique, manifestée avec la même intensité en 1610, se révélait en revanche plus limitée et datable : il s'agit de la découverte d'une multitude de présages annonçant le meurtre d'Henri IV. Un rêve de la reine, des inquiétudes soudaines du roi, des conseils de prudence de ses compagnons furent abondamment racontés après l'événement. Comme preuve d'un éventuel complot, on rapporta des jactances de délirants ou d'ivrognes entendues quelques jours plus tôt. On découvrit le sens prémonitoire de détails météorologiques ou d'accidents banals comme la foudre frappant un écusson fleurdelisé ou la chute d'un taureau dans le fossé d'un château royal. Les horoscopes et les prophéties n'avaient pas non plus manqué le rendez-vous du destin. L'*astrologie judiciaire*, c'est-à-dire la lecture de l'avenir et le choix de décisions en fonction de la situation des astres, avait alors sa plus grande audience à tous les niveaux de connaissance, aussi bien dans les cabinets des savants que dans les villages les plus reculés. Son système se fondait, un peu comme la hantise des complots, sur le refus de soumettre les péripéties majeures de l'histoire des hommes à des causes triviales et minuscules ou bien surtout vagues et incertaines. Les présages restituaient aux événements leur rang de décrets de la Providence, dignes d'être annoncés et marqués par des signes du Ciel.

Ravaillac fut écartelé en place de Grève le 27 mai 1610. Une foule énorme, furieuse assistait au supplice, long et atroce ; repoussant les archers, le peuple s'empara du cadavre dont des débris furent emportés et brûlés jusque dans des villages de la banlieue.

Le corps du roi, embaumé, demeura exposé au Louvre jusqu'à la fin de juin. Son cœur fut porté à la chapelle du collège jésuite de La Flèche, selon un vœu exprimé de son vivant. Les funérailles s'achevèrent à Saint-Denis le 1er juillet.

La franche impopularité du roi en 1609 et 1610 avait été remplacée dès la nouvelle de sa mort par une sincère et uni-

verselle déploration. Les projets de guerre et d'impôts avaient
été instantanément oubliés. Les mérites historiques du roi,
soit la refondation de la dynastie, le retour de la paix civile,
la victoire aux frontières, accaparaient le souvenir. L'annonce
de la mort du roi avait fait reparaître toutes les anciennes
angoisses des Français qui mesuraient mieux dès lors la valeur
et la fragilité des acquis du règne. Dans cet instant, la légende
du bon roi Henri commençait à se forger ; elle allait être
appuyée au cours des années suivantes par une abondante
littérature apologétique retraçant la vie et les hauts faits du
disparu. Aux œuvres lyriques et historiques s'ajoutaient les
effigies sculptées, peintes, gravées, représentant le roi sous
l'apparence de Jupiter, d'Hercule, d'un empereur ou d'un
triomphateur romain, en chevalier ou en souverain, armé,
lauré, cavalcadant, rendant la justice ou priant. C'est le
23 août 1614 qu'une statue équestre en bronze fixa l'image
d'Henri IV au cœur de Paris, au milieu du Pont-Neuf. On
répétait les bons mots dont il avait été généreux, les belles
actions de sa jeunesse militaire et les traits de sagesse de son
gouvernement, on les fit fleurir et embellir et on en imagina
de nouveaux. Henri IV appartenait désormais à l'imagerie
merveilleuse de l'histoire rêvée.

Le sacre de Louis XIII.

Prudemment la reine régente avait décidé de ne rien changer au Conseil du roi et de conserver exactement tous les secrétaires d'État selon l'équilibre de personnalités et d'opinions
qu'avait choisi Henri IV. Deux fortes individualités dominaient ce gouvernement : Sully, grand seigneur protestant,
fidèle aux alliances des pays du Nord, mettant sa maîtrise
financière au service d'une politique militaire agressive, et,
d'autre part, Villeroy, magistrat catholique, soucieux du
maintien de la paix. L'œuvre de Sully a été d'autant mieux
connue et louée que le vieux ministre consacra sa retraite à
la rédaction de mémoires informés et intelligents, *Mémoires
des sages et royales économies d'État*, appelés plus briève-
ment *Économies royales*, qui connurent le succès dès le premier volume paru en 1641, succès confirmé par des rééditions
nombreuses. Nicolas de Neufville de Villeroy, mort en 1617,

bien oublié depuis, rangé dans le parti de la Ligue, avait joué un rôle primordial dans les négociations de ralliement des principaux chefs ligueurs. Henri IV l'avait gardé auprès de lui et chargé des affaires étrangères. Connaisseur des problèmes d'Italie, de Rome, Venise et Florence, il avait reçu de ce fait la confiance de Marie de Médicis et ses avis allaient désormais s'imposer au Conseil.

Il fallait dans l'immédiat rassurer l'opinion protestante qui s'alarmait d'une hypothétique attaque espagnole dont le meurtre du roi aurait été le signal. Un des premiers gestes de la régente fut donc de confirmer solennellement l'édit de Nantes dans toutes ses dispositions (3 juin 1610). Selon les termes de l'édit, deux députés généraux représentaient en permanence le corps de la R.P.R. (religion prétendue réformée) auprès du Conseil ; ils étaient élus pour trois ans par un synode national, c'est-à-dire une assemblée générale de députés des 16 provinces qui structuraient les églises protestantes du royaume. L'échéance était venue, la reine autorisa donc pour le début de 1611 la tenue d'une telle assemblée générale.

L'expédition de Clèves fut maintenue à peu près selon les plans prévus. L'armée de Champagne, prête à s'ébranler en mai, s'achemina par la vallée de la Meuse, traversant pacifiquement les Pays-Bas espagnols et la principauté épiscopale de Liège. Les villes des duchés furent occupées en septembre et les commissaires impériaux expulsés. Les territoires furent partagés entre les deux princes protestants prétendants, sous condition de respecter le culte catholique des habitants. Les Espagnols ne s'étaient pas opposés au passage, les Impériaux acceptaient la solution imposée ; le grand péril stratégique était imaginaire, la menace de guerre européenne s'était évanouie.

Le Conseil avait résolu de faire sacrer le jeune roi. Aucune loi ni coutume n'obligeait à célébrer le sacre à un moment donné. Seule la convenance politique déterminait cette date. En l'occurrence, la jeunesse du roi, le déficit de prestige d'une régence, le partage du royaume entre les factions religieuses ou princières montraient la nécessité d'une célébration rapide et solennelle. Dès le mois de juillet, la décision avait été prise et des ambassadeurs étrangers dépêchés pour cette occasion commençaient d'arriver à Paris.

Le théâtre du sacre avait presque toujours été la cathédrale Notre-Dame de Reims. Henri IV n'avait pu se conformer à l'usage parce qu'en 1594 la Ligue était encore maîtresse de la Champagne ; il avait été sacré à Chartres avec une huile sainte portée de l'abbaye de Marmoutiers. Il était très important aux yeux du public que la cour de France retrouve la route de Reims : cette localisation, que, par la force des choses, on avait affecté de juger secondaire en 1594, fut restaurée en 1610. La riche et puissante province de Champagne tenait à ce privilège. La puissance d'une tradition pluriséculaire viendrait conforter la gloire du petit Louis XIII. Il fut sacré à Reims le dimanche 17 octobre, à midi.

Les crises de la fin du XVIᵉ siècle avaient avivé l'attention prêtée à la symbolique de la souveraineté. Les significations religieuses et politiques des cérémonies étaient alors assez largement connues et comprises. Le sacre ne faisait pas le roi, il n'ajoutait rien à ses droits pleinement réalisés dès l'avènement, l'accomplissement du rite était supposé *révéler* les pouvoirs et dignités spirituels du prince. Le cérémonial évoluait de règne en règne dans quelques détails liturgiques ou décoratifs, mais les paroles et les gestes majeurs avaient été fixés en 1365 sous Charles V par un texte descriptif *(ordo)* qui avait été à peu près observé depuis lors. Les actes essentiels de la cérémonie étaient la prononciation de deux serments de la part du roi aux évêques et au peuple, puis l'onction administrée au roi par l'archevêque de Reims. Dans ses serments, le roi s'engageait à maintenir les lois et privilèges de l'Église, à procurer au peuple la paix et la justice, enfin à défendre la foi chrétienne. L'onction que le roi recevait en neuf endroits de son corps était faite avec un mélange d'huile bénite (le saint chrême), comme pour le sacrement du baptême, et d'un baume contenu dans la Sainte Ampoule, la fiole qui aurait été apportée à saint Rémi par un ange lors du baptême de Clovis.

Le sacre manifestait la faveur de Dieu sur la personne du roi. Le sacrement du sacre lui conférait une dignité ecclésiastique, il échappait au laïcat, il devenait « évêque du dehors », comme on disait, ayant capacité pour régir la vie temporelle de l'Église dans son royaume. Enfin, il était investi d'un pouvoir miraculeux de guérison. Ce don thaumaturgique des rois de France était regardé comme une preuve de l'éminente dignité de cet État et de cette dynastie, une vérification éclatante de leur légitimité, de la singularité de leur mission parmi le peuple de leur nation. Ce don s'exerçait sur certains malades, les scrofuleux, porteurs d'écrouelles, c'est-à-dire victimes de tuberculose ganglionnaire. Ces symptômes étaient fort répandus apparemment puisque les malades affluaient par centaines et même par milliers lorsque le roi, à chacune des fêtes principales du calendrier liturgique, annonçait son intention de toucher les écrouelles. Le roi passait entre les files de patients et touchait chacun d'entre eux en prononçant les paroles consacrées : *le roi te touche, Dieu te guérit*.

Selon la coutume, le roi demeura quelques jours à Reims. Le jeudi 21 octobre, il se rendit au village de Corbeny, à la limite de la Champagne et de la Picardie, lieu de vénération de reliques de saint Marcoul, pieux abbé de très haute époque à l'invocation duquel les rois de France auraient été redevables de leur pouvoir de guérison. Selon le témoignage de son médecin Héroard, le petit roi toucha ce jour plus de 900 malades. Il serait, comme son père, fidèle toute sa vie à cette cérémonie miraculeuse, le plus extraordinaire emblème de sa dignité.

L'attente du renouveau.

Au-delà du deuil accablé du printemps 1610, l'avènement d'un jeune roi prenait bientôt figure de renouveau, d'espérance d'avenir. De nouvelles générations de jeunes gens s'impatientaient déjà des dix années de paix civile et extérieure, s'irritaient de l'accaparement des honneurs par les vétérans des guerres de Religion, attendaient confusément un changement de l'ordre des choses. L'opinion avait d'abord bien accueilli le maintien des ministres d'Henri IV, mais on les appelait déjà les « barbons », parce qu'ils appartenaient à un âge révolu, à une vieille mode dont la vague de jeunesse apparue à la cour et à la ville n'allait pas tarder à s'agacer. La suppression, rituelle et démagogique, de quelques édits fiscaux et de quelques arriérés d'impôts plus ou moins irrécouvrables, décidée par la régente, annonçait ce renouveau. Sully, surintendant des finances, s'inquiétait des rumeurs qui lui attribuaient un long passé de malversations, puisqu'il avait été pendant douze ans maître des finances du royaume sans jamais avoir à rendre compte qu'au roi qui lui faisait personnellement confiance. Il affecta de se retirer sur ses terres pendant le sacre du roi ; la régente le rappela à la cour, mais deux mois plus tard, en janvier 1611, voyant son influence dans les conseils diminuée ou contestée, il préféra se démettre de ses charges de surintendant des finances et aussi de sa responsabilité militaire de capitaine de la forteresse de la Bastille qui lui avait assuré jusque-là le contrôle de la capitale. Il choisit de s'exiler dans ses terres du Poitou. Sa fortune était en effet déjà considérable ; au cours de sa retraite, il en maintint le niveau en la convertissant de charges royales en parts de fermes d'impôts ; à sa mort, en 1641, elle dépassait 5 millions de livres.

Après ces diverses séquelles des entreprises du règne d'Henri IV, la régence s'engageait dans un nouveau style de gouvernement, plus précaire, plus empirique, à l'image de la fragilité structurelle du statut de régence.

3

La régence de Marie de Médicis

De mai 1610 à octobre 1614, la reine Marie de Médicis dirigea le gouvernement du royaume, exerçant la régence au nom de son fils. A partir de la majorité de Louis XIII, la reine mère continua à dominer le Conseil grâce à l'accord et à la soumission de son fils, jusqu'à ce que par un coup d'État royal en avril 1617 celui-ci s'émancipe brutalement et assume lui-même la direction de son conseil. Après 1617, avec bien des vicissitudes, la reine mère conserva pourtant une influence certaine sur son fils et donc sur les affaires du pays. Ainsi Marie de Médicis doit être regardée comme un personnage essentiel des annales politiques de ce temps. Les historiens ont été particulièrement sévères pour elle, ne retenant de sa carrière que les querelles mesquines entre la reine vieillissante et son fils, et surtout les conflits politiques qui l'opposèrent au victorieux cardinal ministre Richelieu et qui la réduisirent à mourir en exil. Ces auteurs, reprenant les écrits de dénigrement suscités par les puissants adversaires de la reine, la taxent d'une intelligence médiocre et d'une vanité querelleuse. En fait, si l'on juge l'arbre à ses fruits, la période de son gouvernement fut l'une des plus prospères et brillantes de l'âge moderne. Les jugements péjoratifs portés à l'encontre de son gouvernement se sont arrêtés à la surface des événements, aux agitations confuses des factions princières et des intrigues de cabinet qui semblaient peser sur les destinées du pays.

Les factions princières et leurs luttes d'influence.

Le rôle sociopolitique des grands seigneurs était primordial dans la France du premier XVIIᵉ siècle. Leur influence provenait d'abord tout simplement de leur puissance terrienne. Propriétaires de grands domaines disséminés à travers plusieurs provinces avec des concentrations régionales plus accentuées, ils disposaient des revenus de la terre, les plus massifs et les plus sûrs en cette conjoncture. Des centaines ou milliers de paysans, fermiers, marchands, hommes de loi étaient ainsi attachés à leurs fortunes et dépendaient d'eux pour leurs affaires et leurs carrières. Mais le prestige des grands seigneurs dépassait largement les seuls critères économiques. Il tenait surtout à l'ancienneté des familles et à leur éventuel apparentement à la dynastie régnante.

L'estime sociale qui hiérarchise plus ou moins consciemment les individus accordait la plus grande valeur à la durée pluriséculaire de leurs souches familiales. Cette durée devait, devant les instances réglementaires, fiscales ou nobiliaires, se prouver par des titres écrits, mais, plus que des parchemins illisibles tirés d'un chartrier, ce qui confirmait une noblesse éminente, c'était l'assentiment de l'opinion, l'aveu général qui reconnaissait à tel baron la prééminence dans son canton, la séance aux États provinciaux, la participation au ban, l'honneur de porter l'épée et de monter à cheval pour le service du roi. L'idéal fixiste de l'époque voulait que le passage des siècles ait éprouvé la vertu et le mérite, réputés héréditaires dans les familles. Les plus brillantes de ces lignées avaient été remarquées par les rois et récompensées par l'érection de duchés-pairies. Admis dans la familiarité du roi, les ducs et pairs représentaient le plus haut rang de la noblesse.

Les princes du sang appartenaient à la parentèle du roi; ils participaient donc de la légitimité puisque à un degré plus ou moins lointain ils conservaient un droit de succession. Après tout, Henri IV, accédant au trône en 1589, faisait remonter sa filiation à un fils de Saint Louis; il se trouvait cousin au vingt et unième degré du roi auquel il était appelé à succéder. Plus que de toute espèce de fortune terrienne ou marchande, les princes tiraient leur réputation de cette possible participation à la souveraineté. Le roi, de son côté, utilisait sciemment l'honneur qui s'attachait à un grand nom pour peupler les charges de la Maison du roi, des gouvernements des provinces ou des principales places fortes. L'obéissance de la noblesse locale, la fidélité d'une province, l'efficacité des ordres et des exigences étaient garanties par l'éclat d'un nom princier illustre.

De même, le commun des sujets du royaume savait qu'entrer dans la clientèle des fidèles d'une grande famille pouvait ouvrir des portes, procurer des gratifications, des appuis dans la recherche d'un mariage flatteur, le déroulement d'un procès, l'avancement d'une carrière de robe ou d'épée. Un nouveau venu soucieux d'être introduit à la cour, un ambassadeur étranger à l'affût d'informations ou de recommandations auraient pareillement l'idée de s'adresser à l'entourage d'un grand. Il appartenait donc au roi de scruter attentivement les personnalités, les influences, les relations des grands de son royaume, de savoir s'assurer leur dévouement et leur soutien par l'amitié, la faveur, les pensions et les charges.

La recherche de bribes du pouvoir faisait clairement partie des moyens de parvenir. Le rôle de l'État comme levier d'ascension, comme ordonnateur de l'estime sociale, surtout comme lieu de redistribution des revenus de l'impôt était (déjà) parfaitement compris par l'opinion. En outre, faute de concepts pour comprendre les courants économiques et notamment les mécanismes de l'inflation, encore forte dans les premières années du siècle, on s'imaginait que l'appauvrissement de la noblesse et des détenteurs de revenus seigneuriaux fixes ne résultait que de l'ingratitude coupable que l'État réservait à la fidélité de cette noblesse. Il semblait donc que l'on devait, en toute justice, attendre du Conseil du roi une plus grande générosité envers les familles qui, par leur naissance et leur dignité, avaient une vocation comme naturelle au service du roi.

Deux familles s'imposaient alors à la cour, les Condé et les Guise. La maison de Bourbon-Condé remontait à un frère cadet d'Antoine de Navarre, père d'Henri IV. Son fils Henri Ier de Condé (1552-1588) avait été le premier chef militaire du parti protestant avant Henri de Navarre. Henri II de Condé (1588-1646), né posthume, élevé dans la religion catholique, aurait été le plus proche prétendant au trône si Henri IV était mort sans enfants. On a vu comment, en 1609, il avait été obligé de s'exiler pour échapper à la vindicte du vieux roi et comment cet exil avait pu paraître le fruit des conspirations des Espagnols. Son retour triomphal à Paris, en juillet 1610, signifiait qu'une page était tournée et qu'une nouvelle génération s'approchait du pouvoir.

La maison de Guise, apparentée par son origine aux ducs souverains de Lorraine, jouissait d'un prestige immense dans l'opinion catholique et surtout dans les provinces de l'Est où elle était anciennement possessionnée. Fils du duc Charles, chef de la Ligue, Charles II (1571-1640), rallié en 1595 à Henri IV, l'avait depuis lors servi efficacement. Il demeura pendant les moments les plus difficiles de la régence un appui constant du pouvoir royal.

D'autres grands noms plus isolés revenaient dans les annales. Le duc d'Épernon, colonel général de l'infanterie, ami d'Henri III, compagnon d'Henri IV, était un personnage ombrageux et inculte, sans doute sympathique si l'on en juge par l'ampleur et la fidélité de sa clientèle nobiliaire. Le duc de Nevers, cousin des ducs de Mantoue, rallié à Henri IV, avait reçu de lui le gouvernement de Champagne. Il se faisait construire à la frontière la ville neuve de Charleville. Il était richissime et fervent catholique.

Il fallait compter avec une noblesse protestante nombreuse et puissante. Le duc de Bouillon, détenteur de deux grands fiefs qu'il prétendait souverains, la vicomté de Turenne en Quercy et la principauté de Sedan à la limite des Ardennes, aurait voulu être reconnu comme le chef militaire des églises protestantes. En fait, ce rôle allait lui être ravi par un gentilhomme de l'Ouest, le duc Henri de Rohan (1579-1638), possessionné en Bretagne et en Bas-Poitou. Gendre de Sully, colonel général des Suisses depuis 1605, il avait participé à la brève expédition de Clèves en septembre 1610. Son avis allait bientôt dominer les assemblées politiques du parti huguenot.

Dès l'hiver 1610, il était apparu que Condé revendiquait un rôle important dans le gouvernement. Il réclamait des compensations pour les dépenses supportées par son père au service d'Henri IV et, pour lui-même, la garantie de places fortes confiées à son commandement avec la disposition de deux compagnies de chevau-légers. A force d'atermoiements et de concessions diverses, des pensions et des gouvernements, le Conseil réussit à apaiser les revendications des princes. Villeroy, qui avait quinze ans plus tôt présidé à la réconciliation des chefs et des villes de la Ligue, professait qu'il valait mieux dépenser de l'argent que le sang des soldats. Maintenu aux affaires jusqu'en 1616, il serait fidèle à ce principe de négociations et d'achat des apaisements aussi longtemps que le royaume supporterait le handicap d'un roi encore trop jeune.

Les mariages royaux et la crise de 1614.

La diplomatie pontificale réclamait l'affirmation de la paix entre les princes catholiques. Elle ne pouvait mieux s'illustrer que par des mariages unissant les familles régnantes de Madrid et de Paris. Le nonce Ubaldini, qui fut en résidence à Paris de 1607 à 1616, soit un séjour exceptionnellement long, tint une place déterminante dans ces négociations. Il avait plaidé la cause auprès d'Henri IV et, dès juin 1610, la régente lui confia son accord à ce projet. L'Espagne débarrassée de la guerre aux Pays-Bas, la France victorieuse dans l'affaire de Clèves se trouvaient l'une et l'autre en position de force, libres de rancœurs trop immédiates. L'âge encore tendre des enfants royaux n'empêchait pas l'avancement du projet et la préparation de contrats en vue d'unions qui n'auraient lieu que plusieurs années plus tard. Les seules difficultés du côté français venaient des réserves des protestants, inquiets d'un tel rapprochement qui pouvait affecter leur situation dans le royaume. Elles résultaient aussi des résistances d'autres puissances qui auraient voulu de même contracter une alliance matrimoniale avec la cour de France. Le duc de Savoie et le roi d'Angleterre voulaient pour leurs fils héritiers la main d'une des trois filles d'Henri IV, Élisabeth, Henriette et Christine. L'opposition la plus résolue émanait de la cour de Turin qui s'indignait du reniement des promesses faites par Henri IV au traité de Brussol ; Charles-Emmanuel, ulcéré, essayait de se revancher en se rapprochant de l'Espagne ; pareillement, Jacques Ier à Londres débattait d'un éventuel mariage du prince de Galles avec une infante d'Espagne. En fait, la cour de Madrid considérait que seule une alliance française conviendrait à l'honneur de la couronne d'Espagne et refusait donc de s'arrêter à ces diversions.

Le projet des mariages espagnols, comme on disait, unissant le roi Louis XIII à l'infante Anne d'Autriche et la princesse Élisabeth de France au futur roi d'Espagne fut exposé officiellement au Conseil du roi le 26 janvier 1612. En mars, lors d'une fête donnée au Louvre pour le Carnaval, l'ambassadeur d'Espagne adressa une harangue à Madame Élisabeth, la traitant publiquement comme la future reine d'Espagne. Les contrats de mariage, méticuleusement discutés dans les conseils, furent signés avec solennité à la fois à Madrid et à Paris par des ambassadeurs extraordinaires dépêchés à cet effet (25 août 1612, jour de la Saint-Louis). Chacune des princesses renonçait à ses droits à la couronne de son pays de naissance ; les dots étaient fixées paritairement à 500 000 écus d'or (1 écu valant 3 livres) ; les deux couronnes prévoyaient leur bonne entente mais ne concluaient aucune espèce d'alliance. Les libertés de décision de chaque pays en face des variations des événements restaient entières. Ces textes n'entraînaient aucune abdication de l'une ou l'autre puissance, mais ils annonçaient du moins la volonté pacifique des deux cours ; ils auguraient peut-être des années d'équilibre et de paix dans le cap occidental de l'Europe.

Les réticences des protestants n'eurent pas de conséquences politiques grâce aux conseils de prudence dispensés par deux grands seigneurs de la R.P.R., le duc de Bouillon et le duc de Lesdiguières, soutiens résolus du pouvoir royal.

Du côté des grands, l'opposition était beaucoup plus vive car l'alliance espagnole elle-même n'était qu'un prétexte pour exprimer une insatisfaction fondamentale qui s'autorisait de la faible place tenue par les princes dans les conseils, de l'étroitesse de l'entourage de la régente et de la contestation de la légitimité même de la reine régente. Condé et son oncle le comte de Soissons, se faisant les porte-parole de ce mécontentement, s'indignaient qu'alors qu'en droit la tutelle du roi leur revenait, on ne les invitât à des séances du Conseil que pour des simulacres de décision sur des affaires déjà résolues ; ils dénonçaient l'indignité des favoris, auxquels la régente réservait les places et les pensions, et l'incertitude du pouvoir de la régente qui aurait dû être consacrée par une assemblée d'États généraux.

Les critiques et les jalousies se déchaînaient contre les plus fidèles amis de la reine, le couple des Concini, Toscans arrivés à la cour de France en 1601, chargés par la reine de récompenses et de prérogatives. Selon des lieux communs de longtemps accrédités à cette époque, on leur reprochait leur origine italienne, la bassesse de leur naissance et leur fulgurante ascension de parvenus. L'opinion française méprisait les vagues de transalpins qui, du fait des guerres d'Italie et des mariages toscans des rois, avaient fait accourir à Paris et à la cour des gentilshommes, des ecclésiastiques, des artistes, des marchands et des aventuriers italiens. On les supposait pour le moins parasites et trompeurs et peut-être même criminels cyniques et scandaleux. Un autre préjugé, lié à l'idéal fixiste, caricaturait la mobilité sociale et s'appliquait à rabaisser la naissance de ceux qu'on voulait taxer de parvenus. Concini était une cible parfaite pour ces jugements. Bien que fils et petit-fils de secrétaires du grand-duc de Toscane, il était présenté comme de naissance misérable, bien qu'intelligent et spirituel, il était regardé comme ignorant, bien qu'indifférent aux desseins diplomatiques de la régence inspirés par Villeroy, il était donné comme dévoué à l'Espagne. Son ambition avait été servie par son mariage (1601) avec Léonora Dori, dite Galigaï, amie d'enfance de la reine. Dès l'été 1610, il avait reçu l'entrée au Conseil du roi et des gouvernements de places dans le Nord ; il était devenu ensuite marquis d'Ancre, en Picardie (1611), puis maréchal de France (novembre 1613). Cette réussite hâtive et imprudente le posait en modèle détestable du favori de cour, insolent et malfaisant.

L'opposition des princes prit une forme plus virulente au début de 1614. Le duc de Nevers s'assura en janvier de la citadelle de Mézières et Condé s'empara de Sainte-Menehould en mai. Maîtres de deux sites fortifiés frontaliers, ils étaient en mesure de dicter les conditions au Conseil du roi. Marie de Médicis et Villeroy, conscients de la gravité de la situation, envoyèrent les meilleurs régiments suisses en Champagne à titre de menace et en même temps chargèrent d'illustres magistrats, le président Jeannin et Jacques-Auguste de Thou, parlementaire parisien, savant historien et ami personnel de Condé, de négocier un arrangement. Un accord, dit traité de Sainte-Menehould, conclu le 15 mai, obtenait le désarmement des princes, moyennant quelques garanties. Les mariages espagnols n'étaient pas mis en cause. Les princes obtenaient la promesse d'une prochaine réunion des États généraux. En effet, la date de la majorité royale approchant avec le treizième anniversaire de Louis le 27 septembre suivant, il était nécessaire d'échafauder une nouvelle légitimité du gouvernement, le terme juridique de la régence étant venu. La convocation d'États s'intégrait donc facilement dans les plans de la reine et du Conseil. Cette perspective de recours à l'instance traditionnelle représentative de la sagesse et des espérances du pays pouvait séduire tous les secteurs de l'opinion et, effectivement, la satisfaction et les attentes de tout un chacun s'exprimèrent par une multiplication de libelles, de projets, de pamphlets témoignant de l'intensité en cet instant des réflexions et disputes politiques dans la noblesse, dans les milieux parlementaires ou dans les rues de la capitale.

Réagissant aux événements, la régente et Villeroy eurent l'idée de frapper le public par un voyage spectaculaire du roi dans quelques provinces du royaume. Catherine de Médicis et le chancelier de L'Hopital y avaient eu recours en 1564 dans une situation analogue, alors que Charles IX adolescent se trouvait confronté à un pays prêt à basculer dans la guerre civile. Un tour de France royal en 1564 et 1565 avait montré le jeune souverain jusque dans les provinces les plus éloignées de la capitale. L'occasion immédiate était fournie par l'agitation du jeune duc César de Vendôme (1594-1665), fils légitimé d'Henri IV et de Gabrielle d'Estrées, demi-frère donc de Louis XIII, gouverneur de Bretagne ; on pouvait craindre qu'il ne se fortifie dans une place de cette lointaine région. Le roi quitta Paris le 5 juillet ; à Orléans, il rejoignait le gros de l'armée, soit 20 000 hommes, qui lui composaient une escorte imposante et redoutable. Le cortège se dirigea lentement vers l'ouest, accueilli triomphalement à chaque ville étape. Le détail du trajet avait été tenu secret car les provinces de l'Ouest présentaient plusieurs enjeux, des points forts de quelques princes, de Condé, de Vendôme, et quelques-unes des meilleures places de sûreté des protestants. Après avoir visité Tours et Poitiers, où Condé était puissant, le roi obliqua vers Loudun et Saumur dont on fit sortir les garnisons protestantes, puis Angers et Nantes (12 août), où le roi allait présider en personne une réunion des États provinciaux de Bretagne. Vendôme s'empressa de venir saluer le roi au château de Nantes et les députés aux États manifestèrent sans équivoque leur loyalisme de principe et leur dévouement de l'instant. Le cortège regagna Paris à petites étapes ; l'entrée du roi dans la capitale le 16 septembre fut une scène de liesse. L'écho dans la littérature pamphlétaire mesurait le succès royal ; les textes en faveur des princes, nombreux jusqu'en mai, reculaient devant les libelles vantant les mérites de la paix du royaume.

Louis XIII était devenu majeur le 27 septembre. Le 2 octobre, il tint un lit de justice au Parlement de Paris. La reine, s'agenouillant devant son fils, lui remit sa charge de régente. Louis XIII la remercia de son bon gouvernement et déclara que, prenant les rênes du pouvoir lui-même, il la nommait chef de son Conseil et entendait qu'elle continue à l'assister comme auparavant. Rien ne changeait donc dans la politique de la France et le pouvoir sortait consolidé de la crise éphémère de 1614. La séance des États généraux allait confirmer encore les réussites du gouvernement de la reine Marie et de Villeroy.

4

Les États généraux de 1614

Les États généraux étaient l'une des plus anciennes institutions de la monarchie française. Depuis le XIVᵉ siècle, les rois pouvaient convoquer des députés provenant de l'ensemble du territoire pour lui rendre un service qui, en principe, n'était que de conseil. Il s'agissait en fait de fournir au souverain, à un moment politique difficile où des décisions impopulaires paraissaient indispensables, un soutien de l'opinion des grands corps qui composaient le royaume. Il n'y avait nulle périodicité, le roi étant entièrement libre de recourir à cette instance ou de s'en passer, d'en suivre les avis ou de n'en pas tenir compte dans l'immédiat. Au cours de la seconde moitié du XVIᵉ siècle, du fait de la répétition de minorités royales et du terrible poids des guerres de Religion, la fréquence des réunions avait été importante comme jamais auparavant ; des États avaient siégé en 1560, 1576, 1588 et 1593, et des trains d'ordonnances étaient venus par la suite faire passer dans les lois certains des vœux exprimés par les assemblées. La convocation de 1614 s'inscrivait donc dans une tradition bien vivante.

Le roi consultait ses sujets dans leur ordonnancement tripartite, résultant d'une coutume pluriséculaire ; l'ordre du clergé était le premier en dignité, le second ordre était celui de la noblesse, suivi par celui du tiers état. Personne, bien entendu, ne considérait à cette époque que ces trois corps épuisent la représentation de la hiérarchie sociale ; ils n'exprimaient que les vocations essentielles des sujets de la Couronne. Le regard social du temps voulait que chaque individu appartienne à des communautés et corps, à des ordres ou états, tous termes à peu près équivalents, instances multiples, confondues ou superposées, dessinant une gigantesque mosaïque où chaque sujet était supposé trouver sa juste place de privilèges et de statuts particuliers.

Les élections des députés aux États.

Des lettres patentes datées du 7 juin 1614 furent envoyées dans tous les bailliages ou sénéchaussées du royaume, ordonnant la désignation de députés des trois ordres dans chaque ressort et la rédaction de cahiers de doléances qui seraient débattus et dont la synthèse serait présentée au roi à l'issue des États. Pour parvenir à ce résultat, la convocation devait d'abord descendre jusqu'à la paroisse, unité élémentaire d'habitat et d'administration. Des copies des lettres royales avaient été ainsi envoyées dans toutes les paroisses rurales pour y être lues en chaire par le curé au prône de la messe dominicale. Dans les villes et bourgades, ces lettres avaient été communiquées aux magistrats municipaux, aux juges des juridictions inférieures, voire au public lui-même par voie de cri public proclamé par huissier accompagné d'un tambour ou d'une trompette, ou par voie d'affiche apposée sur un poteau de halle ou sur une porte d'église. Les ecclésiastiques avaient été avertis par une signification particulière portée au palais de l'évêque. Les gentilshommes avaient été convoqués par le bailli ou sénéchal lui-même. En effet, si les principaux sièges de justice royale (appelés bailliages dans les provinces du Nord et sénéchaussées dans la France du Midi) avaient à leur tête un magistrat, le lieutenant général du bailliage, officier, professionnel du droit, la charge de bailli revenait toujours à un personnage de très bonne noblesse. Cette dignité du bailli, maintenue bien que devenue purement cérémonielle, marquait le double principe de la justice royale, fondée à la fois sur le prestige de la noblesse et sur la science des magistrats. Il appartenait donc au bailli et à nul autre de faire parvenir à toutes les familles nobles de son ressort les ordres du roi. Ainsi personne ne pouvait ignorer la décision du roi et l'importance de cette immense et exceptionnelle consultation du corps de la nation.

Au cours du mois de juillet, il fut procédé aux élections dans tout le royaume. Des directives discrètes avaient été envoyées aux gouverneurs des provinces et aux lieutenants généraux des juridictions leur demandant de veiller à ce que les députés soient tous de bons serviteurs du roi, c'est-à-dire de tenir la main à ce qu'aucun n'appartienne notoirement à une clientèle princière. On sait que de grands personnages liés à la cour et influents dans leurs provinces se dépensèrent dans cette propagande, ainsi Sully qui résidait alors dans ses terres de l'Ouest, le duc de Lesdiguières en Dauphiné, le cardinal de Sourdis en Aquitaine ou Concini en Picardie. On sait que les échevinages des grandes villes surveillèrent les élections se déroulant dans leur cité, que les gouverneurs contrôlèrent les réunions de noblesse, et que partout l'on bannit le secret dans les scrutins, pratique qui était réputée signe de cabale et de turbulence. D'une façon générale, le résultat fut atteint ; la majorité des députés du tiers étaient des officiers royaux, à peu près tous hostiles au parti des princes. Ils commencèrent d'arriver à Paris au début du mois d'octobre.

Le travail des États.

Des hérauts royaux à livrée fleurdelisée parcoururent les rues de la capitale pour annoncer que l'ouverture des États était fixée au 22 octobre dans l'hôtel de Bourbon, grande demeure proche du Louvre. Ce jour, pour écouter les discours du roi, du chancelier et d'un représentant de chaque ordre, se trouvaient réunis en principe 140 ecclésiastiques, 132 gentilshommes et 192 députés du tiers. Ils continuèrent de tenir leurs séances dans le même hôtel, pour plus de commodité afin de communiquer facilement d'un ordre à l'autre. Pour proposer une discussion, soumettre un texte, des délégations formelles allaient saluer l'ordre interpellé et lui présenter une harangue explicative. Pour modalités de travail, il était convenu de suivre les usages consignés dans les registres des précédents États. Le prévôt des marchands de Paris, c'est-à-dire le plus haut magistrat municipal de la capitale, Robert Miron, par ailleurs président au Parlement, avait dirigé les débats préliminaires où les députés du tiers avaient adopté leurs méthodes de travail. Il avait été résolu que les députés se regrouperaient selon les 12 gouvernements du royaume et qu'un porte-parole serait élu dans chacun de ces groupes. On suivrait l'ordre du cahier de doléances de Paris, dont on lirait, examinerait et discuterait les articles un par un, en leur confrontant soigneusement les articles analogues des divers cahiers provinciaux. Il avait été spécifié que cette méthode ne postulait aucune prééminence de la capitale et qu'elle n'était adoptée que pour la clarté des débats.

Deux points retinrent particulièrement l'attention des députés : l'affirmation de l'autorité royale contre les arguments tendant à limiter son exercice, et la vénalité des offices dont la grande majorité de l'opinion réclamait instamment la suppression.

La première affirmation de l'absolutisme.

En l'espace de vingt-cinq ans, deux rois de France avaient péri sous le poignard d'assassins ; leur mort était liée aux guerres civiles et la paix présente n'était garantie que par la personne fragile d'un roi adolescent ; il paraissait donc indispensable à l'opinion des serviteurs de l'État de mettre la dignité royale à l'abri de tels accidents. Un premier point était de dénoncer avec horreur les théories politiques qui envisageaient d'affaiblir l'autorité royale, voire de l'exposer au tyrannicide. La justification en conscience d'un geste tyrannicide s'opposait radicalement aux principes de la raison d'État ; elle s'était développée pendant les crises religieuses du siècle passé lorsque les protestants accusaient le roi Charles IX de persécution homicide puis lorsque les catholiques avaient dénoncé la trahison d'Henri III et l'hérésie d'Henri IV. Les magistrats, qui composaient l'essentiel du tiers état, et les conseillers du Parlement de Paris, qui se plaisaient à exercer un magistère de l'opinion publique, réclamaient que fût proclamée l'inviolabilité de la personne royale et sa supériorité dans le cadre de son royaume à toute instance humaine. En termes clairs, cette exigence signifiait l'indépendance de l'État en face du pouvoir pontifical. Engagés dans cette voie, les magistrats étatistes entraient inévitablement en conflit avec le nonce, avec la majeure partie des évêques et avec les jésuites français, parce qu'en bonne doctrine ils reconnaissaient au pape le pouvoir d'autoriser la désobéissance des sujets en cas d'oppression par un prince hérétique ou indigne. Ces disputes sur la hiérarchie des pouvoirs pouvaient s'enflammer sur un paragraphe de livre ou sur un point de vocabulaire ;

elles n'étaient pas cependant toutes gratuites puisque les meurtres politiques jalonnaient les annales, ni nouvelles puisque l'animosité du Parlement de Paris envers les jésuites remontait aux années 1560, au moment des premiers établissements de la Compagnie en France. Ces magistrats, attachés à la défense des prérogatives royales contre les empiétements éventuels du clergé, appartenaient donc à une longue tradition politique opposant l'État à l'Église, tradition présente et forte dans chaque royaume chrétien, en Espagne ou en Angleterre comme en France. Les historiens du XIXe siècle donneraient à ce courant l'étiquette commode de gallicanisme. Le mot n'existait pas alors, l'adjectif « gallican » qualifiait l'Église de France, mais il n'y avait pas de substantif pour en faire dériver un système de pensée critique de l'autorité pontificale. Une telle doctrine en ce début de siècle était assez peu professée par des ecclésiastiques, elle était soutenue avant tout par des magistrats. En 1610, le syndic de la faculté de théologie de Paris, Richer, avait publié un traité latin qui ajoutait au « gallicanisme » d'État une dimension d'Église puisqu'il promouvait les droits des évêques dans leurs diocèses et les pouvoirs de leur réunion en concile dans l'Église universelle au détriment des droits et pouvoirs du pape. Par la suite, on employa communément le terme de « richerisme » pour désigner les contestations du clergé gallican contre les décisions de Rome.

Depuis longtemps, et encore plus depuis 1610, le Parlement de Paris scrutait méticuleusement le contenu des ouvrages de morale pratique publiés par les théologiens pour y relever éventuellement la moindre page érigeant l'autorité du Saint-Père au-dessus de celle des rois. Ainsi, de 1610 à 1614, le Parlement, sous l'impulsion de l'avocat du roi, Servin, avait poursuivi de ses censures les traités du savant cardinal romain Robert Bellarmin qui réfutait les prétentions absolutistes du roi d'Angleterre Jacques Ier. Le Parlement avait aussi condamné les écrits du théologien espagnol Francisco Suarez, jésuite, professeur de l'université de Salamanque. Il avait fallu que le Conseil du roi s'en mêlât et cassât par arrêt les condamnations du Parlement en décembre 1614. Les États survenant au cœur de ces disputes offraient une noùvelle et solennelle occasion d'avancer la cause « gallicane ».

Les orateurs parisiens du tiers voulaient qu'un manifeste des droits absolus du roi figurât en tête du cahier général des doléances et en forme l'article premier, d'allure proclamatoire. « Le Roi sera supplié de faire arrêter en l'assemblée de ses États pour loi fondamentale du royaume, qui soit inviolable et notoire à tous, que, comme il est reconnu souverain en son État, ne tenant sa couronne que de Dieu seul, il n'y a puissance en terre, quelle qu'elle soit, spirituelle ou temporelle qui ait aucun droit sur son royaume pour en priver les personnes sacrées de nos rois, ni dispenser ou absoudre leurs sujets de la fidélité ou obéissance qu'ils lui doivent pour quelque cause et prétexte que se soit... » Le texte exigeait encore qu'un serment de cette teneur fût imposé désormais à tous les officiers et aussi aux prédicateurs et aux enseignants. L'ordre du clergé, ayant pris connaissance de l'« article du tiers », s'en indigna dans la mesure où ce texte semblait affranchir l'État de toute morale, bafouait le rôle spirituel du pape exercé par toute la terre et paraissait enfin accorder aux États une autorité en matière de doctrine religieuse.

Le Conseil du roi fut embarrassé du zèle importun des députés du tiers qui opposaient en des termes insolubles le roi et le pape. La reine Marie, avec son habileté coutumière, réussit à faire admettre au tiers que l'article en cause demeurerait indiscuté ; le cahier du tiers commencerait par une page blanche et un article deux, la place du manifeste absolutiste était ainsi comme réservée pour l'avenir.

Le clergé s'était attaché à une autre question du jour qui évoquait elle aussi indirectement une certaine conception de l'État. Le clergé réclamait instamment que les canons du concile de Trente, qui avait quarante ans plus tôt porté réforme de l'Église catholique, fussent enfin admis officiellement en France et donc reconnus comme lois du royaume, ce que le tiers et le Conseil du roi pareillement ne pouvaient accepter. Le roi fit répondre que cette entreprise sacrée regardait exclusivement le zèle des ecclésiastiques, qu'il leur appartenait effectivement de les mettre en œuvre le mieux possible, mais que leur teneur, étrangère au droit public, ne pouvait entrer dans la législation du royaume.

Tentative d'abolition de la vénalité des charges.

L'ordre de la noblesse demandait la suppression de la vénalité des charges publiques et particulièrement la fin du droit annuel, ou paulette, qui, depuis 1604, permettait aux officiers, moyennant le paiement d'une taxe régulière, de s'assurer l'hérédité de leurs charges. La revendication fut présentée dès le 12 novembre à la chambre de la noblesse par le marquis d'Urfé. En l'occurrence, la noblesse était le vrai porte-parole de l'opinion générale du pays, et notamment de l'attente populaire qu'elle reflétait plus fidèlement que l'ordre du tiers dont la représentation était accaparée par les gens de robe. Le scandale de la mise à l'encan des charges publiques et de la confiscation des magistratures par les familles fortunées des robins devait, disait-on, prendre fin. La paulette parce qu'elle assurait l'hérédité avait fait flamber les prix des offices, les rendant encore plus éloignés des gentilshommes, encore plus inaccessibles aux élites paysannes. Leur haut prix d'achat risquait d'inciter les acquéreurs à se rembourser par des prévarications. En outre, le roi était à peu près privé du choix de ses agents, entravé localement par les clientèles enracinées et par les puissants réseaux des grandes familles de robe. L'expérience de la paulette n'avait que dix ans d'âge, il était temps d'y mettre fin, d'arrêter la formation d'oligarchies parasitant les magistratures et de restaurer en quelque sorte la liberté du roi.

Les officiers en place ne voulaient pas, bien sûr, renoncer aux très évidents avantages de l'hérédité de leurs charges qui fondaient leurs fortunes et assuraient leur avenir. Le courant de l'opinion était pourtant trop fort, les doléances des provinces qu'ils étaient censés défendre étaient explicites : le tiers affecta donc de demander lui aussi la révocation du droit annuel. Ses députés eurent toutefois l'adresse de réclamer pareillement la réduction des pensions dont bénéficiaient bon nombre de gentilshommes, cette réclamation concurrente venant déséquilibrer et entraver celle de la fin de la paulette. Si chaque ordre s'attachait ainsi à une revendication particulière, de préférence aux dépens des deux autres, on pouvait pourtant reconnaître un consentement à peu près unanime sur la réforme des scandales financiers, soit l'hérédité abusive des charges, les malversations des traitants prêtant de l'argent au roi, et le montant excessif des pensions. Le Conseil du roi manifesta facilement son accord à ces diverses réclamations. Le 23 février 1615, dans la grande salle de l'hôtel de Bourbon, se tint la séance de clôture où, après avoir entendu les harangues des porte-parole de chacun des trois ordres, le roi reçut leurs trois cahiers et promit d'y apporter une prompte réponse.

Des députés en assez grand nombre restèrent à Paris pour attendre la teneur de cette réponse. Le second article du tiers avait réclamé que les États aient une périodicité régulière, par exemple qu'ils fussent convoqués tous les dix ans. C'était une revendication ancienne et classique des assemblées d'États. Si la monarchie française à un moment quelconque de son destin y avait donné satisfaction, le système des institutions françaises et aussi sans doute le cours de l'histoire en auraient été profondément changés. La persistance des députés à Paris au mois de mars, continuant de s'assembler au domicile du président de leur ordre, donnait une première et timide apparence à cette hypothèse d'un contrôle régulier du pouvoir par des assemblées des corps du royaume.

Le 24 mars, le roi convoqua les principaux députés au Louvre. Le chancelier Sillery leur dit que la complexité des affaires ne permettait pas de tout résoudre tout de suite mais qu'il pouvait au nom du roi s'engager « sur les principaux articles où les États s'étaient plus arrêtés et affectionnés », et précisément que le roi avait décidé d'ôter la vénalité des charges, d'établir comme par le passé une chambre extraordinaire de justice contre les financiers prévaricateurs, de réduire enfin le train des pensions. Il leur dit pour conclure que les États seraient certainement satisfaits. Les députés rentrèrent dans leurs provinces assez contents d'eux-mêmes ; des pièces politiques imprimées les semaines suivantes parlaient du « tombeau de la paulette », se faisant l'écho de cette espérance de l'instant. Ainsi le pouvoir paraissait s'orienter vers une réforme importante, puisque, si les poursuites des financiers ou les retraits de pensions représentaient des expédients habituels, la fin de la vénalité, en revanche, supposait un réordonnancement complet des modes de gouvernement qui auraient été désormais plus proches des attentes de l'opinion plus volontaristes, plus nobiliaires aussi. Ces jeux d'hypothèses sont d'autant plus vastes que la promesse de réforme ne fut pas suivie d'effets.

Le Parlement de Paris, dès le départ des députés vers leurs foyers, tint à faire ressouvenir le Conseil de son poids dans l'État, poids qui avait été conforté par les cérémonies improvisées dans le désarroi de mai 1610. L'assemblée des États généraux avait montré les virtualités d'une opinion publique surgie du fond du royaume et révélé au grand jour ses éventuelles contradictions avec l'idéologie et les intérêts des robins. Le Parlement de Paris voulait donc très vite faire oublier cette parenthèse politique et se poser en seul interlocuteur du pouvoir royal. Il avait réagi de même après l'assemblée des États de 1588 et il avait pendant le règne d'Henri IV réussi à empêcher une autre convocation. Cette fois, le Parlement n'avait pu entraver ni la réunion des États ni le vote contre le principe de la vénalité.

Le premier président, Savaron, s'employa à représenter le manque à gagner du Trésor royal privé du droit annuel et des ventes d'offices, le grand nombre de familles notables ainsi lésées et le grave danger politique d'encourir leur mécontentement. Le prince de Condé appuyait cette argumentation et excitait la contestation chez les plus jeunes des conseillers. En effet, tout comme le Parlement, les princes représentaient dans l'État une instance de conseil et de discussion qui s'était trouvée éclipsée par le prestige des États généraux. Le 28 mars 1615, le Parlement de Paris en vint même, toutes chambres réunies, à convoquer de sa propre autorité les princes et les grands officiers pour débattre très généralement des affaires du royaume. Il s'agissait d'examiner les cahiers de doléances présentés au roi par les trois ordres. Le Parlement de Paris semblait ainsi revendiquer un rang supérieur à celui des États, une suprématie dans le gouvernement qui en aurait donc fait le conseil naturel et immédiat du souverain. Il aurait même été capable de contrôler le pouvoir du roi, puisqu'il prétendait se donner le droit de convoquer les plus grands dignitaires de la Couronne et s'attribuer une compétence politique universelle. Dès le lendemain, le roi interdit la réunion et la cour s'inclina. Le

Conseil du roi avait cependant compris le danger de cette fronde parlementaire exprimant la colère et l'inquiétude des gens de robe ; il mesurait aussi son incapacité à entreprendre une politique de réforme pendant une période de faiblesse de l'institution monarchique. Au lieu de s'atteler à une improbable réforme, le Conseil feignit d'en repousser seulement l'échéance. Il fut annoncé le 13 mai 1615 que le droit annuel était provisoirement prolongé jusqu'au 1er janvier 1618. En réalité, la réforme était enterrée et l'espoir des premiers mois de 1615 était effacé.

Du fait des querelles entre les trois ordres, du rapide oubli des doléances présentées, du discrédit voulu par le Parlement de Paris et imposé par cette cour grâce à sa maîtrise des propagandes de ce temps, les historiens n'ont pas accordé beaucoup d'attention à l'assemblée de 1614. Il est vrai que les revendications rédigées alors — abolition de la vénalité, contrôle des financiers, lois somptuaires frappant les consommations de luxe et les prétentions à la mobilité sociale, et même la périodicité des États — semblaient répétitives et traditionnelles ; elles avaient été plusieurs fois demandées par les précédentes assemblées réunies depuis 1561, du moins les remontrances de 1614-1615 étaient-elles les plus cohérentes et les plus proches d'un succès. Un édit de 1618 reprit quelques-unes des suggestions des États, mais le Parlement refusa très significativement de l'enregistrer et le Conseil du roi, pareillement, ne crut pas l'affaire digne d'un lit de justice et l'oublia dans ses cartons. Bien des idées exprimées alors appartenaient aux lieux communs de cette génération de sorte que certaines reparurent dans le programme de l'assemblée des notables en 1626, ou même, dans un texte plus souvent cité, le *Testament politique* composé, dit-on, par Richelieu.

L'article du tiers mettant la puissance royale au-dessus de toute instance humaine, l'érigeant en autorité absolue, devait faire son chemin dans les vicissitudes politiques des décennies suivantes. Le texte en avait été imprimé par le Parlement et abondamment diffusé. Viendrait un jour où l'assemblée du clergé de France elle-même prendrait ce texte pour règle des rapports du spirituel et du temporel (déclaration dite des quatre articles, mai 1682). L'absolutisme louis-quatorzien était déjà formulé. Il n'était pas un lointain héritage médiéval, il était une création moderne, fruit de la conjoncture hasardeuse de la fin du XVIᵉ siècle français. La génération venue à la maturité avec le règne pacifique d'Henri IV rejetait avec horreur les souvenirs d'un passé de désordre et de haine civile. Il lui paraissait que l'État était le seul garant certain de la paix et de la prospérité des sujets d'un royaume. Parce qu'il était surtout chargé d'espérances déçues ou de textes esquissant un lointain avenir, l'épisode des États généraux de 1614-1615 n'est pas une étape importante de l'histoire des institutions, il est plutôt un témoignage puissamment révélateur dans la chronique des États français. Il dessine, à ce tournant de la minorité d'un grand roi, l'état des opinions, les espérances contradictoires des sujets et l'image de virtualités politiques demeurées seulement esquissées, suggérées comme la promesse d'un futur qui n'a jamais pu être réalisé.

5

Le gouvernement de Concini

Après le retour des députés des États dans leurs provinces, le Conseil du roi se trouva confronté comme auparavant aux ambitions politiques conjuguées des parlementaires parisiens et des princes. Le 22 mai 1615, cette opposition revint à la charge ; une délégation d'une quarantaine de conseillers au Parlement fut admise devant le Conseil du roi ; elle était porteuse de remontrances très fortes qui accusaient le pouvoir de la dilapidation des trésors du feu roi et du reniement de sa politique, ce qui revenait à attaquer la place de Concini à la cour et le projet bien avancé désormais des mariages espagnols.

Au cours du mois de juin, Condé quitta la cour et se retira dans son domaine de Clermont-en-Beauvaisis, où le rejoignirent les ducs de Longueville, de Mayenne et de Bouillon. Un manifeste fut publié énonçant des griefs graves et violents : que les élections des députés aux États avaient été truquées, que le vœu du tiers et du Parlement sur le caractère absolu du pouvoir royal n'avait pas été écouté, que le Conseil sacrifiait le royaume à la puissance espagnole et que les princes allaient empêcher par la force l'entreprise de mariage espagnol.

Ce comportement des princes était éloquent selon les usages politiques du temps. Pour un grand seigneur, quitter la cour, abandonner ostensiblement l'entourage du roi était un geste symbolique spectaculaire ; il s'agissait d'une rupture, d'un défi, d'un appel à l'opinion, généralement du prélude à une prise d'armes. L'attroupement de gentilshommes parents et amis à cheval et en armes, la publication d'un manifeste insurrectionnel, puis la saisie de places fortes étaient les étapes suivantes d'une telle opération. A vrai dire, il ne semble pas que Condé, le principal héraut de cette opposition, se soit attaché à aucun moment de sa carrière à un programme politique original ; il paraît bien que son soutien des revendications parlementaires ne résultait que de la recherche de l'appui de l'opinion parisienne et que son hostilité au mariage espagnol n'était destinée qu'à rallier le parti protestant.

Il est remarquable que toutes les prises d'armes princières des règnes d'Henri IV et de Louis XIII réunissaient toujours de grands nobles indépendamment de leur confession, et que Mayenne et Condé, catholiques, y côtoyaient Bouillon et Rohan, grands noms du protestantisme. De même, dans la défense de l'autorité royale se rangeaient immanquablement des seigneurs illustres de convictions religieuses aussi opposées que Guise et Lesdiguières. En cet été 1615, une assemblée politique de députés des provinces huguenotes avait été autorisée à Grenoble. Les modérés désireux de vivre en paix avec le Conseil y avaient été majoritaires, mais les factions les plus dures avaient obtenu de maintenir, hors de toute autorisation royale, des réunions plus ou moins permanentes que l'on appelait « abrégés » ou « cercles », qui encourageaient les agitations armées dans quelques points forts du parti, soit les Cévennes, le Montalbanais et les pays charentais.

Il faut dire enfin que ces prises d'armes particulières, sans aveu royal, ne se prétendaient pas insurrectionnelles, qu'elles ne visaient jamais la subversion de l'État ; elles se proposaient seulement de peser sur les décisions du Conseil, elles voulaient montrer la détermination de leurs chefs, l'ampleur de leurs clientèles, le nombre de leurs partisans et leur force dans le royaume. Le jeu, dangereux et trop fréquent, revenait à faire sentir son emprise dans la société, sa capacité de mobilisation, ses droits dans le gouvernement. Pour faire comprendre le sens de ces événements, disons qu'à toute époque les instances sociopolitiques aspirant à participer au pouvoir tiennent à marquer leur vocation par des démonstrations conventionnelles de leur force : les prises d'armes de noblesse joueraient un tel rôle dans la France du premier XVIIe siècle.

En face de ce nouveau défi de Condé, la reine Marie, constatant l'épuisement des transactions et promesses dont Villeroy et elle-même avaient su jouer chaque année depuis 1610, fit envoyer, le 30 juillet, aux gouverneurs une lettre du roi leur mandant d'être sur leurs gardes et de tenir tête aux rebelles. Au cours d'août, on hâta les préparatifs du voyage vers le Sud-Ouest où devaient se conclure les mariages royaux. La cour quitta Paris le 17 août, séjourna longtemps à Poitiers, arrêtée par un accident de santé de la princesse Élisabeth, et arriva enfin à Bordeaux le 7 octobre. Les troupes de la Maison du roi commandées par le duc de Guise avaient protégé le voyage, car une tentative des princes pour entraver le cortège n'était pas invraisemblable. A Paris et en Ile-de-France, des régiments français et suisses avaient été laissés aux ordres du maréchal de Boisdauphin pour protéger la capitale d'un coup de main rebelle. En Picardie, le maréchal d'Ancre s'était mis à la tête d'une troisième concentration militaire, renforcée de recrues mercenaires levées récemment dans l'évêché de Liège. En effet, le parti des princes disposait de son côté de plusieurs points d'appui et attroupements, aux confins de la Champagne et de l'Ile-de-France avec Condé et Bouillon, en Poitou et en Bretagne avec Vendôme, et dans les pays de la moyenne Garonne que le duc de Rohan tenait ferme avec une petite armée protestante entre Montauban et Lectoure. Dans chaque théâtre, il s'agissait de montrer sa force mais aucun des responsables sur le terrain ne se souciait de provoquer des affrontements véritables et des ruptures irréversibles.

Les mariages royaux.

Les différentes cérémonies des mariages purent s'accomplir paisiblement au cours de l'automne, dans l'allégresse des villes et des provinces traversées par les cortèges. Il convient de s'attarder sur l'épisode puisque, répétons-le, le pouvoir est attaché à une personne et que la légitimité s'incarne dans les bonheurs et deuils d'une famille royale. Chaque événement dans le destin de ces familles prend le caractère d'un moment historique et la simple fête familiale s'entoure des rites et cérémoniaux ordonnés par la coutume politique, riches de significations immédiates ou de symboles qui se veulent éternels.

Il avait été convenu que les deux mariages se tiendraient simultanément dans les deux royaumes, à Burgos et à Bordeaux. Le jour choisi fut le 18 octobre. L'infante Ana, fille aînée du roi Philippe III d'Espagne et de la reine Marguerite d'Autriche, une belle jeune fille blonde de quatorze ans, recevait pour époux dans la cathédrale Saint-Augustin de Burgos le roi Louis XIII représenté par le duc de Lerme, principal ministre du roi d'Espagne. A Bordeaux, dans la cathédrale Saint-André, la princesse Élisabeth de France recevait pour époux le prince des Asturies, héritier des couronnes de Madrid, représenté par le duc de Guise. Élisabeth était la plus âgée et la préférée des sœurs de Louis XIII ; le frère et la sœur se firent des adieux désolés le 21 octobre. C'était le destin des princesses de quitter à un âge tendre leur famille, leur pays pour n'y plus jamais revenir. De son côté, le roi Philippe III avait tenu à accompagner sa fille jusqu'à l'extrémité de son royaume, jusqu'à la rive de la Bidassoa qui dessine séculairement la frontière entre les deux couronnes. L'échange des princesses se fit le 9 novembre dans l'île des Faisans, au milieu du fleuve, marquant symboliquement la plus exacte rencontre des deux souverainetés. Un pavillon avait été dressé au centre de l'île et les gestes de l'échange sous ce dais d'honneur avaient été méticuleusement mis au point par les négociateurs. Au-delà de cet instant l'infante Ana devenait Anne, reine de France, et Élisabeth devenait Isabella, future reine d'Espagne. La nouvelle reine de France, conduite par le duc de Guise, s'arrêta à Saint-Jean-de-Luz puis prit la route des Landes pour éviter les troupes des rebelles dans la vallée de la Garonne ; elle arriva à Bordeaux le 21 novembre, accueillie solennellement par Louis XIII. La cérémonie du mariage fut répétée à la cathédrale le 25 novembre. On publia le lendemain que l'union de la reine de quatorze ans et du roi de quinze ans était consommée, et la nouvelle prenait un sens politique puisqu'elle garantissait la validité du mariage et la solidité de l'entente entre les deux grands royaumes politiques. En fait, les deux jeunes époux ne cohabitèrent pas pendant les quatre années suivantes. La cour de France quitta Bordeaux le 17 décembre ; elle allait s'attarder pendant plusieurs mois en province, car les prises d'armes princières ne s'étaient pas encore apaisées.

La paix de Loudun.

Pendant le mois d'octobre, Condé, à la tête de 3 000 à 4 000 hommes, avait réussi à passer d'Orléanais en Berry et menaçait de faire jonction avec les forces protestantes de l'Ouest pour couper le chemin de la cour vers Paris. Pourtant les avantages du nombre et de la qualité des soldats étaient du côté des royaux. Le maréchal d'Ancre, qui disposait de 10 000 hommes dans le Nord, tenait en respect les condéens et parvenait même à s'emparer des terres de Condé à Clermont-en-Beauvaisis. Enfin, le 6 janvier 1616, à Saint-Maixent, en Poitou, le duc de Guise dispersait sans trop de peine une troupe de nobles protestants de l'Ouest. Quelques semaines plus tard, des pourparlers s'ouvrirent à Loudun, petite place catholique, voisine des points forts protestants du Saumurois et du Bas-Poitou. Les conférences furent fort longues du fait du grand nombre des participants et de la multiplicité des exigences des partisans des princes et des protestants. Les « confédérés » avaient rédigé des cahiers que les commissaires du roi, dirigés par Villeroy, durent discuter soigneusement. Un traité fut signé le 3 mai. C'était un long catalogue de charges et de pensions accordées aux principaux opposants, Condé et Rohan, et aussi à tous leurs alliés jusqu'au vieux duc de Sully et ses fils. Il fut estimé que la paix était achetée pour plusieurs millions de livres, jusqu'à 20 millions dira-t-on. La volonté d'accommodement qui dominait le gouvernement de Marie et de Villeroy était une fois de plus confirmée. Dans les convenances politiques du temps, le pouvoir de l'État et la fortune des grands, et de leurs alliés et obligés, étaient regardés comme liés, c'est-à-dire que les grands avaient le devoir de mettre leur poids social au service de l'État et qu'ils en recevaient la récompense dans le mécanisme de redistribution fiscale des pensions et indemnités.

Pendant l'été 1616, le Conseil du roi se trouva partagé entre des factions rivales. Les influences contradictoires de Villeroy, de Condé et de Concini trouvaient leurs échos dans les incidents des rues de la capitale ou des bourgades de Picardie où les clients des princes et du maréchal d'Ancre s'affrontaient constamment. Concini avait su placer des hommes de confiance à des postes clefs du gouvernement. Le secrétaire d'État en charge des Affaires étrangères était Claude Mangot. Jeune avocat à Loudun, il avait été promu par la faveur des Concini à la dignité de président au parlement de Bordeaux, puis à celle de maître des requêtes. Au contrôle des finances, Concini imposa un autre nouveau venu, Claude Barbin. Comme Mangot, il était d'origine modeste, simple officier de bailliage ; il était entré au service du banquier toscan Gondi et de là dans la clientèle des Concini. Tout comme Mangot, il avait une réputation de capacité et d'honnêteté.

Aux yeux de l'opinion, le pouvoir royal semblait confisqué par les intrigues d'un aventurier étranger et de sa troupe de comparses. A Paris, l'impopularité de Concini était à son comble. Par contraste, le prince de Condé prenait figure de défenseur de la Couronne et du peuple. Chaque promenade publique du prince, chacune de ses visites à l'hôtel d'un grand seigneur ou d'un ambassadeur étranger s'accompagnait de bruyantes démonstrations populaires.

La reine et Concini, redoutant la force de ce courant parisien, se résolurent à un coup de force. Dans les annales politiques de ce siècle, les coups de majesté n'étaient pas inconnus. Entendons par là une situation politique où un souverain lui-même se trouve réduit à ourdir un complot, à conspirer dans sa propre cour, à recourir à une opération de force pour retrouver la plénitude de son pouvoir. Le secret de quelques amis personnels du prince et le dévouement d'une poignée de soldats fidèles sont alors les seuls auxiliaires d'une raison d'État réduite aux abois.

La reine mit dans le secret de sa décision le marquis de Thémines, vieux serviteur d'Henri IV, et les principaux officiers des gardes suisses et des gardes françaises. Le matin du 1er septembre 1616, alors que Condé sortait du Conseil, il fut arrêté par Thémines, d'ordre du roi, puis peu après conduit à la forteresse de la Bastille. Sa famille et ses partisans tentèrent d'exciter une émeute dans la capitale. Un protégé de sa maison, le cordonnier Picart, conduisit la foule de quelque 10 000 personnes qui alla saccager l'hôtel de Concini, près du Luxembourg. L'agitation s'arrêta là, elle ne passa pas en province où la paix de Loudun portait ses fruits. Condé devait rester emprisonné jusqu'en octobre 1619.

Le coup d'État royal du 24 avril 1617.

En septembre 1616, Concini était apparemment maître du royaume ; il pouvait composer le Conseil du roi à sa guise sans tenir aucun compte des « barbons » non plus que des partisans des princes. Il avait déjà fait appel à des hommes neufs qui ne devaient leur ascension politique qu'à leur situation dans les réseaux de clientèle du favori. Barbin tenait les finances, Mangot devint garde des sceaux, laissant la charge des Affaires étrangères à un nouveau secrétaire d'État appelé en novembre 1616, un jeune prélat talentueux, qui avait été orateur du clergé à l'assemblée des États, Armand Du Plessis de Richelieu, évêque de Luçon, en Bas-Poitou. Ce triumvirat compétent et cohérent devait dans l'immédiat faire face à la continuation des remuements nobiliaires prêts à resurgir dans les mêmes régions, en Picardie, Champagne et dans les provinces de l'Ouest.

Concini lui-même n'avait pas et n'avait jamais eu de projet politique particulier. Il avait lié sa fortune personnelle à la Couronne de France et avait compris la nécessité d'affirmer l'autorité royale pendant une période difficile en face des forces dissidentes des princes et des protestants. Il avait été favorable aux mariages espagnols pour les besoins de la paix, mais il était indifférent à l'alliance espagnole, il n'avait pas suivi le voyage de Bordeaux. Il ne se souciait nullement d'assister au Conseil du roi et n'entendait pas s'ingérer dans les grandes décisions du royaume. Il ne s'intéressait qu'à la promotion de sa fortune et des carrières de ses parents et clients. De 1610 à 1616, il avait misé sur une implantation en Picardie où il avait acquis des domaines et des commandements militaires qui lui permettaient de contrôler une province riche et située à un carrefour stratégique. Au printemps 1616, il avait changé ses projets, cédé le gouvernement d'Amiens contre celui de Caen et investi son influence et son argent en Basse-Normandie. Superbe, fastueux et imprudent, il s'était attiré la haine populaire envers les parvenus, le mépris de la plus grande partie de la noblesse et surtout du clan Condé qu'il avait défié en s'emparant du Beauvaisis par les armes et en organisant le coup de force contre la personne même du prince. Il n'avait pas pris garde non plus au ressentiment du petit roi qui, parvenu à sa seizième année, souffrait d'être tenu à l'écart du pouvoir par sa mère et par un favori insolent. Le jeune Louis XIII avait déjà beaucoup appris, il avait été associé au coup de majesté ourdi contre Condé et l'histoire de la Couronne de France lui offrait d'autres modèles de complots royaux. Il savait ne pouvoir compter que sur un petit nombre de compagnons amicaux et quotidiens, dont le plus proche était Charles d'Albert de Luynes, un gentilhomme provençal, de vingt ans son aîné, qui tenait sa fauconnerie et auquel il vouait depuis plusieurs années confiance et affection.

Après l'arrestation de Condé, les ducs de Mayenne et de Nevers exprimaient la contestation nobiliaire. Dès le début 1617, redoutant des prises d'armes, les troupes royales étaient prêtes à marcher. En mars, elles se déployèrent en Berry, en Champagne et en Ile-de-France ; le principal enjeu était la place de Soissons appartenant au duc de Mayenne ; une troupe royale conduite par le comte d'Auvergne y mit le siège. On en attendait l'issue, lorsque, le lundi 24 avril 1617, le maréchal d'Ancre, se rendant au Louvre, un instant séparé de la forte escorte dont il s'entourait toujours, fut interpellé au nom du roi par le marquis de Vitry, capitaine des gardes du corps du roi, et abattu sur place à coups de pistolet. Louis XIII, entendant la nouvelle qu'il attendait anxieusement, cria aux meurtriers : « Grand merci à vous, à cette heure, je suis roi ! »

Le coup d'État royal semblait répéter les circonstances de l'assassinat du duc de Guise sur l'ordre d'Henri III en décembre 1588. Le roi était souverain justicier, un meurtre perpétré sur son ordre prenait en droit figure d'exécution d'un arrêt de mort. Les magistrats du Parlement de Paris, accourus le jour même au Louvre pour complimenter le roi, n'en jugeaient pas autrement ; ils rejetaient comme inutile l'entreprise d'un procès posthume de lèse-majesté : « Puisque le roi lui-même l'avait fait mourir, le seul aveu de Sa Majesté couvrait tout autre manque de formalité. » Entre 1588 et 1617 l'analogie juridique était évidente, mais la conjoncture historique était bien différente : alors que Guise était immensément populaire et que son meurtre jetait le pays dans la guerre civile, Concini était détesté et sa mort paraissait un gage de renouveau à l'opinion presque unanime. Le geste de Louis XIII suscita l'enthousiasme. Dans la capitale, les boutiques fermèrent aussitôt et les rues s'emplirent de foule criant « Vive le roi ». A Soissons, ville assiégée, les portes s'ouvrirent et les troupes antagonistes fraternisèrent ; le parti des princes se ralliait immédiatement à la réjouissance générale.

Concini devenait le bouc émissaire des malheurs communs. Le lendemain du meurtre, une foule d'émeutiers alla déterrer le cadavre dans l'église Saint-Germain-l'Auxerrois, le pendit sur le Pont-Neuf puis le mit en pièces, saccagea ses maisons et battit le pavé pendant tout le jour sans qu'aucune force soit envoyée s'y opposer. Les aspects de simulacre judiciaire relevés dans le traitement infligé au cadavre complétaient, achevaient aux yeux de cette opinion insurrectionnelle la condamnation royale, comme si la foule en colère avait été dépositaire elle aussi d'un droit politique dont elle accompagnait les desseins du roi. Les massacres parisiens du temps des guerres de Religion et les révoltes populaires multipliées au cours du XVIIe siècle fournissent nombre d'exemples de tels comportements et croyances.

Une centaine de pamphlets, de feuilles éphémères, souvent versifiées, parfois illustrées, suivit l'événement. Cette moisson polémique apportait une caution lettrée au déchaînement populaire et consacrait la fonction judiciaire et moralisante que l'on reconnaissait presque explicitement aux rites atroces des émeutes. Ces textes rappelaient le crime essentiel de Concini : l'usurpation du pouvoir royal, mais il était parvenu à ce forfait de lèse-majesté par un parcours d'indignités significatives ; misérable parvenu et aventurier étranger, il avait voulu profiter de la faiblesse toute féminine de la reine mère et priver enfin les Français de leur liberté et de leur État. Les thèmes politiques capitaux s'entrelaçaient ainsi avec les images sociales, passions et préjugés du temps. La mise à mort de Concini devenait clairement un acte restaurateur ou fondateur.

Toutes les charges et tous les biens du maréchal furent confisqués. Sa veuve, Léonora Galigaï, amie d'enfance de la reine mère, fut jugée par le Parlement de Paris qui tenta de la convaincre de sortilège, puis la condamna pour lèse-majesté ; elle fut décapitée le 8 juillet. Le personnel politique promu par Concini échappa plus ou moins à la vindicte. Barbin fut le plus maltraité, emprisonné jusqu'en 1618 puis exilé en Franche-Comté. Mangot dut se démettre ; Richelieu repartit pour son diocèse puis fut exilé dans l'enclave pontificale d'Avignon. La reine mère elle-même dut quitter la cour et se retirer au château de Blois où elle fut étroitement surveillée.

Luynes et Vitry ainsi que les autres exécuteurs du complot furent couverts d'honneurs. Pour les soins du gouvernement, le jeune roi s'en remettait aux vieux conseillers du roi son père, Villeroy, Sillery, Jeannin et autres vénérables septuagénaires qui refaisaient une dernière entrée au Conseil.

Le royaume se trouvait soudain en repos, sans prises d'armes ni conspirations à l'horizon. Le changement d'un favori à la tête du Conseil semblait suffire au bonheur commun, du moins l'opinion publique à cette époque comme en tout autre temps ne demandait qu'à s'en persuader.

6

Le gouvernement
du jeune Louis XIII

En 1617 commence une période de stabilité dans le gouvernement. Alors que, depuis la mort du feu roi, chaque année avait amené son contingent de vicissitudes et de saccades politiques dans un pays au demeurant paisible et prospère, la jeune maîtrise de Louis XIII assurait désormais une relative continuité dans le traitement des affaires. L'Europe était alors en paix. La trêve conclue en 1609 entre les Provinces-Unies et l'Espagne était respectée. On ne pouvait imaginer que les disputes politiques de la Bohême entraînent une guerre terrible dans les pays germaniques qui semblaient promis à un avenir de richesse. Les belliqueux royaumes de Suède ou de Moscovie paraissaient bien lointains. Le commerce de Venise florissait sans encombre dans les ports des Balkans et les ambitions insatisfaites du duc de Piémont ne suffisaient pas à troubler les campagnes de l'Italie du Nord.

Les États généraux de 1614 avaient dénoncé les principaux malaises dont souffrait la France et qui tenaient à la timidité de l'État et à la précarité de ses moyens. La vénalité des offices, expédient fiscal, privait le roi du contrôle de ses agents. Les concessions de dignités et de libéralités accordées aux partisans des princes ou aux communautés protestantes afin de maintenir la paix civile ôtaient au souverain la maîtrise de vastes provinces. Le Conseil du roi était conscient de ces enjeux. Après la disparition du vieux Villeroy, mort en décembre 1617, le chancelier Sillery et son fils, le marquis de Puisieux, secrétaire d'État des affaires étrangères, dominaient les séances, avec l'appui et la confiance de Luynes qui, par prudence ou par insuffisance, n'entrait jamais dans le détail des affaires.

Rien ne s'opposait à ce que les trains de réformes réclamées par les États ne reçoivent un commencement d'exécution. Le roi était jeune, le royaume était paisible, on était donc à pied d'œuvre.

L'assemblée des notables, 1617.

Pour envisager des mesures concrètes, on eut recours à une autre instance traditionnelle de réflexion, une assemblée de notables, soit un élargissement du Conseil du roi à un vaste aréopage de personnes dignes et expertes. Henri IV avait réuni en 1596 une assemblée de ce modèle pour trouver des moyens financiers permettant d'assurer le dernier effort des guerres intestines. Il s'agissait d'une structure bien plus souple qu'une réunion des États généraux, seulement quelques dizaines de grands personnages nommés par le roi et non élus, à qui l'on ne demandait pas des doléances générales mais des avis sur des problèmes précis dont le roi fixait le programme et l'ordre du jour. L'assemblée se tint à Rouen parce que celle de 1596 s'y était déjà tenue et parce que Luynes était lieutenant général en Normandie ; le roi en personne ouvrit la séance le 4 décembre 1617 dans la grande salle de l'archevêché. Il s'adressait à 52 notables où l'on remarquait 11 évêques, 15 grands seigneurs et 26 magistrats. Tous ces personnages, juridiquement nobles, représentaient effectivement la diversité du royaume puisque les Parisiens n'étaient qu'une poignée et que presque toutes les provinces étaient illustrées par quelque magistrat ou prélat. Un greffier rédigeait les résultats des discussions, consignés dans des cahiers et résumés dans des propositions qui furent présentées au roi lors de la séance de clôture tenue à Paris le 29 janvier 1618. Les notables avaient eu à examiner les principaux vœux des États et à trouver les moyens de les mettre en œuvre. Dès le 15 janvier, un arrêt du Conseil révoqua le droit annuel ; la suppression de la vénalité était toujours à l'ordre du jour mais l'application de la réforme devait être différée jusqu'à ce que des ressources équivalentes eussent été procurées au Trésor royal. Un long édit reprenant la réforme de la vénalité et une cascade de mesures administratives fut rédigé en juillet par les secrétaires du Conseil. L'inertie des événements ou la mauvaise volonté des parlementaires parisiens arrêta le texte à cette étape initiale. En juillet 1620, dans un moment dangereux de reprise des guerres religieuses, le droit annuel fut provisoirement rétabli pour couper court aux récriminations des robins. Ce rétablissement était donné pour momentané, l'idée de la nécessité d'une adaptation profonde des institutions était largement partagée ; tout le monde pensait encore que la vénalité des offices était perverse et qu'il faudrait tôt ou tard réviser les structures réglementaires du royaume.

Les guerres de la mère et du fils.

La relégation de la reine mère dans le château de Blois constituait un scandale politique qui choquait aussi bien l'opinion publique française que l'estime des couronnes. La situation était d'autant plus déplaisante qu'il apparaissait d'évidence que la brouille dans la famille royale était entretenue par les intrigues du duc de Luynes qui, succédant à Concini à la tête du Conseil, s'appliquait à persécuter tous ceux qui, de près ou de loin, avaient été liés à l'ancienne coterie. Ce comportement n'était pas sans danger car tôt ou tard l'opinion serait tentée d'attribuer les difficultés du moment à la puissance excessive du nouveau favori et donc de le transformer en bouc émissaire des malheurs des temps. Effectivement, un grand seigneur mécontent, le duc d'Épernon, avait déjà quitté ostensiblement la cour en mai 1618 pour se retirer dans un de ses gouvernements provinciaux, la puissante citadelle frontalière de Metz.

Le duc d'Épernon était un des personnages les plus illustres de l'État. Colonel général de l'infanterie, il avait la responsabilité et le commandement de toutes les troupes à pied, de sorte que la plupart des gentilshommes dépendaient de lui pour leur carrière dans les armées. Il avait été ami personnel d'Henri III, son ralliement de grand seigneur catholique à Henri IV avait puissamment aidé à la reconquête du royaume. Vétéran des guerres, chargé d'ans et d'honneurs, il était un peu la conscience militaire du royaume. Il avait été heurté par le refus d'appuyer en cour de Rome pour la dignité de cardinal un de ses fils engagé dans une carrière ecclésiastique. Par sa retraite à Metz, Épernon semblait prendre la tête d'un nouveau parti des mécontents.

Le dernier grief de la reine mère était la conclusion, sans la consulter ni la convier, du mariage de sa fille cadette Christine avec le prince Victor-Amédée, héritier du duché de Piémont-Savoie. La cérémonie avait été célébrée à Paris le 10 février 1619. Dans la nuit du 22 février 1619, la reine Marie, aidée par des émissaires du duc d'Épernon, s'évadait du château de Blois, rejoignait le duc qui l'attendait à Loches avec une forte escorte et gagnait avec lui la place d'Angoulême. Ce château, facile à défendre, au milieu d'une province dont Épernon était aussi gouverneur et dont la noblesse lui était fidèle, mettait la cause de la reine mère à l'abri d'une prompte répression.

Louis XIII et Luynes devaient faire face immédiatement. Les régiments permanents faisant un peu plus de 20 000 hommes furent déployés dans les habituels sites stratégiques de Champagne et du Sud-Ouest, le plus gros des troupes commandé par Schomberg marchant vers l'Angoumois. En fait, des tractations avaient commencé très vite entre partisans de la mère et du fils et, le 30 avril, un accord signé à Angoulême portait enfin la réconciliation de Louis XIII et de sa mère. La cause de Marie avait été plaidée habilement par son homme de confiance, Richelieu, évêque de Luçon, revenu de son exil d'Avignon. La reine recevait le gouvernement de l'Anjou et le 3 septembre, en Touraine, une entrevue affectueuse scella la paix familiale acclamée par les vivats des courtisans.

La reine mère n'avait toutefois pas recouvré son premier pouvoir. Elle n'avait pas regagné la capitale où son fils ne l'aurait pas admise au Conseil ; elle demeurait ombrageusement à l'écart dans le château d'Angers. Un nouveau malentendu survint en octobre 1619, lors de la libération du prince de Condé détenu depuis 1616 à la Bastille. Une déclaration royale proclamait l'innocence du prince, affectant d'attribuer toutes les querelles passées à l'ombre de Concini ; ce subterfuge politique revenait à incriminer la reine Marie. Luynes obtint ensuite de Louis XIII la création d'une soixantaine de chevaliers du Saint-Esprit ; ce précieux et rare honneur lié à la personne même du souverain semblait réservé en l'occurrence à Luynes et à ses proches. Enfin, comme l'année précédente, la reine était blessée dans son rôle maternel, l'éducation de son second fils Gaston encore adolescent étant modifiée sans son assentiment. Richelieu orchestrait sans peine ces griefs provoqués par les maladresses de Luynes. Plusieurs grands seigneurs quittaient la cour pour se retirer en Poitou ou en Anjou aux côtés de Marie de Médicis.

Dès juillet 1620, une fois de plus, Louis XIII dut entreprendre une visite militaire des provinces les plus remuantes ; ce fut la « seconde guerre de la mère et du fils ». A la tête d'une petite armée, le roi parcourut d'abord la Normandie où le duc de Longueville avait pris les armes, puis, ayant traversé sans encombre Rouen et Caen (17 juillet), il marcha sur l'Anjou. Les partisans de la reine mère tenaient le château des Ponts-de-Cé, commandant le principal passage de la Loire, le plus proche d'Angers. La troupe royale, qui comptait moins de 4 000 hommes et ne disposait que de deux canons, bouscula les rebelles, laissant quelques centaines de morts. On appela cette bataille la « drôlerie des Ponts-de-Cé » (7 août).

Le gouvernement du royaume, de Luynes à Richelieu.

Le 10 août 1620, au château d'Angers, un traité réconcilia encore un coup le roi et sa mère. Marie de Médicis revint dans la capitale. Elle s'installa au palais du Luxembourg, demeure acquise en 1612, dont elle avait confié la reconstruction à Salomon de Brosse et que Rubens allait orner de gigantesques tableaux relatant la vie de la reine.

Le hasard voulut que le duc de Luynes couvert d'honneurs par Louis XIII, créé même connétable de France, dignité désuète, vacante depuis 1614 et rétablie pour le favori, vînt à mourir subitement d'une fièvre épidémique le 15 décembre 1621, alors qu'il accompagnait les troupes royales dans la campagne contre les huguenots du Midi. Le mois suivant, en janvier 1622, la reine mère fut derechef admise au Conseil du roi. Une harmonie apparente s'était instaurée désormais entre les membres de la famille royale. Cette image sereine satisfaisait l'opinion, elle offrait un gage de la stabilité du gouvernement et de la force de l'État royal. Ce gage était essentiel puisque c'était de l'État et de sa croissance que les nouvelles générations de ce début de siècle attendaient la résolution des querelles et tensions que pouvait connaître la société française.

Après la mort de Luynes, la responsabilité des affaires passait au vieux chancelier Brulart de Sillery qui avait commencé sa carrière en 1589 comme secrétaire d'État du roi Henri III. Son fils Nicolas de Puisieux conduisait les affaires étrangères du royaume. Parvenu à la fin d'une longue vie, le chancelier s'appliquait surtout à éviter l'entrée de la France dans le conflit européen qui depuis 1617 commençait de déchirer les pays allemands. Une cabale de cour accusa les Brulart de malversations ; une telle accusation, inusable et imparable, accompagnait ordinairement les disgrâces des conseillers. Les Brulart furent donc chassés et la conduite du Conseil incomba par après au marquis de La Vieuville, surintendant des finances. Ce dernier, à son tour, ne put se maintenir longtemps en place. Il succomba sous les coups d'une autre cabale, organisant une soudaine et puissante campagne de pamphlets qui mettaient en cause sa compétence et son honnêteté.

La Vieuville, incapable de faire front et de convaincre le jeune roi, fut lui aussi renvoyé et même emprisonné en août 1624. Tout se passait comme si l'accaparement de la confiance du prince finissait tôt ou tard par sembler criminel. La disgrâce devait nécessairement emporter, avec la perte de la charge, une inculpation de fraude, une présomption de crime politique. Puisque la légitimité appartenait au seul prince, son principal ministre était inévitablement très puissant et très faible, puissant parce que serviteur d'un souverain absolu, faible parce que dépourvu des protections qu'avaient conféré autrefois les prestiges d'une haute naissance. Le ministre de l'âge moderne, lettré, c'est-à-dire magistrat ou homme d'Église, n'avait plus la caution sociale d'une grande noblesse, il ne tenait son pouvoir que de l'amitié précaire et trop humaine du prince. Ce changement dans le style des gouvernements intervenait alors même qu'apparaissait le poids d'une opinion publique, ou plutôt la force de nouveaux vecteurs de l'opinion, pamphlets, occasionnels, gazettes, dont la maîtrise ferait désormais partie du savoir-faire politique.

Les derniers avatars survenus rapidement à la tête du Conseil du roi profitaient à un personnage hors du commun qui allait marquer fortement son époque, le cardinal de Richelieu.

Richelieu et Louis XIII.

Armand-Jean Du Plessis de Richelieu était né en 1585 dans une famille poitevine de bonne noblesse. Son père François avait fait partie de la suite d'Henri duc d'Anjou dans son éphémère règne de Pologne. Celui-ci, devenu Henri III, avait récompensé ce compagnon fidèle avec la charge de grand prévôt de France. François de Richelieu avait ainsi été le responsable d'opérations de police ou de justice au service immédiat du roi. Du fait de la mort prématurée de ce père si puissant, le jeune Armand avait été confié à son oncle maternel Amador de La Porte, chevalier de Malte. Sous cette égide, il avait pu être initié particulièrement aux problèmes de la marine et des vaisseaux. Il était destiné aux armes et son éducation fut toute militaire. Le hasard voulut qu'un de ses frères, à qui étaient réservées une carrière ecclésiastique et la charge de l'évêché de Luçon, eût préféré entrer dans une chartreuse, de sorte que, dans l'intérêt familial, Armand opta pour la vie cléricale et, après des études très brillantes de philosophie, finit par être sacré évêque à Pâques 1607, à l'âge de vingt-trois ans.

Déjà remarqué en cour de Rome pour ses exceptionnelles qualités, le tout jeune prélat se consacra ardemment à la réforme de son diocèse selon les directives du concile de Trente, multipliant les visites de paroisses, les ordonnances synodales et les prédications. Député aux États généraux de 1614, il y porta la parole au nom de l'ordre du clergé de France. Distingué par la reine mère et par Concini, il leur dut d'entrer fort précocement au Conseil du roi avec la charge des Affaires étrangères. La chute de Concini, en avril 1617, l'entraîna dans la disgrâce mais ne l'empêcha pas de continuer à mettre ses conseils et son entregent au service de la reine mère. C'est lui qui négocia les deux réconciliations de la mère et du fils en 1619 et 1620. Son intelligence exceptionnelle s'était déjà imposée à ses contemporains et nul ne doutait dès lors qu'un destin brillant ne lui fût réservé.

A cause même de l'attachement du jeune prélat à la reine mère et de son habileté oratoire, Louis XIII redoutait son influence et le duc de Luynes ne lui voulait aucun bien. Ils ne souhaitaient pas recommander en cour de Rome l'aspiration de Richelieu au cardinalat. L'usage voulait que le pape ne nomme de cardinal dans une nation qu'avec l'assentiment du souverain de ce pays ; la reine Marie aurait voulu que Louis XIII appuie l'évêque de Luçon auprès du pape en récompense du rôle éminent qu'il avait joué dans le dénouement des querelles familiales autour du trône de France. La mort de Luynes vint à point lever le principal obstacle aux ambitions de Richelieu. Dès l'année suivante, en septembre 1622, Richelieu reçut la dignité cardinalice. Cet extraordinaire honneur, rarissime pour un prélat français, lui donnait dans le monde catholique un immense prestige spirituel mais aussi une indépendance politique que même les princes du sang auraient pu lui envier. La reine Marie réclamait encore pour lui l'entrée au Conseil, il y fut appelé en avril 1624. Les étonnantes campagnes de dénigrement qui avaient emporté La Vieuville avaient été orchestrées par ses soins. Effectivement la disgrâce du surintendant porta enfin Richelieu au rang de principal ministre, chef du Conseil du roi (août 1624).

Le caractère du cardinal ministre était déjà bien connu à la cour. Esprit rapide, lumineux et sûr de lui, Richelieu était tout autant homme de réflexion que d'action. Excellent dans l'intrigue comme dans le commandement, il possédait la maîtrise des relations sociales et de l'opinion publique ; il connaissait parfaitement leurs mécanismes spécifiques en ce temps, c'est-à-dire qu'il savait l'importance des réseaux de clientèle et de fidélité, l'opportunité d'appartenir à la clientèle d'un grand, comme lui qui s'était donné à la cause de la reine mère, la nécessité d'entraîner après soi une cohorte d'obligés, l'informant et l'appuyant chacun dans leur domaine particulier, provincial, social ou professionnel. Son entrée au Conseil en 1616, l'organisation des paix de la mère et du fils, l'accession au cardinalat ou pour finir le renvoi de La Vieuville étaient les preuves évidentes d'un savoir-faire politique étonnamment efficace.

Richelieu était attentif à l'écho de ses actions dans les représentations immédiates et aussi à l'image léguée à l'avenir, il prenait toujours soin de laisser une trace argumentée et forte de ses principes et de ses décisions. Prenant parfois la plume lui-même ou contrôlant une troupe de secrétaires et d'écrivains gagés, il laissa ainsi un *Testament politique*, composé, semble-t-il, de pièces diverses issues de son cabinet, et des *Mémoires* qui sont attribuées à Harlay de Sancy, évêque de Saint-Malo. Dans la suite des temps, les historiens et les érudits ont attaché une grande importance à l'œuvre du cardinal ministre, de sorte que dès 1857 on a disposé d'un recueil de *Lettres, Instructions diplomatiques et Papiers d'État*. Cette énorme compilation (8 volumes), due au vicomte d'Avenel, n'est d'ailleurs pas exhaustive et une édition actuelle plus complète est en cours. Les biographies de Richelieu enfin sont parmi les plus nombreuses dans une historiographie française pourtant féconde en portraits de grands hommes. La personnalité et l'action de Richelieu sont sans doute un des thèmes les plus explorés de l'histoire du XVIIe siècle.

En 1624, Richelieu n'avait pas encore de dessein arrêté et faisait preuve d'une grande capacité de saisie des opportunités, de disponibilité en face de la prolifération des événements. Son objectif le plus clair était l'affirmation de la monarchie française et le service fidèle de la personne du roi Louis XIII qui l'incarnait en cet instant historique. La cohérence de la volonté politique de ces deux hommes, de 1624 jusqu'à la mort de Richelieu en 1642, explique leur empreinte puissante sur le cours des choses et aussi la difficulté d'attribuer à l'un ou à l'autre la responsabilité des issues, bonnes ou catastrophiques, de leurs actions. Louis XIII, bien qu'il eût seize années de moins que son ministre, avait d'emblée compris la force de la personnalité du cardinal et sa chance de pouvoir s'en faire un conseiller dont le dévouement et la résolution étaient assurés.

Louis XIII n'a pas moins attiré l'attention des biographes. Il est vrai que l'on est très informé de ses faits et gestes, plus que pour aucun autre roi de France. On dispose en effet d'un document à peu près unique en son genre, un journal médical tenu ponctuellement par son médecin personnel Jean Héroard depuis la naissance du dauphin, en 1601, jusqu'à la mort du vieux praticien, survenue en 1628. On peut suivre ainsi jour après jour et souvent heure par heure l'emploi du temps du jeune prince. Ce texte dépasse d'ailleurs l'intérêt purement historique, les reflets de la vie d'un homme illustre et de son époque, pour accéder à une envergure anthropologique, savoir l'exact compte rendu des vingt-sept premières années d'un être humain dont on connaît parfaitement l'apprentissage du langage dans l'enfance, le régime alimentaire, le temps de sommeil, les moindres comportements physiologiques, les attitudes morales ou la capacité intellectuelle. Il est donc possible d'affirmer, sans tomber dans l'arbitraire habituel des portraits historiques, que Louis XIII était un individu remarquablement doué, pratiquant avec plaisir et talent la musique et le dessin, le maniement des armes, la chasse et l'équitation. Cultivé, assez perspicace, introduit dès son plus jeune âge à la réalité quotidienne du gouvernement, il était bien armé pour son métier de roi. Très pieux et très scrupuleux, il y consacrait toute son attention. Son caractère dissimulé, susceptible, timide et coléreux, capable de vengeance voire de cruauté passait aux yeux des observateurs contemporains pour l'accompagnement obligé des grands desseins. Même son goût du secret, sa très haute ou terrible conception de l'État semblaient des qualités essentielles dans l'art de gouverner.

La part personnelle de Louis XIII dans les choix les plus dramatiques ne doit pas être sous-estimée ; l'importance de ce rôle du souverain tenait d'abord à la force du principe monarchique et ensuite à l'équilibre singulier qui s'était établi entre le roi et le ministre. Les pouvoirs et virtualités du ministre intimidaient et inquiétaient le roi, tandis que de son côté le ministre redoutait l'impulsivité de son souverain ; la continuité du gouvernement dépendait de la capacité de Louis XIII à comprendre et appuyer les desseins de Richelieu et, d'autre part, de la volonté de puissance de celui-ci entièrement mise au service du roi.

7

Les églises protestantes et les dernières guerres de Religion

L'édit de Nantes avait donné une sanction légale à l'organisation religieuse, politique et militaire des communautés réformées inégalement disséminées à travers le royaume. La R.P.R., comme on disait, c'est-à-dire la religion prétendue réformée, constituait un ordre du royaume, un type particulier de communauté doté de ses privilèges et libertés, ce qui signifiait pourvu d'un droit particulier s'ajoutant aux multiples prérogatives sociales et régionales qui pouvaient alors définir le statut d'un individu en face du pouvoir royal.

La structure des églises réformées.

L'édit reconnaissait la capacité des églises réformées, unités de prière et d'habitat régies par un pasteur et des anciens formant le consistoire local, à se gouverner elles-mêmes, à régler leur vie commune, à se regrouper aussi en colloques et, au-delà de plusieurs colloques, en provinces synodales, qui étaient au nombre de 16. L'assemblée du consistoire traitait de la vie de l'église locale, de ses problèmes spirituels et matériels, censurant l'inconduite de certains ou secourant les malheurs d'autres fidèles. Chaque église députait un pasteur et un ancien à l'assemblée du colloque et, de même, chaque colloque à l'assemblée synodale. Des synodes nationaux, avec autorisation du roi et présence d'un commissaire du roi aux séances, se réunissaient tous les trois ans. Depuis 1601, les assemblées générales désignaient des députés généraux dont la charge était d'aller à la suite de la cour et d'y résider pour y défendre les intérêts des « religionnaires ». Depuis 1610, les restrictions de périodicité n'étaient plus respectées, non plus que la demande d'autorisation royale ou la séance d'un commissaire royal à tous les échelons d'assemblée. Il arrivait que certaines assemblées provinciales, dites abrégés ou cercles, ne réunissent que des députés intransigeants parce que les églises où l'opinion modérée l'avait emporté préféraient s'abstenir d'y figurer ou que quelque notable protestant attaché au parti de la cour avait recommandé cette abstention. Généralement les représentants des églises de Haut-Languedoc, de Haute-Guyenne, d'Aunis et Saintonge dominaient les débats et dictaient les décisions.

L'organisation politique de la R.P.R. était appuyée par des structures militaires. En 1610, on comptait près de 200 places de sûreté pourvues de gouverneurs et de garnisons. Leur nomination dépendait du roi mais aussi du consistoire local ; en fait ces capitaines de places n'obéissaient qu'aux grands seigneurs du parti. On estimait qu'au total les garnisons, les levées de noblesse et les milices des villes huguenotes pouvaient faire marcher immédiatement 25 000 hommes, alors que les régiments permanents de la Couronne étaient bien éloignés de cet effectif.

Le nombre des protestants en France devait représenter de 3 à 4 % de la population. Leur répartition était fort inégale et certaines régions, certaines villes fameuses comme Privas, Nîmes, Castres, Montauban, Bergerac ou La Rochelle avaient un habitat presque entièrement huguenot. La concentration des églises réformées dans le Languedoc ou dans l'Aunis et la Saintonge a pu faire comparer ces aires aux provinces des Pays-Bas du Nord où l'importance des calvinistes avait entraîné un clivage politique à la fin du XVIe siècle, ces provinces se séparant de la tutelle espagnole. En fait, comparaison n'est pas raison ; les calvinistes français avaient pu pendant les guerres de Religion s'approcher d'une rupture politique provoquée par la violence des événements, mais ils ne l'avaient jamais revendiquée comme un projet explicite. En outre, ces concentrations étaient relatives ; à quelques lieues de là, les campagnes demeuraient massivement catholiques ; des villes rivales toutes proches avaient été souvent des places fortes de la Ligue ou du catholicisme royal : Toulouse et Auch barraient la route du Béarn, Cahors, Agen,

Périgueux, Bordeaux et Blaye verrouillaient les fleuves aqui-
tains. Ces contrastes locaux supposaient que chaque place
se tînt sur un prudent pied de guerre et fût capable le cas venu
de conduire des chevauchées dans leurs environs.

La coexistence entre voisins de religions différentes était
tantôt quotidienne et familière, tantôt défiante et conflic-
tuelle. Pour prendre des exemples, les bourgeois de Montpellier en Languedoc ou de Saint-Jean-d'Angély en Saintonge
rencontraient chaque jour les métayers de leurs terres et les
paysannes du marché, tous catholiques. Dans les petites cités
de la moyenne Garonne les voisinages étaient encore plus
étroits, la convivialité allait jusqu'aux jeux de quilles et aux
propos de taverne, mais pas plus avant. C'est ainsi que les
mariages interconfessionnels, les « mariages bigarrés », étaient
rares et unanimement condamnés. Dans les grandes villes à
dominante catholique, l'intransigeance des jeunes, écoliers
des collèges catholiques, « proposants », c'est-à-dire futurs
pasteurs issus des académies, entraînait parfois des échauffourées sanglantes. Dans les cités à dominante protestante,
l'édit de Nantes avait prescrit le rétablissement de la messe
et, de ce fait, le retour du culte catholique et de ses fastes
liturgiques offrait des occasions de querelles et d'affrontements. Pour faire face aux tensions toujours prêtes à surgir,
l'édit avait prévu des « chambres de l'édit », sections des parlements locaux qui examinaient le contentieux opposant des
parties de religions différentes, mais ces chambres, efficaces
pour les procès privés, étaient impuissantes devant des émeutes. Le régime de l'édit n'était qu'un compromis, un équilibre toujours menacé.

La conviction calviniste et le genre de vie des communautés
d'habitat avaient engendré une vivacité du débat politique
qu'on pourrait dire caractéristique des situations de minorité et qu'on ne retrouverait pas avec la même acuité dans
les villes et villages catholiques. Non pas que les protestants
français aient eu d'autres opinions sur la chose publique et
le train du monde, d'autre représentations de la hiérarchie
sociale et de ses conventions que le reste du royaume ; comme
ailleurs, les grands seigneurs et les hommes de loi dominaient
les églises et les assemblées, mais il y avait plus de place pour
des factions radicales et pour des inflexions religieuses des

débats politiques. On voyait ainsi de simples pasteurs ou même des gens de métier côtoyer le duc de Rohan dans les moments de troubles, le soutenir comme le plus résolu des chefs religionnaires ou bien couvrir d'insultes tels autres gentilshommes ou notables qui répugnaient à s'engager dans une prise d'armes. Les communautés huguenotes étaient ainsi partagées en factions municipales qui s'affrontaient violemment lorsque des choix dramatiques pouvaient aller jusqu'à la guerre civile.

Les restrictions professionnelles de l'édit de Nantes avaient réservé aux catholiques un grand nombre d'offices royaux ; elles influaient à long terme sur la composition sociale du protestantisme. Faute de pouvoir entrer dans le circuit des achats de charges, les plus fortunés investissaient dans le négoce, dans la banque, notamment dans la participation aux fermes de revenus royaux et aux partis de financiers consentant des prêts au Trésor royal. L'armée était aussi très ouverte aux protestants. Cette situation tenait à l'indifférentisme ou au libertinage d'une société de jeunes hommes affranchis de la plupart des conventions morales, et également à la rencontre de tant d'officiers et soldats allemands et suisses, majoritairement luthériens.

Les inquiétudes d'une minorité royale.

Beaucoup de protestants craignaient pour l'avenir de leur foi. En effet, l'Église catholique dans les premières décennies du XVIIᵉ siècle bénéficiait d'un puissant élan résultant notamment de la mise en œuvre dans la plupart des pays romains des réformes voulues par le concile de Trente. Grâce à l'intelligence spirituelle et à la patience sociale des jésuites et d'autres familles religieuses nouvelles, une reconquête catholique était à l'œuvre en Europe centrale et orientale. Des missionnaires partaient déjà au-delà des océans porter l'Évangile chez des peuples jusque-là inconnus. En France même, la paix issue de l'édit de Nantes permettait au clergé de lancer des missions, des prédications dans des campagnes reculées et aussi dans des places fortes du calvinisme. Dans cette époque qui croyait aux vertus de la rhétorique et qui aimait les joutes oratoires, la mise en scène de controverses, c'est-à-dire de disputes publiques organisées entre deux théologiens opposés, attirait toujours de vastes audiences. Les orateurs catholiques qui se lançaient dans ces cérémonies d'éloquence polémique s'apercevaient qu'ils y avaient souvent la meilleure part, ces succès ponctuels tenant aux qualités intellectuelles des nouveaux ordres et au recrutement de plus en plus exigeant des prêtres. Les conversions d'une confession à l'autre n'avaient jamais été rares, mais elles semblaient désormais s'orienter à sens unique et chaque année faire passer au catholicisme des individus plus nombreux et plus illustres.

L'inquiétude protestante s'était aggravée avec la politique de paix avec l'Espagne. Elle s'était manifestée dès la paix de Vervins, elle s'était maintenue au long du règne d'Henri IV, elle s'avivait avec la régence de Marie de Médicis. Elle s'était exprimée hautement lors du premier synode national de la période tenu en 1611. A l'assemblée réunie alors à Saumur, on avait vu s'esquisser des tendances qui partageaient les provinces et les églises calvinistes à travers le royaume. Les fidèles du roi défunt comme Lesdiguières et Sully défendaient la conciliation, l'obéissance au roi et la patience devant les difficultés du gouvernement. D'autres plaidaient pour la résistance, pour le recours à des démonstrations de force qui manifestaient le poids des religionnaires dans l'État. Cette version intransigeante était soutenue par les grandes dynasties nobiliaires qui avaient pendant les guerres de Religion servi de rempart aux églises et qui avaient pu même concurrencer dans cette vocation militaire le prestige de la maison de Navarre. C'était le cas des ducs de Bouillon, des vicomtes de Turenne et aussi des princes de Rohan. Henri de Rohan (1575-1638), personnage ambitieux et doué, s'était de la sorte imposé. Issu d'une puissante famille, largement possessionnée dans l'Ouest, en Basse-Bretagne et en Bas-Poitou, il pouvait faire remonter ses origines à des souches royales, légendaires ou lointaines, de Bretagne et de Chypre. Avec son frère cadet le baron de Soubise, il avait reçu une éducation savante, prolongée par des voyages à travers l'Europe, auprès des princes d'Orange et du roi Jacques Stuart. L'année 1605, il avait épousé Marguerite de Rosny, fille aînée de Sully, et il avait reçu d'Henri IV la charge de colonel général des Suisses. Pendant les troubles de la minorité de Louis XIII, Rohan

s'était presque toujours rangé du côté de Condé et des prises
d'armes princières. Il faisait désormais figure de protecteur
des églises réformées du royaume. Son prestige était grand
aussi bien dans l'Ouest dont il venait que dans les régions
méridionales de forte présence protestante. Rohan s'appliquait à entretenir des clientèles et des réseaux de fidélité parmi
la noblesse, parmi les pasteurs, parmi les gens de métier.
Beaucoup de bourgades du Languedoc étaient ainsi partagées entre partisans de Rohan, prêts à prendre les armes, et
notables, souvent investis des charges consulaires, qui voulaient une conduite plus prudente. Ceux qui tentaient ainsi
de concilier les extrêmes étaient désignés d'un surnom plaisant et évocateur, les « escambarlats », c'est-à-dire en langue
d'oc ceux qui écartent les jambes comme pour marcher des
deux côtés d'un fossé. Les événements allaient les mettre à
rude épreuve.

L'affaire de Béarn.

En 1617, un grave contentieux dans l'application de l'édit
de Nantes vint à se faire jour. La vicomté de Béarn, terre
patrimoniale des Bourbons, avait jadis été entraînée dans la
Réforme par ses souverains. En 1599, Henri IV, conformément à l'édit de Nantes, y avait fait rétablir l'exercice du culte
catholique pour ceux qui y étaient restés fidèles, mais les
autres dispositions de l'édit qui prescrivaient la restitution
des biens ecclésiastiques confisqués par les réformés n'avaient
pas été appliquées. Il se trouvait que le conseil et les états
de la vicomté s'étaient imprudemment compromis dans les
troubles princiers de 1616. Le Conseil du roi jugea alors
opportun de proclamer la réunion du Béarn à la Couronne,
alors qu'il s'agissait jusque-là d'une union personnelle, et d'y
faire exécuter l'intégralité de l'édit de Nantes. Le conseil souverain de la vicomté de Béarn, composé de magistrats huguenots, crut pouvoir refuser l'enregistrement de la décision
royale. On en était là en 1620, au moment de la seconde
guerre de la mère et du fils.

Après la dispersion facile des partisans de la reine Marie
aux Ponts-du-Cé, le roi se trouvait, à l'entrée de l'été, à la
tête d'une armée opérationnelle (juillet 1620). Il résolut de

prolonger la promenade militaire jusqu'au Sud-Ouest. Les Béarnais ouvrirent les portes de leurs villes et le roi entra pacifiquement à Pau le 20 octobre. Il jura solennellement de respecter les privilèges particuliers du pays, les fors comme on disait dans le Midi. Le seul vrai changement fut la transformation du conseil souverain en parlement de Pau, où siégeraient seulement des conseillers catholiques. Ce changement, du moins, suffit à alarmer l'opinion protestante dans le reste du royaume.

Une assemblée nationale des églises fut annoncée, elle devait se réunir à La Rochelle en décembre 1620. Elle prétendait tirer sa légitimité des permissions royales octroyées l'année précédente. Elle réunit effectivement 75 députés, la plupart pasteurs ou négociants, tous plus ou moins liés par des rapports de clientèle ou de service aux principales familles nobiliaires. Passant outre au défaut d'autorisation royale, les députés organisèrent des levées de taxes et de soldats, se préparant ainsi ouvertement à une prise d'armes générale. Ayant même fait appel à la protection du roi d'Angleterre, l'assemblée se maintenait sur pied de mois en mois et prenait figure de gouvernement sécessionniste. Bien sûr, elle ne revendiquait pas une telle rupture, elle assurait demeurer fidèle au roi et ne chercher que la défense de la liberté des églises. Nombre d'églises contrôlées par les ducs de Bouillon, de Lesdiguières et de Sully, refusant de s'associer à des choix extrêmes, avaient refusé d'envoyer des députés. Les députés de La Rochelle représentaient donc les factions les plus résolues des communautés protestantes ; ils décidaient de diviser les églises du royaume en huit cercles militaires, chacun placé sous l'autorité d'un gouverneur appartenant à la noblesse militaire.

Au printemps 1621, la guerre civile paraissait inévitable et l'enjeu politique était cette fois beaucoup plus lourd que toutes les agitations princières précédentes qui n'avaient jamais réuni tant d'hommes, tant de lieux divers, ni montré tant de détermination insurrectionnelle.

La première guerre de Religion.

Le 18 avril 1621, Louis XIII et Luynes, qui s'essayait à son rôle de connétable, quittèrent Fontainebleau à la tête des régiments permanents en route vers le Sud-Ouest. Les villes huguenotes de Saumur et de Thouars ouvrirent leurs portes sans résistance. Il s'agissait pour le roi de frapper à titre d'exemple quelques points forts du parti protestant afin de contraindre ses chefs à des négociations. Comme La Rochelle était réputée inexpugnable, l'armée royale devait s'ouvrir un chemin dans les pays saintongeais et gascons où les forces des religionnaires étaient importantes mais disséminées au cœur de vastes zones catholiques. Le premier point de résistance venait de la bonne place forte saintongeaise de Saint-Jean-d'Angély où s'était enfermé Benjamin de Rohan, baron de Soubise, frère cadet du duc de Rohan. Assiégé par l'armée royale et le roi en personne, Soubise tint du 11 au 25 juin puis se rendit avec les honneurs de la guerre. La ville de Saint-Jean porta seule la punition, ses remparts étant renversés et ses privilèges abolis. L'armée se dirigea ensuite vers Montauban. Cette bonne ville, capitale huguenote de la Haute-Guyenne, verrou de la moyenne Garonne, était pourvue d'excellentes murailles et d'une puissante garnison commandée par le baron de Caumont La Force.

Les petites places protestantes du Périgord, d'Agenais et de Quercy ouvrirent bientôt leurs portes, à l'exception de Clairac, au confluent du Lot, qui fut emportée après un siège en règle du 23 juillet au 4 août. Le siège fut posé devant Montauban le 17 août. Un siège était toujours une entreprise militaire considérable, pour réussir l'investissement d'une grande ville de plaine appuyée sur un fleuve, bien fortifiée, bien approvisionnée, bien garnie d'artillerie, les régiments royaux, qui n'atteignaient pas 30 000 hommes, ne suffisaient pas ; ils ne pouvaient à la fois fermer toutes les avenues de la place et faire face sur les autres fronts, en Aunis au nord et en Languedoc au sud. Les canons royaux ne pouvaient s'approcher à distance convenable des remparts et la cavalerie ne parvenait même pas à empêcher le passage de plusieurs centaines de soldats envoyés en renfort par Rohan. Au bout de quelques semaines, des fièvres assaillirent les assiégeants, sans doute le typhus, fléau habituel des concentrations humaines malencontreuses, et une épidémie caractérisée de scarlatine. Le taux de mortalité était effrayant ; le chancelier Du Vair et le duc de Luynes lui-même y trouvèrent la mort. Le siège fut levé le 10 novembre et Louis XIII repartit pour Paris. Il laissait derrière lui pour contrôler le Sud-Ouest une armée affaiblie ramenée à 12 000 hommes. L'échec était grave et spectaculaire.

Le parti protestant avait montré l'ampleur de ses capacités militaires. Soubise disposait de bonnes troupes autour de La Rochelle et Rohan tenait pratiquement tout le Languedoc, de Castres à Montpellier. Les forces royales avaient encore subi un autre revers sur la mer. Une flotte de treize vaisseaux venue de Bretagne avait attaqué La Rochelle le 7 octobre et avait été repoussée par les Rochelais du capitaine Jean Guiton. Les Rochelais n'avaient que six vaisseaux de plus de 150 tonneaux, mais ils disposaient d'une quarantaine de bateaux de 50 à 80 tonneaux, mobiles, armés de petits canons de fer, et aussi d'une multitude de barques transformables en brûlots. La suprématie maritime des Rochelais leur assurait depuis longtemps le contrôle de tous les rivages français de l'Atlantique. Ils dominaient les trafics, pouvaient en toute impunité bloquer les autres ports et entraver leur commerce. Sur mer et sur terre, les forces des religionnaires étaient capables de tenir tête victorieusement aux rudiments d'armée royale.

Louis XIII ne demeura que quatre mois à Paris. Une négociation était envisageable ; Lesdiguières du côté du roi proposait son entremise ; Rohan ne demandait pas mieux et avait plusieurs fois pendant le siège de Montauban amorcé des pourparlers. Le choix de la guerre à outrance avait lui aussi ses raisons : dépasser les échecs momentanés de l'automne 1621 et ébranler enfin le potentiel militaire des religionnaires. Du côté protestant, il semblait judicieux de poursuivre l'avantage ; le vieux Sully, lui-même, favorisait alors le parti de la guerre. Déjà Soubise était sorti de La Rochelle avec une troupe de 7 000 hommes dans le but d'accroître l'emprise protestante sur les côtes de Poitou et de Bretagne. En février 1622, il razziait les villes catholiques du Bas-Poitou, prenait les Sables-d'Olonne qu'il saccageait et dont il confisquait les vaisseaux ; puis il envisageait de se fortifier dans une des îles du littoral poitevin.

Louis XIII contraint par les événements, appelé au secours par les députés des États de Bretagne, se lançait vers l'ouest le plus vite possible, passant à Blois le 6 avril, à Nantes le 10 avril, à Challans le 15 avril aux bords des marais du Poitou, Soubise venait de s'établir à Saint-Gilles-Croix-de-Vie, principal havre de l'île de Rié. Cette «île» était une langue de dunes séparée de la terre ferme par les chenaux de petites rivières remontées par la marée haute. Les maraîchins catholiques ayant guidé les troupes royales sur des chaussées émergées courant à travers les marais, le contingent rochelais se trouva surpris au matin du 16 avril alors que la marée basse empêchait la fuite par mer. Plusieurs milliers furent tués ou faits prisonniers, Soubise échappa de justesse à travers les dunes. Cette bataille des marais de Rié reçut un extraordinaire écho de presse ; une vingtaine de feuilles occasionnelles célébrèrent l'événement qui rachetait les déconvenues passées et traçait l'image du jeune Louis XIII en chef de guerre victorieux.

Poursuivant leur avantage, les royaux s'emparaient de la place de Royan, à l'embouchure de la Gironde, puis occupaient toutes les places protestantes de Guyenne, entraînées par la soumission du baron de La Force. L'armée, évitant l'obstacle de Montauban, emportait d'assaut de petites bourgades voisines, Nègrepelisse et Saint-Antonin, puis elle s'avançait en Bas-Languedoc et allait mettre le siège devant Montpellier.

Comme l'année précédente, Rohan avait maintenu ses forces en rase campagne et se contentait de conduire des chevauchées rapides, tantôt autour de Castres et tantôt autour de Nîmes. L'expérience de 1621 modérait également les espérances des royaux qui savaient impossible d'obtenir la reddition de la ville avant l'hiver. Chaque parti envisageait avec soulagement l'hypothèse d'une trêve.

Une offensive maritime avait été organisée conjointement afin de prendre la revanche sur la flotte des Rochelais. Au cours de l'été, le duc de Guise avait été chargé de réunir une escadre d'une envergure exceptionnelle ; il avait fait appel à tous les vaisseaux disponibles de Rouen jusqu'à Saint-Jean-de-Luz, il avait même fait venir de Méditerranée dix galères qui affrontaient l'océan sans trop de mal. Au total, les royaux alignaient une quarantaine de navires dont deux vaisseaux de plus de 1 200 tonneaux. Guiton, l'amiral rochelais, disposait de son côté d'une cinquantaine de vaisseaux des ports charentais et des prises faites en Bretagne et en Poitou. Les deux flottes s'abordèrent dans le Pertuis breton le 27 octobre, mais une forte tempête entrava la bataille et bientôt la nouvelle de la paix arrêta les hostilités.

La paix avait été préparée dès le début d'octobre ; Louis XIII accordait à ses sujets huguenots un traité conclu sous les murs de Montpellier. Les principales dispositions de l'édit de Nantes étaient maintenues et une amnistie couvrait tous les faits de guerre de 1621 à 1622. Les religionnaires devaient procéder au démantèlement de nombreux sites fortifiés et renoncer à tenir garnison dans quelque 80 places sur les 200 lieux de sûreté qui avaient été accordés en 1599. Louis XIII entra dans Montpellier le 18 octobre, acclamé par les habitants qui criaient « Vive le roi » et « Vive miséricorde ». L'assemblée de La Rochelle examina les termes de la paix, les accepta en novembre, puis se dispersa. Ainsi prenait fin la sécession politique esquissée en décembre 1620. Le roi s'attarda dans le Midi, prit le temps d'une entrée triomphale à Marseille et revint vers Paris à petites étapes.

Ces guerres religieuses, quoique limitées à quelques provinces et à quelques mois, avaient été farouchement combattues, elles laissaient en Guyenne et en Languedoc nombre de villes et de bourgs saccagés et ruinés. Dans des provinces comme le Rouergue ou le Vivarais où les frontières religieuses étaient complexes et imbriquées, les petites guerres de villages avaient recommencé comme trente ans plus tôt. Pourtant les enjeux politiques étaient bien différents, la légitimité du prince et de son gouvernement n'était pas en cause, les rebelles protestants prétendaient seulement affirmer leur force et leur résolution. De son côté, le roi avait usé tantôt d'une justice rigoureuse réservée aux criminels politiques, faisant pendre des capitaines et des magistrats des villes prises, tantôt de la clémence nécessaire dans l'espérance d'une paix civile. Ainsi les prisonniers des marais de Rié, un moment promis aux galères, avaient été bonnement libérés quelques mois plus tard.

Ces événements révélaient la médiocrité des moyens royaux et les aspects traditionnels du style de la guerre. Il s'avérait que les royaux avaient peu de vaisseaux et guère plus de canons, que les effectifs dépassaient rarement 20 000 hommes et qu'il leur fallait plus d'une semaine pour emporter des bicoques tenues par quelques dizaines de soldats. Les lois de la guerre, c'est-à-dire les usages non écrits admis par toutes les armées du temps, présentaient des contrastes de férocité et de magnanimité. Les prisonniers et surtout les plus riches d'entre eux étaient soumis à des rançons privées, et le roi lui-même consacrait des séances de conseil de guerre à régler les contentieux issus de ces pratiques mercenaires reconnues et réglementées. Il était admis aussi que les soldats fussent récompensés en parts de butin sur le bagage des ennemis ou en temps de libre pillage dans les places enlevées d'assaut. Le viol des filles, le massacre des habitants et le rançonnement des notables étaient regardés comme pitoyables mais peu évitables. Ainsi Louis XIII acceptait-il de racheter globalement à ses troupes leur droit de saccage à l'entrée de Saint-Jean-d'Angély en donnant 4 livres à chaque soldat. A Saint-Gilles-Croix-de-Vie, il alla jusqu'à racheter un à un les prisonniers protestants en passe d'être égorgés. Il laissa en revanche libre cours à la fureur des soldats à la prise de la petite cité de Nègrepelisse en Montalbanais (10 juin 1621). Soubise avait usé de même envers les habitants des Sables-d'Olonne. L'affaire de Nègrepelisse suscita l'horreur du fait de son ampleur, mais non pas dans son principe, puisqu'une résistance armée était estimée déloyale et méritait d'être punie de mort selon les convenances militaires de l'époque. Le lecteur contemporain se tromperait sans doute en regardant comme archaïques ou exceptionnels des usages habituellement tus ou effacés, et révélés dans les guerres de 1621 du fait de leur isolement au cœur d'années pacifiques et de l'abondance des témoins ayant suivi les armées en cette occasion.

Seconde guerre de Religion.

En dépit des aspects triomphaux que le pouvoir royal avait voulu attacher à la paix de Montpellier, elle ne pouvait être qu'une trêve fragile. Sa difficile négociation entre un souverain et un groupe de ses sujets, le prestige éclatant du duc de Rohan, la suprématie maritime des Rochelais, la capacité de mobilisation des communautés huguenotes du Languedoc annonçaient des temps dangereux. Pendant l'hiver 1624, des mouvements recommencèrent dans le parti protestant. Ils étaient liés à l'expansionnisme commercial des Rochelais et aux menées personnelles de Soubise, dont l'impatience agressive s'opposait souvent aux desseins plus conciliants de son frère Rohan. Les marchands rochelais avaient bénéficié de l'extraordinaire développement économique des ports du nord-ouest de l'Europe durant les dernières décennies du XVIe siècle. Des liens de commerce, d'intérêts et de famille unissaient les négociants rochelais et hollandais. Entre la croissance des ports des Provinces-Unies et celle de la grande cité calviniste d'Aunis, il n'y avait pas seulement similitude, contemporanéité, il y avait aussi des liens de solidarité ; les Rochelais jouaient un rôle essentiel dans la commercialisation des vins et eaux-de-vie descendant la Charente et la Gironde, produits et voies de trafic alors en rapide expansion. La Rochelle avait dépassé les 25 000 âmes et sa population s'augmentait encore du va-et-vient de milliers de marins étrangers. La cité, remarquablement fortifiée, avait supporté victorieusement un siège fameux en 1572, puis, ayant continué de développer son réseau de remparts, elle avait acquis la réputation d'une place imprenable tant par mer que par terre. Les Rochelais à eux seuls possédaient plus de vaisseaux que tous les autres ports français de l'océan ; ils recevaient le renfort de flottilles d'autres havres protestants sur la Charente et la Seudre, ou des îles d'Oléron et de Ré. Avec les meilleurs voiliers et les meilleurs marins, ils pratiquaient le transport, la pêche et au besoin la piraterie. Depuis 1617, ils avaient conduit des raids sur les ports concurrents, fermant le Blavet ou la Gironde, attaquant Les Sables, Brouage et Royan. La guerre de 1621 avait commencé avec l'expédition de Soubise contre Les Sables ; en 1624, les hostilités commencèrent par un coup de main sur le Blavet où Soubise confisqua tous les vaisseaux trouvés dans la rade. En janvier et février 1625, il s'assura le contrôle de tous les havres des îles du littoral charentais. Il envoyait en même temps des émissaires auprès des villes de Languedoc pour les entraîner dans une nouvelle prise d'armes.

Derechef, au début de 1625, le Conseil du roi se décida à mettre des troupes en campagne sur plusieurs fronts pour faire face aux mouvements des forces protestantes. L'effort des royaux se développait dans trois directions : le maréchal de Thémines s'en allait aux environs de Castres mener une petite guerre cruelle contre les cantons qui servaient habituellement de retraite au duc de Rohan ; un autre chef de guerre expérimenté, le seigneur de Toiras, homme de confiance du roi lui-même, débarquait dans l'île de Ré avec un petit corps de soldats d'élite ; enfin une expédition navale puissante était organisée à très grands frais. Faute de moyens suffisants en Bretagne et en Normandie, on loua à prix d'or une vingtaine de navires hollandais et anglais dont le commandement fut confié au duc de Montmorency. Ce grand seigneur, gouverneur de Languedoc, amiral de France depuis 1612, travaillait depuis plusieurs années à une réorganisation des forces navales ; après l'expédition de Guise en 1621, c'était la seconde fois qu'une flotte royale considérable était réunie. Réussissant un effet de surprise et profitant de la dispersion des corsaires rochelais partis en maraude, Montmorency parvint à bloquer la rade de La Rochelle pour en empêcher la sortie de secours, tandis que le gros de son escadre abordait les vaisseaux de l'amiral Guiton au large de Ré. Les Rochelais subirent une sanglante défaite (18 septembre 1625), Guiton et Soubise ne s'échappèrent qu'à grand-peine sur des chaloupes ; Soubise préféra chercher refuge en Angleterre.

Rohan, qui n'avait pas voulu cette campagne, n'avait jamais cessé de négocier en cour. La réconciliation fut facilitée par l'entremise d'un ambassadeur anglais. En effet, les couronnes de Paris et de Londres étaient alors en parfaite entente. La troisième et dernière sœur de Louis XIII, Henriette, n'avait que seize ans et attendait un parti. Ses aînées ayant été mariées aux princes d'Espagne et de Piémont, elle était destinée à un mariage nordique. Des pourparlers avec la cour de Londres avaient commencé en 1624. Le prince de Galles, Charles, fils du roi Jacques Stuart, était un prétendant convenable. Le projet de mariage n'achoppait que sur l'hostilité de l'opinion anglaise envers l'Église catholique et la résolution des Français à défendre le catholicisme de la princesse Henriette et même à obtenir un relâchement des persécutions dont souffraient les catholiques anglais. Le contrat fut achevé en novembre 1624, le mariage fut célébré par pro-

curation à Paris le 11 mai 1625, puis la jeune reine quitta
le Louvre le 2 juin. Sur la route de Londres, elle était conduite
par le duc de Buckingham, principal ministre d'Angleterre,
et escortée jusqu'à Dieppe par les reines françaises.

C'est dans ce contexte que les Anglais, engagés alors dans
un brève guerre navale contre l'Espagne, avaient accepté de
distraire quelques navires au profit du roi de France. Les opérations contre les côtes espagnoles avaient été des échecs
complets, de sorte que Buckingham souhaitait un répit et
cherchait l'apparence d'un succès diplomatique dans la
conclusion d'une paix de religion en France. Les envoyés
anglais encouragèrent donc les députés huguenots à accepter les termes de Louis XIII, soit le maintien des privilèges
accordés par l'Édit de Nantes, mais aussi la présence d'un
commissaire du roi résidant à La Rochelle pour y contrôler
le conseil de ville. Louis XIII de son côté n'avait plus les
moyens d'une nouvelle campagne, ainsi l'accord fut conclu
en février 1626.

Troisième guerre de Religion.

Les bonnes dispositions de l'Angleterre envers la France
ne durèrent pas. L'alliance contre l'Espagne n'avait rapporté
que des mécomptes, tandis que les armées des Habsbourg
repoussaient victorieusement les forces des princes luthériens
et du roi du Danemark ; l'opinion publique londonienne
n'avait pas tardé à dénoncer bruyamment le papisme de
l'entourage de la reine Henriette et, effectivement, en août
1626, les factions puritaines avaient obtenu le renvoi de la
suite française de la jeune reine. Le duc de Buckingham était
à la recherche de faciles satisfactions à offrir aux prédicateurs radicaux, l'aide aux Rochelais calvinistes persécutés par
un tyran papiste offrait un thème plausible. Ce même été
1626, le cardinal de Richelieu avait pris la charge créée
tout exprès pour lui de grand maître de la navigation ; les
nouveaux projets maritimes du cardinal ministre suscitaient l'inquiétude à Londres et justifiaient le renversement
d'alliance. Les flottes anglaises qui dominaient la Manche
commencèrent de saisir des navires marchands français. La
France ripostait en bloquant dans le port de Bordeaux les

quelque 200 bateaux anglais venus acheter le vin nouveau (janvier 1627). La guerre était désormais inévitable.

A partir de mars 1627, le duc de Buckingham s'employa à préparer à Portsmouth une expédition navale dirigée contre la France. Cette flotte leva l'ancre le 30 juin ; elle portait environ 10 000 hommes sur plus de 80 vaisseaux ; le duc, accompagné de Soubise, avait pris lui-même le commandement. Le 10 juillet, ils entrèrent dans la rade de La Rochelle. L'adhésion des Rochelais à la révolte ouverte contre l'autorité royale n'allait pas de soi ; la fidélité des protestants français à la dynastie n'était pas un vain mot ; lorsque Buckingham et Soubise se présentèrent aux portes de la cité, les échevins rochelais leur refusèrent l'entrée, les suppliant de ne pas les entraîner dans une sécession irrémédiable. La duchesse douairière de Rohan, présente en ville, attirant à sa suite le petit peuple du port, alla en dépit des magistrats faire ouvrir les portes à son fils et le fit entrer à l'hôtel de ville sous les acclamations de la foule. Une semaine plus tard, les Anglais débarquaient dans l'île de Ré. Le maréchal de Toiras, avec ses 3 000 fantassins, s'enferma dans la citadelle de Saint-Martin. La guerre commençait.

Une fois de plus Louis XIII devait reprendre la route de l'ouest à la tête de ses régiments ; Richelieu l'accompagnait. Ils arrivèrent ensemble devant La Rochelle le 12 octobre, alors que les lignes de siège étaient déjà posées depuis un mois. L'investissement mobilisait près de 30 000 hommes ; il n'avait aucune efficacité tant que la flotte anglaise maîtrisait la voie de mer. Le duc de Buckingham était lui aussi dans une impasse, car la garnison de Saint-Martin avait reçu deux fois déjà des approvisionnements apportés par des pinasses des Sables-d'Olonne passant la nuit à travers le blocus anglais. Un dernier assaut anglais lancé le 6 novembre s'acheva en déroute. Une sortie de Toiras appuyée par un renfort débarqué dans l'île sous la conduite de Schomberg infligeait des pertes terribles aux soldats anglais, qui faisaient retraite sur les chaussées des marais du centre de l'île. Le 8 novembre, la flotte anglaise hissa les voiles. En partant, Buckingham promettait aux Rochelais l'envoi de prochains secours. L'avenir demeurait incertain. En Languedoc, Rohan avait lancé toutes ses forces dans la guerre, entraînant l'une après l'autre les petites cités huguenotes, mettant en campagne une troupe très mobile de 5 000 hommes environ que Condé et Montmorency ne parvenaient pas à contenir.

Pour aboutir, les royaux devaient compléter le blocus sur la mer. On entreprit donc de fermer l'accès du port par une digue qui, pour être efficace, aurait dû s'étendre sur 1 500 mètres. Des corvées de milliers de maçons et de paysans des pays d'Ouest, de Poitou et de Limousin étaient employées à ces énormes travaux que dirigeait l'architecte Métezeau. De vieux vaisseaux lestés de pierres étaient coulés dans l'axe de la digue pour accélérer l'emprise sur la mer, mais les canonnades depuis la ville, les sorties des assiégés et la force des tempêtes d'hiver empêchaient l'avancement rapide de l'ouvrage. De telles structures avaient été auparavant mises en œuvre dans les annales de l'art militaire, ne fût-ce que par les Anglais devant Saint-Martin, mais l'ampleur du procédé était tout à fait exceptionnelle et l'audace de son entreprise fascina les contemporains.

En ville, la résistance était galvanisée par le nouveau maire élu pendant le siège, l'amiral Jean Guiton. En mars 1628, un assaut général était victorieusement repoussé. L'opinion populaire ne doutait pas de la délivrance prochaine promise par Buckingham.

Le 15 mai parut au large la flotte de secours annoncée par Buckingham et ardemment espérée par les assiégés. Elle croisa en vue des remparts pendant cinq jours mais ne se hasarda pas à portée de canon. Renonçant à forcer le blocus, la seconde flotte anglaise se retira sans combattre. Une troisième flotte d'une centaine de voiles était rassemblée à Portsmouth, elle était sur le point de lever l'ancre lorsque le duc de Buckingham vint à mourir, assassiné par un fanatique puritain. Charles Ier maintint le projet et la flotte, conduite par l'amiral Lindsey, parut enfin devant La Rochelle le 30 septembre. Elle bombarda le dispositif français jusqu'au 3 octobre, puis, faute de résultats, repartit vers le nord.

La famine et les épidémies décimaient les assiégés depuis le mois de juin. Les derniers espoirs avaient été balayés par l'échec de Lindsey ; Rohan, maître du Haut-Languedoc, était comme assiégé dans les Cévennes et incapable d'envoyer des secours. Le 28 octobre, des députés sortirent de la ville pour offrir une capitulation sans conditions. Dès le lendemain, les portes furent ouvertes aux royaux, d'abord un corps de garde en bon ordre puis des convois de ravitaillement venant soulager la misère des assiégés. Le 1er novembre, Richelieu célébra la messe en ville puis, l'après-midi, le roi fit son entrée. Il y avait moins de 6 000 survivants. Le roi accordait l'abolition aux révoltés et maintenait la liberté d'exercice du culte protestant dans la ville, mais les riches privilèges municipaux remontant au XIIIe siècle étaient anéantis et les remparts devaient être entièrement renversés.

La république huguenote de l'Atlantique, ou du moins cette virtualité d'autonomie et de sécession, disparaissait. Les privilèges de juridiction, les exemptions fiscales avaient assuré aux Rochelais des conditions de suprématie qui ne reviendraient pas. Les cicatrices du siège, en revanche, allaient s'effacer assez vite grâce aux atouts naturels du port et grâce au maintien des liens commerciaux majeurs avec les pays du Nord. A la fin du siècle, La Rochelle participerait comme tous les ports de l'océan à l'expansion du commerce vers les Antilles.

Richelieu avait en personne constamment dirigé les opérations du siège. Il avait assumé l'engagement massif et ruineux de l'État dans cette terrible entreprise, alors que les mois passaient sans résultat et que les offensives anglaises paraissaient invincibles. Le succès ultime lui apporta un profit politique considérable. La confiance totale du roi lui était acquise, son autorité et sa puissance dans le royaume étaient désormais indiscutées.

En Languedoc cependant, Rohan demeurait invaincu. Ce ne fut qu'après des succès rapides des armées royales sur les Alpes que Louis XIII et Richelieu s'attachèrent à la réduction du dernier refuge militaire huguenot.

Alors que la perspective de secours anglais s'évanouissait, Rohan avait pu en septembre 1628 nouer des négociations avec l'Espagne. Son émissaire était un colonel huguenot, compagnon de Soubise, Louis Clausel. Un traité de soutien fut effectivement signé à Madrid en mai 1629. Les secours espagnols annoncés n'eurent pas le temps de venir, car, à cette saison, les forces royales revenant d'Italie avaient déclenché une offensive en Vivarais. La ville forte de Privas, puissamment assiégée, était prise le 26 mai. Cette petite cité, à majorité protestante, forte de près de 3 000 habitants, travaillait le drap et le cuir. Elle fut vidée de ses habitants, massacrés ou chassés. Le site ne retrouva une vie citadine que dans les années 1640. La terrible nouvelle du saccage de Privas décida les autres places languedociennes à capituler. Le duc de Rohan lui-même fit sa soumission ; il put s'exiler avec ses partisans et partit pour Venise.

Louis XIII à cet instant avait pris résidence à Alès. C'est de cette ville qu'il data le 28 juin un édit, dit de grâce, qui marquait la volonté de clémence royale au terme d'une décennie de guerres civiles à peu près continues, localisées mais acharnées. L'édit d'Alès maintenait toutes les dispositions religieuses et juridiques de l'édit de Nantes. En revanche, les clauses additionnelles qui avaient accordé des privilèges politiques, sous forme d'assemblées régulières et nationales, ou militaires, sous forme de places de sûreté, gouverneurs et garnisons, étaient entièrement supprimées.

Les religionnaires continuaient de constituer un ordre particulier du royaume. Ils conservaient leurs églises, leurs synodes, leurs députés, mais ils perdaient les moyens de peser sur le destin politique, et de défier la puissance publique par les prises d'armes auxquelles ils avaient eu recours pendant les vingt dernières années. Le cycle des guerres civiles religieuses prenait fin en 1629. L'édit de Nantes allait avoir dans la suite, pendant au moins une trentaine d'années, une application à peu près paisible. Une sorte de tolérance empirique qui n'avait jamais existé jusque-là parviendrait à s'esquisser. La coexistence des communautés en Languedoc, en Guyenne ou en Saintonge entrait tant bien que mal dans le champ de l'habitude.

Lors des crises politiques, lors des révoltes antifiscales puis de la Fronde, les protestants firent preuve de prudence, de docilité et de fidélité. Très légalistes, ils soutenaient en toutes occasions le parti de la cour et les thèses de l'étatisme absolutiste. Personne n'aurait pu annoncer alors le tournant restrictif et répressif des années 1660 et les persécutions qui survinrent par la suite.

8

La fin des temps heureux

1624-1631

L'historiographie, toujours attentive au destin des grands hommes, a pris l'habitude de s'attarder sur l'année 1624 parce qu'elle marque le début du ministériat du cardinal de Richelieu. Si l'on veut bien se détacher de ces complaisances rétrospectives, il faut reconnaître que la durée du pouvoir du cardinal-ministre et surtout les orientations ultérieures de sa politique ne pouvaient être imaginées des contemporains. Les soucis publics les plus évidents étaient alors l'avenir du gouvernement du royaume, puisque le mariage royal demeurait stérile, et la réforme des institutions, qui semblait devoir aboutir dès lors que les difficultés de la minorité ou de la jeunesse du prince n'entravaient plus les projets et les espérances.

La crise politique de 1626.

Les époux royaux, Louis XIII et Anne d'Autriche, mariés depuis 1614, étaient effectivement réunis comme mari et femme depuis 1619. La malchance avait voulu que les grossesses successives de la reine ne fussent jamais venues à leur terme et qu'ainsi au fil des années la mésentente se fût aggravée entre le roi, ombrageux et jaloux, et la reine, inexpérimentée et incomprise. Louis XIII, malgré sa jeunesse et son goût pour le cheval et la chasse, n'avait pas une santé robuste. De la sorte, ministres et courtisans se demandaient ce que deviendrait le trône en cas de malheur. La couronne aurait dû alors revenir à son frère Gaston, duc d'Anjou, jeune homme joyeux et extroverti, indolent et sans volonté, plus cultivé et curieux que son aîné. La personnalité de l'héritier était tellement différente de celle du roi son frère qu'on pouvait raisonnablement attendre de son éventuel avènement des changements assez profonds dans le style du gouvernement. Même si une telle hypothèse était prématurée, le mariage d'un enfant de France était une affaire d'État grave et délicate et en effet le mariage de Gaston était à l'ordre du jour.

En accord avec la reine mère et le roi, Richelieu voulait que le prince, âgé de dix-huit ans, épousât Marie de Bourbon-Montpensier, princesse du sang, très richement dotée. Gaston, conseillé par son gouverneur Jean-Baptiste d'Ornano, colonel général des troupes corses, aurait préféré une alliance étrangère qui lui aurait donné plus de liberté politique et plus de prestige dans les cours étrangères. La reine Anne d'Autriche, conseillée par son amie la duchesse de Chevreuse, veuve du duc de Luynes, avait encore une autre opinion. Elle était hostile au mariage de son beau-frère parce qu'elle en redoutait l'éclat et l'éventuelle fécondité ; elle craignait même, sans pouvoir l'avouer, qu'un jour le roi, qui la délaissait, ou le ministre et l'opinion, qui lui reprochaient son absence d'enfants, n'imaginent de la répudier. Marie de Chevreuse, belle et intrigante, sincèrement attachée à la cause de la reine, avait réussi à réunir nombre de grands seigneurs dans un parti de l'« aversion au mariage ».

Le cardinal ministre s'empara de cette affaire et l'exploita avec résolution. Elle lui permettait d'abord d'éliminer les anciens protégés de Luynes, qui avaient autrefois barré sa carrière, et aussi de se poser en défenseur de la personne du roi, auquel il présentait ces intrigues matrimoniales non seulement comme des imprudences ou des insolences mais comme des crimes de lèse-majesté. L'extrême jeunesse et l'instabilité de caractère du frère du roi laissaient une prise facile à ces accusations. Il existait effectivement d'ores et déjà un parti songeant à l'hypothèse d'un règne de Gaston. Cette virtualité politique se maintiendrait tant que le couple royal n'aurait pas engendré un dauphin. Selon les perspectives de l'instant ou d'un avenir plausible, elle pouvait paraître criminelle ou simplement judicieuse.

Ayant convaincu le roi d'un danger, s'étant convaincu lui-même d'une menace sur son pouvoir, Richelieu fit emprisonner le maréchal d'Ornano et toute sa famille, au début de mai 1626. En juin, Louis XIII fit arrêter ses deux demi-frères

Vendôme, fils de Gabrielle d'Estrées et d'Henri IV. Le chancelier de France, Étienne d'Aligre, qui n'approuvait pas ces procédés arbitraires, fut frappé de disgrâce, obligé de céder les sceaux, emblèmes de la charge de chef de la justice, à un autre titulaire ami de Richelieu, Michel de Marillac, et contraint de se retirer dans un château du Perche. Le 6 août, à Nantes, où Louis XIII était venu présider les États de Bretagne et signifier à cette assemblée la fin du gouvernement du duc de Vendôme, Monsieur, c'est-à-dire Gaston, duc d'Anjou, frère du roi, épousait Marie de Montpensier. Il recevait en apanage le duché d'Orléans et il serait par la suite connu sous ce titre. Pendant le séjour de la cour à Nantes, un jeune gentilhomme, compromis gravement dans les menées de la duchesse de Chevreuse, fut condamné à mort par une commission extraordinaire et décapité le 19 août 1626. Il s'appelait Henri de Talleyrand, comte de Chalais, petit-fils du maréchal de Monluc. Son illustre naissance et sa jeunesse, l'acharnement de Richelieu à son procès, le refus de sa grâce par le roi, les circonstances tragiques de sa mort enfin attirèrent la pitié publique et firent de Chalais un des premiers et des plus sinistres exemples de la politique implacable voulue par Louis XIII et par son ministre.

La répression ne s'arrêta pas là ; la duchesse de Chevreuse dut s'exiler en Lorraine ; le maréchal d'Ornano, pour lequel était préparé un procès extraordinaire, vint à mourir — fort précocement et subitement — dans sa prison. Le reine Anne elle-même fut soumise à des contrôles et à des réprimandes qui aggravèrent encore son isolement à la cour et son éloignement de son époux. La réputation terrible de Richelieu était, après cette crise spectaculaire, solidement établie et le cardinal ministre ne cherchait pas à la dissiper.

A la faveur de cet épisode, Richelieu avait fait entrer au Conseil deux hommes nouveaux aux soins desquels il se remettait pour l'administration des provinces et la réforme des institutions.

A la surintendance des finances arrivait en charge le marquis d'Effiat. Parent d'un secrétaire d'État d'Henri IV, il était depuis 1613 surintendant des mines du royaume et s'était acquitté de missions diplomatiques. Esprit exact, capable d'innovations, il mit en œuvre dans le cadre de la surintendance des enquêtes statistiques qui auraient pu fonder une refonte de la fiscalité en dressant une carte précise des ressources et de la population du royaume. Le sort voulut qu'il vienne à mourir des fièvres au cours d'une campagne militaire en 1632.

A la garde des sceaux intervenait Michel de Marillac (1563-1632). Ce personnage vaut qu'on s'y arrête parce que son envergure intellectuelle lui assurait en son temps une autorité morale exceptionnelle et aussi parce que les historiens lui ont fait incarner un choix politique particulier de réformisme intérieur et de prudence extérieure. Michel de Marillac appartenait à une grande famille de magistrats ; son père Guillaume avait été surintendant des finances d'Henri IV. Conseiller du Parlement de Paris dès 1586, ligueur, il s'était un des premiers rallié à Henri IV et avait joué un rôle primordial dans la pacification de Paris en 1594. Savant et dévot, il avait fait de sa maison de la paroisse de Saint-Gervais à Paris un foyer de piété et de charité. Grâce à son jeune demi-frère Louis, commandant des gardes de Marie de Médicis, il avait pris rang parmi les hommes de confiance de la reine mère. Ami de Richelieu, il avait été avec lui un instrument de réconciliation de la mère et du fils en 1621. Le cardinal, lors de son retour au Conseil en 1624, ne l'avait pas oublié et lui avait fait remettre la surintendance des finances. Conformément au vœu des États de 1614, Marillac avait aussitôt constitué une chambre de justice afin d'examiner les comptes des financiers en affaires avec le roi dans les fermes et recettes d'impôts. Les amendes de composition prononcées avaient en partie permis de couvrir les dépenses provoquées par la première intervention militaire voulue par Richelieu en Valteline.

L'œuvre de Michel de Marillac.

Placé en 1626 à la tête de la justice du royaume, Marillac accordait totalement son action avec les desseins du cardinal-ministre. Sa première mission était d'ouvrir les États de Bretagne, consacrant la disgrâce du duc de Vendôme, puis de diligenter à Nantes le procès de Chalais. Il lui appartint ensuite d'organiser une nouvelle assemblée des notables, chargée de préciser et de faire entrer dans les faits les attentes réformatrices exprimées par les États de 1614 et par l'assemblée des notables de 1617.

Cette fois, les notables appelés par le roi étaient réunis aux Tuileries; leurs séances s'échelonnèrent du 10 novembre 1626 au 24 février 1627. L'assemblée comprenait 55 personnalités, on y reconnaissait une trentaine de magistrats, 13 prélats et 10 gentilshommes d'épée, soit plus de robins et plus de Parisiens que dans la réunion de 1617. Les notables délibéraient tous de concert, quel que fût leur statut social. Pour plus de technicité, ils réclamaient de disposer de documents que leur fournissait le Conseil du roi; ils se répartissaient en trois commissions : finances, police, enquête sur les fortifications. En effet, parmi les propositions d'économie demandées par les assemblées précédentes figurait, après les réductions de pensions et de dignités, le rasement des fortifications inutiles.

Les guerres civiles avaient multiplié dans des proportions considérables les sites et éléments fortifiés, murailles de villages ou de hameaux, créneaux posés sur des bicoques ou sur des églises rurales, maisons fortes de noblesse, puissants remparts de villes, citadelles enfin dominant certaines grandes cités. Ces obstacles de pierre, hérissant le paysage, barrant les routes et les fleuves, avaient une réelle valeur militaire puisqu'il suffisait parfois d'une poignée d'hommes tenant un lieu fort pour tenir tête à une armée et qu'il fallait acheminer un canon pour venir à bout du moindre rempart. Des rebelles, des mécontents, des trublions locaux pouvaient facilement se servir de tels points d'appui, menaçant la sécurité et la liberté du commerce. L'entretien des murailles obérait très lourdement les budgets municipaux, représentant de loin le plus gros chapitre de dépenses. En outre, les fonctions militaires des cités donnaient lieu à d'âpres disputes locales sur la remise des clefs des portes, l'organisation des factions et patrouilles ou la responsabilité des arsenaux des maisons de ville, opposant les gouverneurs ou capitaines aux magistrats municipaux, échevins ou consuls. Le démantèlement des fortifications constituait donc un enjeu politique bien accepté par l'opinion. Les récentes prises d'armes et guerres civiles avaient convaincu le pouvoir central du danger offert par ces fortifications; seules les places fortes des zones frontières méritaient l'entretien et le développement. L'intérêt de l'État rejoignait ainsi l'attente des habitants des villes et des campagnes regardant les murailles comme des menaces et des sources de dépenses. Les gouverneurs et les vice-baillis ou vice-sénéchaux, officiers militaires chargés de la sécurité des campagnes et des chemins, recevraient donc dans les mois ou les années à venir des listes de sites à découronner ou raser. Le travail de démolition était fait par des corvées de riverains que les villes et villages voisins consentaient en de telles occasions bien volontiers. Des centaines ou des milliers de sites furent affectés. Cette entreprise de 1626 n'était qu'un premier pas dans une politique de désarmement du royaume constamment continuée par la monarchie dans la suite des temps. Dans l'histoire de la vie quotidienne et pour l'évolution du paysage français, la décision de 1626 représente une étape essentielle.

Le démantèlement des fortifications inutiles ne fut pas le seul fruit de l'assemblée des notables. A partir des cahiers remis au roi en février 1627, représentant toutes les réflexions des notables, des maîtres des requêtes, dirigés par Marillac, tirèrent la matière d'une longue ordonnance (430 articles) rendue « sur les plaintes et doléances faites par les États... et sur les avis donnés par les assemblées de notables ». Elle fut publiée par une déclaration royale en date du 16 juin 1627. Elle abordait tous les aspects du gouvernement tel qu'on pouvait le concevoir alors : administration de la justice, organisation de l'Église, réglementation fiscale, police des gens de guerre, travaux des ponts et chaussées, hôpitaux, commerce, etc. A titre d'exemple, l'article 383 établissait la « directe universelle » du roi sur tout le territoire, anticipant ainsi l'emprise des États contemporains sur l'espace et sur toutes les virtualités du sol. Cette conception neuve heurtait, d'ailleurs, le principe « nul seigneur sans titre » valable dans les provinces méridionales de droit écrit ; les parlements du Midi exprimèrent effectivement leur désaccord. Dans la plupart des domaines, l'ordonnance résumait la législation et avançait plus loin la réglementation dans un effort de logique et d'efficacité.

Le Parlement de Paris n'accepta pas facilement de voir lui échapper, non pas l'initiative des lois qui appartenait sans conteste au roi, mais l'ordonnancement de ces lois. Aux travaux des notables, il opposait la même mauvaise volonté dont il avait accompagné les réflexions des États. Les cours souveraines s'estimaient dépouillées des prérogatives de conseil du législateur dont elles se prétendaient dépositaires. L'atteinte aux droits des parlements n'était pas purement imaginaire, l'ordonnance limitait effectivement le droit de remontrance des cours à un délai de deux mois. Le Parlement de Paris ne se résigna à l'enregistrement de l'ordonnance qu'après un lit de justice tenu le 15 janvier 1629. Une preuve supplémentaire du mécontentement des parlementaires tient dans le surnom dérisoire de « code Michaud » dont ils affectèrent d'appeler l'ordonnance d'après le prénom du garde des Sceaux. Après la disparition de Marillac, personne ne se soucia, et surtout pas les parlements, de faire passer les dispositions nouvelles dans la pratique. De la sorte, ce grand effort de rationalisation et d'unification législative fut suspendu. L'entreprise de 1627, étape significative dans le processus pluriséculaire de construction de l'État moderne, ne serait relayée qu'une trentaine d'années plus tard par le train des grandes ordonnances réformatrices de l'époque colbertienne.

L'administration des impôts et des finances était abordée dans une soixantaine d'articles de l'ordonnance. En effet, les guerres intestines et les diverses expéditions au-delà des Alpes nécessitaient des moyens considérables. On dit ainsi que les frais du siège interminable de La Rochelle auraient dépassé 40 millions de livres, et, de fait, les dépenses du Trésor pour l'année 1629 culminèrent à 54 millions de livres, alors que la moyenne des dépenses annuelles dans la décennie précédente se limitait à 42 millions. Il s'agissait dès lors de réexaminer tout le système fiscal légué par les règnes antérieurs et d'y découvrir des ressources inédites.

Pour faire face à ces besoins exceptionnels, les surintendants disposaient de quatre procédés inégaux. Soit l'on recourait aux profits dérivés du principe de la vénalité des offices, création de nouvelles charges ou de nouveaux ressorts juridictionnels. Soit l'on regrevait les droits indirects portant sur la consommation (gabelle du sel, aides pesant sur le vin en taverne, traites sur la circulation des marchandises). Soit l'on augmentait la taille, le principal impôt direct pesant surtout sur les campagnes. Soit, enfin, l'on mettait en vente des terres ou des revenus locaux appartenant au domaine du roi.

Les renchérissements des tailles survenus pendant les guerres de Religion avaient suscité de nombreuses révoltes populaires de 1593 à 1598 ; il ne pouvait être question d'augmenter encore la part, déjà écrasante, des tailles dans les recettes, où elles représentaient environ 57 %. Quant aux taxes de consommation, la malencontreuse expérience de Sully, incapable d'imposer le sol pour livre, en avait montré spectaculairement les limites. Pendant la jeunesse du Louis XIII, le surintendant Jeannin avait recouru à des aliénations massives du domaine royal ; ces pratiques qui revenaient à manger le capital ou à hypothéquer l'avenir ne pouvaient être continuées longtemps. Rompant avec ces divers procédés, Effiat s'efforça de revaloriser les divers droits pesant sur certaines consommations en cours d'expansion ; il réussit à faire passer la recette des gabelles à plus de 8 millions et celle des aides à près de 3 millions en taxant notamment les transports de vins brûlés, c'est-à-dire d'alcools produits en Angoumois (Cognac) et vendus surtout aux Hollandais. Mais il n'osait pas aller trop loin dans ce sens, les agents de recette dans les ports étant trop exposés à des violences émeutières de la part des vignerons et des matelots.

En 1627, on doubla le montant du taillon, impôt créé sous Henri II, assigné aux seules dépenses militaires. Son assiette plus étendue que celle des tailles comprenait aussi les grandes villes généralement exemptes de tailles. Ce fut un autre échec : six ans plus tard, le recouvrement n'était pas achevé.

Plutôt que d'alourdir les tailles, il fallait essayer d'en mieux répartir le montant. La charge en était fort inégale selon les provinces ; l'essentiel était supporté par les pays administrés directement par les officiers des bureaux d'élections, qu'on appelait communément les élus, tandis que les pays où l'impôt était réglé par une assemblée d'États provinciaux n'apportaient que des contributions très faibles, voire minimes. Par exemple des provinces comme la Normandie ou le Poitou fournissaient des sommes considérables, quand la Bretagne, la Provence ou le Languedoc ne payaient presque rien. Il s'agissait donc d'avancer encore un peu plus dans la très lente entreprise d'unification fiscale du royaume. Sully avait en son temps essayé d'instaurer des élections en Haute-Guyenne, puis avait dû y renoncer après des députations des régions concernées. Le projet, repris en 1622, avait été exécuté en 1624, mais l'implantation d'élections locales n'y avait été réalisée qu'au prix d'une révolte paysanne sanglante cantonnée en Haut-Quercy. En 1628, de nouveaux édits créèrent des sièges d'élections en Dauphiné, en Provence et en Languedoc. Dans le cas particulier du Dauphiné, où des procès divisaient les divers ordres des États provinciaux, la réforme réussit, la gestion royale directe fut implantée et les réunions de l'assemblée des États de Dauphiné cessèrent silencieusement, sans que l'institution toutefois eût été abrogée. En Provence et en Languedoc, en revanche, les États de l'une et l'autre province négocièrent en cour et obtinrent le retrait des édits moyennant une contribution immédiate.

Les succès ponctuels des réformes fiscales d'Effiat et de Marillac ne jouissaient certes pas d'un environnement favorable. En effet, depuis 1628 le royaume entrait dans une des plus terribles crises d'un siècle terrible.

La crise de 1630.

L'ancienne économie agraire était fragile. Beaucoup de cantons campagnards survivaient dans une médiocre monoculture céréalière. Elle s'accompagnait d'un petit élevage sur les terres vagues ou communes et parfois de parcelles maraîchères tenues par les femmes à l'entour des maisons. Dès lors, le moindre accident comme une maladie des blés, des gels de printemps ou des orages avant la moisson pouvait réduire ou anéantir la récolte. Les mercuriales des villes recensant les prix des grains sur les marchés montraient l'envol des prix pendant les longs mois de soudure qui séparaient de la récolte suivante. Encore les habitants des villes avaient-ils le secours d'achats de grains ordonnés par des échevins prévoyants. Les grandes villes procédaient avec six mois d'avance à des achats lointains, par exemple dans les ports de la Baltique. Ces lourdes marchandises venaient par voie de mer et remontaient ensuite les voies d'eau ou les grands chemins. Les paysans étaient habitués à vivre en autarcie, à peu près en dehors des circuits monétaires ; ils n'avaient pas d'autre ressource en cas de disette extrême que d'abandonner leur terroir et de s'en aller mendier aux portes des villes voisines, ou aussi loin qu'ils le pouvaient. Il est vrai que les chertés étaient souvent localisées par les hasards des intempéries et qu'on pouvait espérer de survivre en allant mendier dans une région épargnée. Qu'on songe que cette distribution capricieuse des chertés ne serait corrigée que bien plus tard avec les transports routiers améliorés au XVIIIe siècle, ou plutôt par les chemins de fer du XIXe siècle.

Il n'y avait pas eu en France de crise frumentaire grave depuis les années 1595. La récolte de l'été 1627 fut déficitaire dans nombre de provinces du Midi et du Centre et l'on commença dans les villes, dès l'automne, à dénombrer les habitants pour prévoir l'ampleur des approvisionnements nécessaires. La récolte de 1629 fut de nouveau insuffisante et la crise prit des apparences de famine dans certaines régions méridionales au printemps 1630. Les institutions municipales et les maisons charitables ouvrirent des greniers, organisèrent des aumônes où venaient se presser des centaines, parfois des milliers de « pauvres ». Dans les zones les plus affectées, c'était ainsi le quart au moins de la population qui pouvait basculer dans la pauvreté, c'est-à-dire dans l'incapacité de survivre par ses propres moyens. Dans les zones productrices, où la disette était moindre, des émeutiers populaires, inquiets de l'avenir, tentaient de s'opposer au départ de charrois de grains. Des boutiques de boulangers, des greniers de marchands ou de grands propriétaires étaient pillés par des attroupements de femmes, les premières à conduire les tumultes des jours de pain cher. Comme les provinces du Nord et spécialement la région parisienne furent épargnées par cette crise, les annales historiques ne lui ont pas accordé la même attention qu'aux autres disettes de 1662, 1693 ou 1709. A vrai dire, cette crise frumentaire ne se transforma en catastrophe que parce qu'elle vint à se conjuguer dans ses derniers et plus cruels épisodes avec une épidémie de peste apparue dès 1626.

L'exaltation de la disette et de la peste ne s'explique pas, comme on l'a longtemps cru, par l'affaiblissement des disetteux qui les prédisposaient à l'infection, mais par la cessation du commerce du fait de l'épidémie aggravant ainsi la disette, et surtout par les effets sociaux de la disette jetant sur les routes des milliers de pauvres et de mendiants, virtuels porteurs de la contagion. Cette maladie virale contagieuse était apparue en Europe au XIVᵉ siècle et depuis 1348 elle était à peu près endémique sur ce continent, toujours présente dans son environnement, revenant dans une province donnée avec un rythme d'environ onze années de rémission. Venant de foyers d'Orient, la peste frappait d'abord le pourtour méditerranéen puis infectait le reste de l'Occident selon les itinéraires capricieux de la contagion. On sait aujourd'hui que les vecteurs du virus sont les rats et leurs puces mais, dans l'état des connaissances du XVIIᵉ siècle, on croyait que la propagation par contagion ne pouvait s'expliquer que par la corruption de l'air, l'inhalation de miasmes, dont les mauvaises odeurs auraient été la forme la plus évidente. Les mouvements de troupes en Allemagne y avaient disséminé le mal dès 1624. Deux autres épisodes militaires contribuèrent à la circulation de l'épidémie à travers l'Europe de l'Ouest : le siège de La Rochelle lors de la dispersion des assiégeants à l'automne 1629 et, de même, le siège de Mantoue d'où les troupes impériales transportèrent l'infection à travers l'Italie du Nord (février 1629-juillet 1630).

Les provinces du midi de la France furent ravagées par l'épidémie du printemps 1627 à l'hiver 1631, avec des chronologies différentes selon les lieux ; il y avait des cités épargnées, il y en avait d'autres qui subissaient la contagion pendant plus de deux années avec des paroxysmes pendant les saisons d'été et d'automne de 1630 à 1631. L'efficacité des mesures d'isolement (interruption totale du commerce, gardes aux portes, quarantaine des suspects, enfermement des infects dans des lazarets, brûlement de leurs meubles et habits) pourrait sans doute se deviner dans la géographie apparemment hasardeuse de la maladie ou de la santé. Les provinces du nord de la Loire étaient moins grièvement atteintes, ou du moins la peste y était plus cantonnée dans de petits secteurs comme le Cotentin, des villes de Champagne, certains ports bretons. Les cités les plus durement touchées pouvaient perdre dans l'épreuve plus de la moitié de leur population. On cite le cas sinistre de Digne qui passa de 10 000 habitants en 1628 à guère plus de 1 500 un an plus tard. Chambéry,

Aurillac perdirent la moitié de leur population. Même de grandes villes comme Lyon et Bordeaux subirent des pertes allant du quart au tiers de leurs habitants. Les estimations ne peuvent être rigoureuses car dans les pires mois les registres des décès n'étaient plus tenus, ou bien, en sens contraire, parce que la désertion de la ville ne signifie pas la mort de tous les absents.

Le déroulement d'une épidémie de peste en Europe occidentale du XIVe à la fin du XVIIe siècle était toujours à peu près analogue. L'arrivée de la contagion était annoncée par des rumeurs avant les avis officiels transmis par les gouverneurs, des mesures de protection étaient alors prises dans les foires et marchés (décri des grandes foires, exigence de la part des voyageurs d'une patente de santé), puis, après le passage d'un soldat ou d'un marchand, des morts suspectes étaient dénoncées dans un faubourg ou une auberge et le médecin gagé de la ville reconnaissait les bubons noirs caractéristiques de la peste. La municipalité reléguait les malades dans des cabanes en dehors des murs ; les infects étaient enfermés avec le médecin des épidémies et quelques hommes de main appelés « corbeaux », salariés pour le soin des pestiférés, leur sépulture et le nettoiement (on disait le parfumage) de leurs maisons. Dès la première nouvelle de la maladie, tous ceux qui le pouvaient quittaient la ville et se retiraient dans des maisons de la campagne. Tout s'interrompait, la justice, la levée des impôts, les courants d'échanges ; les soldats étaient licenciés, les prisons ouvertes ; tous les notables avaient disparu et les derniers habitants pris au piège de la ville n'avaient plus le recours que de quelques rares prêtres et magistrats courageux. L'autorité du corps de ville vacante était remplacée par une commission extraordinaire appelée « conseil de la santé », appuyé par un capitaine et des archers de la santé chargés de refouler les étrangers, de renfermer les pestiférés et d'empêcher les pillages dans les demeures désertées. Il pouvait s'écouler plusieurs mois, voire une ou deux années, avant que la disparition des cas de peste permît le retour à la vie normale. Dans la ville enfin guérie, les habitants survivants accomplissaient un rite de reconnaissance selon un vœu collectif à la Vierge, à saint Roch ou à saint Sébastien ; des processions ferventes parcouraient les rues, célébrant la délivrance du terrible fléau. On estime qu'en deux ou trois années l'épidémie de 1628-1631 emporta 1,5 million à 2 millions de victimes sur une population de 17 à 20 millions pour l'espace de la France d'aujourd'hui, ce qui veut dire, puisque les ravages de l'épidémie avaient été répandus fort inégalement, que dans les régions et les cités les plus touchées la crise avait pris des aspects d'apocalypse.

La crise de 1630 avait bouleversé la vie de chacun et ses effets seraient très longs à effacer. Après l'épouvantable moisson de vies, les survivants constataient qu'autour d'eux bien des choses avaient changé de face. Pendant les mois d'épreuve, la cherté des vivres et le dénuement résultant de la cessation du commerce avaient contraint de petites gens à vendre leurs terres à très bas prix. Les hôpitaux et les hôtels de ville, pour faire face à la montée du nombre des pauvres, avaient dû, eux aussi, vendre et s'endetter. Ainsi le partage du sol se modifiait-il pendant les crises qui offraient des occasions d'achat à ceux qui en avaient alors les moyens, soit la bourgeoisie citadine avant tout. Ces changements étaient d'autant plus marqués qu'on approchait des villes et augmentaient l'emprise des propriétaires urbains sur leurs environs.

Les trésors des corps de ville cependant ne figuraient pas parmi les bénéficiaires, car ils avaient dû supporter les plus lourdes dépenses d'approvisionnement et de secours. Les municipalités avaient dû alors contracter des dettes considérables dont elles ne sortiraient pas de longtemps. Ce phénomène de l'endettement écrasant des communes et institutions municipales se retrouve d'ailleurs à peu près dans toute l'Europe occidentale ; il entraîne l'affaiblissement de leurs très anciens pouvoirs et offre prise à des pouvoirs concurrents, c'est-à-dire en France à la domination étatique alors en pleine expansion. En outre, dans les années suivantes, les nouvelles dépenses de logement et d'entretien des troupes en guerre allaient être systématiquement imputées aux caisses municipales, alourdissant encore un passif désormais écrasant. Le pouvoir royal dénoncerait alors la malhonnêteté ou incurie, structurelle pour ainsi dire, des échevins et consuls. L'endettement des cités deviendrait un prétexte pour appesantir la main de l'État sur les institutions locales, contrôlant les gestions, confisquant les recettes, anéantissant les pouvoirs communaux parfois pluriséculaires. Cette évolution centralisatrice s'accomplissait sur environ un demi-siècle, de sorte qu'elle peut passer inaperçue faute de monographies communales diachroniques. La crise de 1630 en a été le premier et terrible signal.

Si l'on feuillette les sources de l'histoire de la vie privée, les journaux, mémoires et livres de raison des provinces, si l'on veut faire la chronique d'une ville particulière, ou bien décrire les transformations d'un style de fêtes ou de réjouissance populaire, on s'aperçoit bientôt que l'année 1630, un peu avant ou un peu après, constitue toujours un tournant négatif. La crise épidémique coïncide en effet avec l'engagement de plus en plus accusé de la France dans les conflits continentaux. Les interventions militaires voulues par Louis XIII et Richelieu en Italie du Nord puis en Lorraine étaient les prémisses d'engagements plus graves encore. La longue période de paix commencée en 1598 prenait fin. Les dernières bonnes années, où l'on dansait à l'entrée de l'été, où des musiciens circulaient dans les villages, où les fêtes baladoires battaient leur plein, où les foires de l'automne attiraient des foules de chalands, correspondent un peu partout à l'époque du siège de La Rochelle. Au-delà commençaient les épreuves, les années de misère et de mort, puis les années d'impôts inouïs créés par la politique de guerre. Le dernier bon temps, celui des années 1620, laisserait le souvenir d'une époque heureuse, d'un petit âge d'or que l'on regretterait pendant longtemps. Au plan des institutions, ce moment était celui des réformes amorcées, des projets d'aménagement du royaume, des occasions manquées, des voies pacifiques de gouvernement que le pays ne retrouverait pas avant trente ans, lorsque l'ère réformiste de Colbert viendrait reprendre quelques-uns des projets oubliés de l'ère de Marillac.

9

Les débuts de la politique interventionniste de Richelieu

1624-1635

La rivalité des deux grands souverains catholiques, le roi d'Espagne et le roi de France, dominait le jeu diplomatique dans l'Europe du XVIIᵉ siècle. Cette rivalité était une sorte d'évidence géostratégique connue de toutes les chancelleries. A la multiplicité des territoires relevant de l'autorité du roi d'Espagne répondait le caractère compact des domaines du roi de France, espaces densément peuplés, déjà fortement centralisés, capables de fournir des efforts militaires extraordinaires. La lassitude des guerres de Religion, la volonté de paix maintenue au long du règne d'Henri IV et surtout pendant le gouvernement de Marie de Médicis avaient éloigné l'hypothèse d'un nouvel et terrible affrontement des deux grandes puissances occidentales, mais les politiques des deux couronnes savaient combien cet équilibre était précaire, combien les ressentiments nationaux étaient puissants dans les opinions publiques de l'un et l'autre royaume. Les gouverneurs des provinces frontalières, les ambassadeurs à Paris et à Madrid et aussi dans toutes les capitales de la diplomatie européenne, Rome, Venise, Turin, Vienne, étaient attentifs au train des événements, aux fortifications faites ici ou là, aux levées de troupes, aux remuements populaires ou nobiliaires qui pouvaient affecter cet équilibre redoutablement incertain.

Le duc de Lesdiguières, gouverneur du Dauphiné, grand seigneur protestant, compagnon d'Henri IV, valeureux chef de guerre, se tenait informé des affaires d'Italie du Nord et des Cantons suisses. Il était un peu la sentinelle avancée du roi de France sur les Alpes. Depuis 1605, il dénonçait la menace que représentait selon lui la forte implantation des

Espagnols dans le duché de Milan. Ce domaine riche et puissant permettait aux Espagnols d'intervenir dans les querelles des princes italiens, d'influer sur la partie catholique des Cantons helvétiques, de contrôler les cols des Alpes qui permettaient le passage vers les territoires allemands et constituaient même une étape dans la longue route terrestre suivie par des régiments espagnols s'en allant dans les Flandres. Une petite vallée stratégique au nord du Milanais allait ainsi captiver l'attention des politiques pendant une vingtaine d'années.

L'affaire de la Valteline.

La haute vallée de l'Adda en amont du lac de Côme chemine au sud du massif des Grisons et relie le Milanais au Tyrol. Par une bonne route praticable dès le printemps, cet axe appelé Valteline reliait ainsi les domaines espagnols et impériaux. Depuis le début du XVIe siècle, les Ligues des Grisons, alliées des Cantons suisses, avaient conquis cette vallée. Le passage de la plupart des Ligues grisonnes à la Réforme n'avait pas facilité leurs rapports avec leurs sujets valtelins demeurés catholiques. En juillet 1620, les gens des vallées s'étaient révoltés et avaient chassé les officiers des Grisons. Le gouverneur espagnol du Milanais avait soutenu la cause des Valtelins et les avait aidés à repousser les colonnes répressives envoyées par les Suisses. Les Français et les Vénitiens s'étaient inquiétés de cet avantage territorial obtenu par les Espagnols dans ce petit coin des Alpes. Comme personne n'était prêt à ouvrir une guerre pour ce motif, un accord conclu à Milan en 1622 avait convenu de laisser la vallée sous la garde de soldats pontificaux qui assureraient une sorte de neutralité paisible.

Dès son retour au Conseil du roi en mai 1624, Richelieu reprit ce litige. Au cours de l'été 1624, des émissaires français auprès des Cantons suisses, des Grisons, de la Savoie et de Venise, toutes puissances traditionnellement favorables à l'influence française, préparaient les voies d'une intervention militaire. Effectivement, en novembre, une petite expédition de 4 000 hommes recrutés en Suisse, conduits par le marquis de Cœuvres, occupa la vallée et en expulsa les garnisons des Pontificaux.

Si la France engageait des forces au-delà des Alpes alors qu'elle était absente de ce théâtre depuis le règne d'Henri II, c'est qu'elle croyait pouvoir disposer d'un puissant jeu d'alliance réunissant Venise et surtout le duché de Piémont-Savoie. Cette souveraineté dont les provinces s'étendaient de part et d'autre du massif était maîtresse des cols. Le duc Charles-Emmanuel (1580-1630) était à la recherche d'une expansion territoriale et soutenait des prétentions sur diverses villes et seigneuries sises en territoire génois, milanais ou mantouan. En s'alliant à la France en octobre 1624, le duc espérait obtenir un appui militaire qui lui permettrait d'arracher aux Génois une bribe de la Riviera du Ponant.

Ainsi, à l'été 1625, l'occupation de la Valteline devait être complétée par une expédition franco-piémontaise contre le territoire de la république de Gênes, débarcadère habituel des troupes espagnoles. Cette petite armée était menée par Charles-Emmanuel et le duc de Créquy, lieutenant général en Dauphiné, gendre du duc de Lesdiguières. Au lieu d'une facile victoire, ils se heurtèrent à une vive résistance des milices des villages de l'Apennin génois, appuyées par des contingents espagnols venus du Milanais. Il fallut faire retraite et repasser les Alpes en novembre. Le succès éphémère contre les Pontificaux se trouvait compromis. En outre, les armes espagnoles venaient de remporter un brillant avantage au Nord avec la « reddition de Breda », épisode célébré par le tableau de Vélasquez connu aussi sous le titre *Les Lances* (juin 1625). La France n'avait pas d'autre perspective qu'un traité de paix, qui fut conclu par l'ambassadeur français à Madrid Charles Du Fargis (traité de Monzon, mars 1626). On retrouvait les situations anciennes, c'est-à-dire que les Français demeuraient au-delà des Alpes et que les Grisons reprenaient leurs droits sur la Valteline.

Suivant sa constante maîtrise de la propagande, Richelieu transforma ce bilan incertain en victoire. La retraite de l'Apennin fut attribuée à la capitulation trop rapide d'une petite place, Gavi, dont le capitaine, un vieux gentilhomme dauphinois, fut jugé au parlement d'Aix et condamné à mort par contumace. La hâte mise à traiter, sans l'aveu du duc Charles-Emmanuel, fut imputée à Du Fargis qu'on affecta de désavouer. Enfin l'affaire de la Valteline fut présentée à l'opinion française comme réglée au profit des fleurs de lys, et, effectivement, les historiens continuent aujourd'hui d'en répéter la leçon. En réalité, les Grisons ne pouvaient se passer d'une bonne entente avec le Milanais voisin, puissant et complémentaire, de sorte qu'ils accordèrent par la suite le libre passage aux armées des Habsbourg, par exemple aux Impériaux allant assiéger Casale en 1629, ou aux Espagnols allant renforcer les Impériaux à la veille de la bataille de Nordlingen en 1634.

Dans l'immédiat, le duc de Piémont-Savoie, ulcéré de son échec et de l'abandon français, renversait ses alliances une fois de plus et s'engageait dans le jeu politique espagnol en Italie du Nord. L'intervention française de 1624-1625 manifestait du moins le retour des armes françaises sur l'échiquier italien ; elle indiquait aussi la volonté de Louis XIII et de son ministre de jouer un rôle dans les querelles du centre de l'Europe et de ne plus laisser le champ libre aux Habsbourg. Depuis 1618, des hostilités graves avaient commencé de déchirer les pays germaniques, l'empereur tenait tête victorieusement aux prises d'armes des princes luthériens en Bohême, en Saxe, en Palatinat et jusqu'aux rives mêmes de la mer Baltique, tandis que les Espagnols semblaient prendre l'avantage dans leur guerre interminable et renouvelée contre les Provinces-Unies. Le prudent éloignement de la diplomatie française était regardé comme une faiblesse par nombre de jeunes seigneurs de la cour dans l'attente d'une carrière mais aussi par les alliés et clients traditionnels de la France, princes allemands ou italiens qui s'inquiétaient de l'apparente hégémonie européenne exercée par les deux branches des dynasties Habsbourg à Madrid et à Vienne. La neutralité imposée par la jeunesse du roi Louis XIII et par les troubles internes du royaume n'était désormais plus de mise. Richelieu pouvait être l'instrument efficace de cette nouvelle politique agressive et volontariste.

La succession de Mantoue.

Un nouvel épisode italien allait bientôt donner l'occasion de vérifier la détermination militaire et diplomatique de Paris. Le hasard voulut qu'en décembre 1627 le duc de Mantoue vînt à mourir sans héritier direct. Ses domaines en Italie du Nord revêtaient une importance stratégique plus considérable encore que le couloir de la Valteline. Ils étaient divisés en deux ensembles, le duché de Mantoue et le marquisat de Montferrat, chacun défendu par une ville fortifiée exceptionnelle. La place de Mantoue, presque entièrement entourée par les marais du Mincio qu'elle domine de la masse de ses citadelles et de ses remparts, ferme la route venue du nord qui, par le col du Brenner, la vallée de l'Adige et le lac de Garde, permet le passage d'Allemagne en Italie. La place de Casale en Montferrat, un peu plus à l'ouest, commande le cours du Pô et contrôle l'axe naturel qui mène des cols alpins, c'est-à-dire de France, jusqu'au territoire de Venise et à l'Adriatique.

L'héritier le plus proche appartenait à une branche de la dynastie des Gonzague venue s'établir en France sous le règne d'Henri II. Charles de Gonzague (1580-1637), duc de Nevers, gouverneur de Champagne, esprit ardent et généreux, avait fondé sur la frontière du royaume de France et de la principauté épiscopale de Liège une ville neuve, Charleville, dont les premières pierres avaient été posées en 1606 et qui en 1627, sur les plans de l'architecte Clément Métezeau, était presque achevée. Il avait tenté en 1619 de mettre sur pied une milice chrétienne, armée privée, faite de volontaires, qui devait venir au secours des princes chrétiens affrontés aux Ottomans. Il alla prendre possession de son héritage souverain dès janvier 1628, avec l'approbation de la France, bien entendu, mais aussi du pape Urbain VIII qui reconnaissait la validité des droits du nouveau duc de Mantoue et appréciait l'apparition d'un contrepoids en face de la suprématie espagnole en Méditerranée.

Charles-Emmanuel de Piémont-Savoie, pourtant, contestait cet héritage au nom de sa fille Marguerite, veuve d'un duc de Mantoue. Il revendiquait pour elle le Montferrat, dont les collines fertiles auraient constitué pour le Piémont une extension territoriale, riche de ses vins et de ses blés et forte de ses places et sites stratégiques. Le gouverneur espagnol de Milan entraînait la conviction de Madrid, où le ministre, Olivares, espérait reprendre l'affrontement commencé en 1625 avec cette fois l'appui de l'alliance piémontaise. Olivares escomptait aussi que la France, empêtrée dans le siège de La Rochelle, serait incapable de fournir un secours à son protégé mantouan et que la nouvelle campagne en Italie du Nord serait ainsi facile et brève. Dès avril 1628, les Piémontais et les Milanais mirent le siège devant Casale. Avec ses seules forces, le duc de Mantoue ne pouvait tenir longtemps. De France, au cours de l'été, une petite troupe mercenaire conduite par le marquis d'Huxelles s'était ébranlée ; elle fut bientôt dispersée par les Savoyards dès son entrée dans les Alpes. On pouvait supposer que Casale allait ouvrir ses portes et que la solution de Charles-Emmanuel allait triompher, puisque aucun autre secours ne paraissait envisageable.

La conclusion du siège de La Rochelle ne terminait pas les prises d'armes protestantes et le duc de Rohan continuait la guerre civile en Languedoc, entretenant même des liens politiques avec la cour de Madrid. Richelieu choisit de concentrer une armée renouvelée dans la région rhodanienne afin de pouvoir demeurer libre jusqu'au dernier moment de la faire marcher en Piémont ou bien en Languedoc. En février 1629, cette force, comptant 35 000 hommes et le roi lui-même à sa tête, se mit en route vers l'est et passa le col du Mont-Genèvre le 28 février. Depuis longtemps, l'espace italien n'avait pas vu une si puissante concentration de moyens. Le 6 mars, les troupes de la Maison du roi bousculèrent sans peine une poignée de soldats espagnols qui s'étaient avancés dans la haute vallée de la Doire jusqu'au pas de Suse. Les Français ne perdirent dans l'escarmouche qu'une dizaine d'hommes, moins que du fait des avalanches. Charles-Emmanuel s'était tenu à l'écart et avait fait retraiter ses soldats. Il s'empressa de discuter et d'accepter le libre passage des Français sur ses domaines. La garnison de Casale fut soulagée et un fort contingent français laissé à sa garde sous les ordres du maréchal de Toiras.

Si l'affaire du pas de Suse est passée dans l'histoire, c'est, bien sûr, un effet de la propagande française et un succès des publicistes écrivant le récit des événements pour le compte de Richelieu. L'épisode méritait la glorification parce que Louis XIII figurait en personne dans l'entreprise et que sa facile victoire augurait favorablement de la politique interventionniste voulue par Richelieu. D'autres épisodes mili-

taires, aussi médiocres dans la stricte réalité et aussi signifi-
catifs d'une politique, ont été pareillement orchestrés : la
bataille des marais de Rié en 1621, premier succès sur les
révoltes protestantes, ou encore le passage du Rhin par
Louis XIV en 1672, premier moment de la guerre de Hollande. A la vérité, cette entrée en Italie au début de 1629 montrait en effet la capacité mobilisatrice de la France puisque,
en l'espace de seulement six mois, Louis XIII et Richelieu
avaient étouffé la révolte de l'Ouest, apparemment imposé
leur solution dans la crise mantouane, et que leurs forces se
trouvaient derechef disponibles pour marcher en Vivarais
contre les dernières places fortes protestantes.

Le succès de mars 1629 était pourtant des plus précaires.
Les Impériaux intervenaient à leur tour dans la guerre de
Mantoue. Dès le 29 mai, un premier contingent de
5 000 Allemands passant par la Valteline gagnait la plaine du
Pô. Au cours de l'été, les forces conjointes des Espagnols
et des Impériaux dépassaient 50 000 hommes sous les ordres
de deux généraux éminents, tous deux italiens au service des
Habsbourg, le Génois Spinola, vainqueur de Breda, et le
Vénitien Collalto. Casale et Mantoue étaient investies et les
territoires mantouans ravagés par les passages de troupes. Les
succès remportés par l'armée impériale de Wallenstein contre
les troupes protestantes du roi du Danemark autorisaient le
transfert de moyens considérables vers le sud. De nouveau,
la cause du duc de Mantoue semblait perdue.

Pendant l'hiver 1630, Richelieu fit reformer une nouvelle
armée sur les Alpes. En février 1630, les premiers éléments
passaient les cols. Sur le versant piémontais, des coups de
main rapides s'assuraient de places fortes commandant les
routes des plaines, Pignerol et Saluces, offrant des points
d'appui commodes sur le chemin du Montferrat. Les Piémontais tentaient de résister à Montmélian et au Petit-Saint-
Bernard mais devaient céder devant la supériorité numéri-
que. Le 18 juillet 1630, le gros de l'armée piémontaise était
dispersé à Avigliana.

Ce mois de juillet 1630 voyait les événements se précipiter
tragiquement dans tous les camps. Alors qu'en Piémont les
Français imposaient leur force et que le malheureux duc
Charles-Emmanuel, réfugié dans le nord de ses domaines,

mourait d'épuisement (26 juillet), les Impériaux avaient
l'avantage en Mantouan. La ville était bloquée depuis novembre 1629. Le duc de Nevers et le marquis de Cœuvres, maréchal d'Estrées, s'étaient enfermés avec 6 000 hommes.
L'épidémie de peste qui parcourait l'Europe avait atteint l'Italie du Nord en février, frappant également assiégeants et assiégés. La moitié des 40 000 habitants moururent alors de la
peste. La garnison, décimée, ne suffisant plus aux gardes,
était balayée par un assaut, ce même jour, 18 juillet, où les
Français avaient vaincu en Piémont. La ville prise fut livrée
au pillage. Le saccage de la ville capitale des Gonzague, fière
de ses palais et de ses trésors d'art, antique foyer d'une des
plus brillantes cours de la Renaissance, frappa de stupeur
l'opinion européenne. Le condottiere luxembourgeois Aldrin-
gen avait laissé trois jours de libre pillage à ses soldats. Pendant plusieurs mois les convois de chariots continuèrent de
disperser le butin sur les marchés d'Italie et d'Allemagne méridionale.

A Lyon, où Louis XIII avait transporté son Conseil, la
nouvelle de la chute de Mantoue suscita l'accablement. Les
caprices du destin vinrent pourtant, dans les semaines suivantes, apporter quelques avantages à la cause française. Des
termes comme le hasard ou le caprice du destin peuvent à
bon droit étonner dans un récit qui se doit de rendre compte
des événements et de découvrir les raisons de leurs enchaîne-
ments. Il faut dire que les belligérants, selon des structures
étatiques sommaires et qui s'improvisaient au feu de la guerre,
se trouvaient toujours à l'extrême limite de leurs capacités,
lancés dans la tourmente d'une guerre continentale dont personne n'avait deviné l'ampleur. Dans ces conditions, le sort
des armes pouvait dépendre de peu de chose, de la présence
ou du départ d'un prince ou d'un général, des intempéries
entravant l'approvisionnement des troupes, des vicissitudes
des opinions, celles de paysans insurgés contre les déprédations des soldats ou celles de gentilshommes indignés par les
exactions des ministres.

A dire vrai, les hasards humains tels que l'engagement personnel d'un dignitaire au service d'une couronne, la maîtrise
d'un chef de guerre ou son impéritie, le mariage, la maladie
ou la mort d'un souverain semblaient avoir plus de poids que

toutes les calamités les plus puissantes de la nature. On ne peut pas, en effet, ne pas remarquer l'a nette indifférence des politiques au déchaînement de la plus terrible épidémie de peste de l'âge moderne. A leur image, la plupart des historiens font le tableau de ces années sans prêter attention aux centaines de milliers de morts qui s'accumulaient alors dans nombre de villes du sud-ouest de l'Europe. De ces remarques on retiendra l'extraordinaire impréparation, improvisation des politiques opposées, les formidables fluctuations de la fortune des armes, et par conséquent les aspects de pari, de coup de dés que prenaient invévitablement les décisions des gouvernants de ce temps. Peut-être de tout temps, si l'on ose échapper à l'habituelle et nécessaire myopie du métier d'historien.

Les hasards favorables aux Français survenus au cours de l'été 1630 furent les morts de Charles-Emmanuel (26 juillet) et de Spinola dirigeant alors le siège de Casale (23 septembre), la conclusion d'une trêve autour de Casale, sans doute due à l'intensité de l'épidémie de peste, et l'avènement au trône ducal de Turin d'un prince favorable à la France. Victor-Amédée, fils aîné du duc défunt, avait épousé en 1619 Christine de France, jeune sœur de Louis XIII ; il était prêt à s'accommoder de l'alliance parfois pesante de son puissant voisin occidental.

La trêve devant Casale expirait le 15 octobre et les attaques espagnoles allaient reprendre lorsqu'un émissaire pontifical apporta la nouvelle d'une paix générale conclue à Ratisbonne entre les plénipotentiaires assistant dans cette cité à une réunion de la Diète impériale, où siégeaient tous les princes et gouvernants de l'Allemagne. Cet émissaire romain s'appelait Giulio Mazzarino ; en arrêtant les hostilités en Montferrat où les forces françaises s'épuisaient, il rendait un signalé service au roi de France ; il ferait très souvent parler de lui dans l'avenir.

Cette paix de Ratisbonne résultait du désarroi militaire de chaque parti ; les Impériaux, vainqueurs à Mantoue, et les Français, maîtres du Piémont, étaient également incertains de l'avenir en Allemagne, où la cause protestante venait de trouver un nouveau champion en la personne du roi de Suède, Gustave-Adolphe, dont l'armée avait débarqué en Poméranie en juillet. La paix prévoyait le retour dans la plénitude de leurs États des ducs de Piémont-Savoie et de Mantoue ; les Français et les Impériaux repassaient les Alpes sans plus interférer dans les disputes italiennes. Ce rétablissement des équilibres traditionnels ne satisfaisait pas l'interventionnisme de Richelieu, qui conseilla à Louis XIII de répudier le traité. Ce choix brutal souleva une tempête au Conseil du roi et aboutit à un tournant politique majeur qui laissa le champ libre aux projets les plus ambitieux du cardinal ministre.

Les drames politiques de l'hiver 1630.

A cette date, Richelieu n'avait fait encore qu'esquisser ses grands desseins de politique européenne. Six années de gouvernement, les premières interventions en Italie, la liquidation du dispositif militaire protestant dans le royaume, ces diverses expériences lui avaient permis de confirmer sa vision du monde, d'élaborer une doctrine. La conclusion de la paix de Ratisbonne l'aurait arrêté à pied d'œuvre. Il prétendait reconnaître dans l'histoire espagnole récente l'aspiration à une monarchie universelle et il se donnait pour but d'entraver ce projet, d'édifier plutôt un équilibre des couronnes où le roi de France aurait un rôle d'arbitre et de prépondérance. Toutes les ressources de la France devaient être mobilisées dans cette perspective. De la sorte, tous les plaidoyers pour la réforme des institutions, pour le soulagement du peuple, pour la liberté de la noblesse et des autres corps du royaume lui semblaient antagonistes. Dans des avis rédigés pour le roi au cours de l'année 1629, textes très classiquement cités, il a exprimé sa résolution : « il faut avoir en dessein perpétuel d'arrêter le cours des progrès de l'Espagne » (janvier 1629) ; et encore : « il faut quitter toute pensée de repos, d'épargne et de règlement du dedans du royaume » (novembre 1629).

La reine Marie de Médicis, qui l'avait toujours protégé, le garde des Sceaux Marillac, son collaborateur fidèle, avaient parfois discuté ses choix, mais, au bout du compte, ils l'avaient chaque fois suivi et avaient secondé ses projets, même dans les expéditions au-delà des frontières. Les catastrophes de l'année 1630, la peste propagée par les armées, la chute et le sac de Mantoue, les désertions massives dans les troupes, l'épuisement des finances semblaient autant de signaux d'alarme avertissant d'avoir à changer de cap. Le refus de la paix conclue à Ratisbonne paraissait le comble de l'aveuglement. Là-dessus, le 20 septembre, le roi séjournant à Lyon était tombé gravement malade ; pendant plusieurs jours on le crut perdu. L'avènement de Gaston et le renversement des politiques semblaient pour demain. Les maréchaux de Bassompierre et de Marillac et le duc de Guise se seraient alors réunis pour préparer l'avenir. Le roi recouvrit la santé, mais en face d'événements contradictoires il demeurait hésitant sur les partis à prendre, sur le choix entre une gloire lointaine et la sagesse apparente d'un répit immédiat. Le 10 novembre, un conseil tenu au palais du Luxembourg chez la reine mère sembla avoir gagné la conviction de Louis XIII au parti de la paix. Richelieu, croyant à sa défaite, aurait songé à sauver sa tête en se réfugiant dans son gouvernement du Havre. Le lendemain 11 novembre, Louis XIII appela Richelieu dans sa résidence champêtre de Versailles, où il aimait à se retirer pour la chasse, et il y assura le cardinal de sa confiance indéfectible. Le jour même, le roi avait donné des ordres pour l'exclusion du Conseil et la surveillance de Michel de Marillac.

Ce revirement dans l'esprit du roi fut appelé la « journée des Dupes », puisqu'on avait vu en peu d'heures l'espoir à la cour changer de camp. Rien ne changeait, en fait, car la politique de Richelieu clairement orientée depuis 1625, ou plutôt 1629, était fermement continuée, mais les opinions et les historiens aiment à personnaliser les choix, à fixer les instants, à en donner une représentation dramatique comme sur une scène de théâtre. C'est ainsi que cette journée est passée à la postérité.

Richelieu s'employa aussitôt à faire le vide autour du roi et à persécuter méthodiquement ceux qui avaient paru s'opposer à ses choix. Les Marillac, le garde des Sceaux Michel et son demi-frère le maréchal Louis de Marillac, furent les premières cibles de sa vindicte. Ils incarnaient ce qu'on appelait le parti dévot, c'est-à-dire ceux qui pensaient que la guerre entre les deux principaux souverains catholiques était non seulement un danger mais aussi un scandale, que la paix en Europe et une bonne administration de la justice étaient préférables aux entreprises militaires que les forces du royaume n'étaient pas capables de soutenir. Au-delà des caricatures de ses opinions présentées par les publicistes de Richelieu et par l'historiographie classique à sa suite, Michel de Marillac, personnalité forte et respectée, était la seule solution de remplacement crédible au pouvoir du cardinal. Selon les mots de Richelieu, les frères Marillac « étaient les esprits les plus dangereux pour conduire la trame qu'on avait ourdie contre lui ».

Michel de Marillac fut enfermé au château de Châteaudun où il mourut en mai 1632. Son frère, arrêté à l'armée d'Italie, fut présenté devant des commissions extraordinaires qui finirent par lui faire un crime de prétendues prévarications et l'envoyer décapiter en mai 1632. Le duc de Guise s'enfuit en Italie pour échapper au sort de Bassompierre qui avait été enfermé à la Bastille et dont il ne devait sortir qu'à la mort de Louis XIII. La reine mère, retirée à Compiègne, y était gardée par une forte escorte comme un criminel d'État. Tous les parents et amis des Marillac ou de la reine Marie devaient pareillement chercher l'exil ou une retraite campagnarde. Gaston d'Orléans, indigné par ces persécutions, ne parvenait pas à entamer la froide résolution du roi son frère. En mars 1632, craignant pour sa liberté même, le prince, à la tête de quelques partisans qui l'accompagnaient des cris de : « Vive Monsieur et la liberté de peuple », choisissait de passer en Franche-Comté puis en Lorraine où le duc Charles IV lui accordait l'asile de sa cour.

Les résistances au pouvoir du cardinal.

Les événements de l'année 1631 semblèrent conforter les paris aventureux du cardinal. Le traité de Cherasco (en Piémont, mars 1631), réunissant les belligérants d'Italie du Nord, confirmait les conventions de Ratisbonne et y ajoutait quelques avantages pour le Piémont auquel la France imposait la présence permanente d'une garnison à Pignerol, s'assurant ainsi une voie d'accès certaine aux plaines du Piémont. Ce petit territoire transalpin resta effectivement aux mains de la France jusqu'en 1696.

En Allemagne, le roi de Suède, officiellement allié de la

France (traité de Bärwald, mai 1631), marchait de victoire en victoire sur les Impériaux. C'est de l'intérieur du royaume que Richelieu redoutait des obstacles ; désormais, et pour longtemps, il ne se passerait plus d'années sans conspirations, révoltes, persécution et répression. C'est le prix de la politique voulue par le roi et son ministre.

Gaston d'Orléans, prince héritier du trône de France, réfugié en Lorraine, publia le 31 mai 1631 un manifeste justifiant sa conduite. Ce texte était le premier d'une longue série d'appels à la révolte contre la tyrannie des ministres, retrouvés pendant une trentaine d'années, publiés lors d'une prise d'armes nobiliaire ou lors d'une assemblée populaire. La politique menée hors des frontières n'était pas en cause. Le manifeste dénonçait la tyrannie personnelle de Richelieu accaparant le pouvoir royal pour son profit privé, constituant sur les deniers publics une fortune que chacun savait déjà considérable. Pour parvenir à ses fins, il opprimait la famille royale, privait les parlements de leur rôle d'équilibre et de remontrance, réduisait le peuple des provinces à une condition misérable, que le manifeste décrivait : disette, mendicité, mortalité.

En juillet 1631, la reine Marie réussissait à s'évader du château de Compiègne et cherchait refuge aux Pays-Bas espagnols. Le duc d'Orléans l'y rejoint et parvient à mettre sur pied une petite armée de fidèles et de partisans grossis de mercenaires lorrains et wallons. Il croit pouvoir entraîner l'adhésion des provinces parce que plusieurs centaines de jeunes gentilshommes l'ont rejoint. Le 23 juin 1632, Gaston entre en Champagne à la tête de sa troupe, appelle les sujets à se rallier et marche vers le sud. La ville de Dijon refuse de le recevoir, mais de Provence et d'Auvergne des cavaliers de noblesse accourent à sa suite. Il se dirige vers le Languedoc dont le gouverneur, le duc Henri de Montmorency, vient de se prononcer en sa faveur. Les États de la province, redoutant l'introduction des élus, officiers royaux chargés de gérer l'impôt, appuient leur gouverneur, ainsi que plusieurs évêques et quelques corps de ville, mais la plupart des notables refusent de suivre la révolte. De la sorte, la troupe des insurgés se trouve très inférieure aux 20 000 hommes que Louis XIII lui-même emmène vers le Midi. Le maréchal de Schomberg avec 3 000 hommes d'élite suffit à disperser les rebelles au combat de Castelnaudary (Ier septembre). Gaston et quelques fidèles parviennent à fuir, mais le duc de Montmorency, blessé, est fait prisonnier. Peu de temps après, il est jugé par une commission extraordinaire constituée au parlement de Toulouse, condamné à mort et décapité (30 octobre). Le roi a obstinément refusé sa grâce. Parmi nombre d'autres exécutions capitales, cette mise à mort d'un duc et pair, issu d'une des plus illustres familles de la noblesse, frappa l'opinion et imposa l'image d'une raison d'État terrible, implacable.

Richelieu savait de longue date que la maîtrise de l'opinion, le contrôle des nouvelles, le façonnement même de ces nouvelles, le choix des versions convenables des faits pour les contemporains et aussi pour la postérité étaient des pièces essentielles de l'art de gouverner. Il entretenait un cabinet de publicistes chargés de diffuser sa pensée, de défendre ses décisions ; le cas échéant, il contribuait lui-même à ce travail de propagande, fournissant au moins des canevas sur lesquels ses secrétaires et écrivains gagés auraient à broder. Le sieur de Fancan, Jean de Silhon, Jean Sirmond étaient les plus talentueux de ces porte-parole, auteurs de pamphlets suivant l'actualité. A un autre niveau intellectuel, des juristes, des lettrés illustraient les doctrines de la raison d'État, du caractère absolu du pouvoir royal, de la souveraineté et de la légitimité. Cardin Le Bret, Daniel de Priézac reprenaient ainsi des idées depuis plus d'un demi-siècle explicitées par Jean Bodin et leur donnaient une formulation adaptée au cours des événements. L'historien Scipion Dupleix, auteur en 1635 d'une *Histoire de Louis le Juste*, fixait pour la postérité une leçon des faits voulue par Richelieu. Les rudiments d'une presse existaient déjà ; Venise et Amsterdam avaient depuis la fin du XVIe siècle des imprimeurs libraires spécialisés dans l'écriture et l'impression de feuilles d'avis, gazettes, occasionnelles ou périodiques. Depuis 1605 paraissait à Paris un *Mercure français* rassemblant des nouvelles de la cour, de la ville et du monde. En 1631 parut une feuille hebdomadaire régulière, intitulée la *Gazette de France*. Le rédacteur était un médecin de Loudun, protestant converti, Théophraste Renaudot. Cet homme ingénieux, protégé du cardinal, offrait chaque samedi pour quatre sous une douzaine de pages de nouvelles, tirées à 12 000 ou 15 000 exemplaires. Les secrétaires de Richelieu fournissaient souvent des rédactions toutes faites des événements ainsi représentés dans le sens voulu par le cardinal ministre.

Richelieu disposait enfin d'un réseau d'informateurs, de fidèles, de clients qui lui assuraient une maîtrise du royaume indépendante de ses prérogatives de ministre, liée à sa personne, à sa maison. Le roi lui avait octroyé dès 1626, après la conspiration de Chalais, une compagnie de mousquetaires spécialement affectée à sa garde et portant sa livrée. Le cardinal savait pouvoir compter sur le dévouement de magistrats, conseillers d'État, parlementaires ou simples officiers de juridictions locales, de militaires, officiers généraux ou subalternes. C'était avec de tels fidèles qu'il composait les commissions extraordinaires de justice et les conseils de guerre qui traquaient les opposants éventuels.

En face de cet appareil de gouvernement, alliant la propagande et la répression, l'expression d'une pensée politique alternative doit se deviner dans les mémoires de gentilshommes provinciaux, comme le Normand Henri de Campion, dans le secret de livres de raison tenus par des bourgeois obscurs ou des curés de campagne qui révèlent soudain à un détour de page leur détestation du cardinal, ou enfin dans les quelques textes des publicistes fidèles à la reine mère, le plus fécond et le plus incisif étant Mathieu de Morgues, réfugié à Bruxelles, d'où il polémiquait ardemment avec les libellistes de Paris.

L'occupation de la Lorraine.

Le duché de Lorraine et le duché de Bar formaient un État souverain aux confins de la Champagne et de la Bourgogne. Pays d'entre-deux, comme on disait, interposé entre l'Empire et le royaume de France, l'espace lorrain était une mosaïque de territoires, parsemé d'enclaves, cerné de frontières complexes ou incertaines. L'influence française s'était affirmée depuis 1552 avec l'acquisition des Trois-Évêchés (Metz, Toul et Verdun) ; une cour de parlement était installée à Metz en 1633. Les habitants du duché et leur prince étaient profondément catholiques. Pendant les guerres de Religion, les troupes de la Ligue y avaient trouvé des subsides et des levées d'hommes. Dans les guerres de l'Allemagne, le duc Charles IV prêtait fidèlement assistance à l'empereur ; le duc d'Orléans fuyant la vindicte de Richelieu y avait été généreusement accueilli ; le duc allait bientôt épouser Marguerite de Lorraine, sœur de Charles IV (janvier 1632).

La situation stratégique de la Lorraine était assez comparable à celle du duché de Piémont-Savoie, territoires tampons, sis entre les domaines des Habsbourg et la France, exclusivement catholiques, partiellement francophones, ouverts aux influences françaises et maintenant cependant jalousement leur indépendance légitime. Pour les Français, ces duchés étaient des voies de passage obligées en cas de guerre à l'est. La souveraineté des duchés pesait alors peu en face des nécessités stratégiques, et les armées françaises souhaitaient confisquer ces espaces et les considérer comme des prolongements de fait des routes du royaume. Les engagements du duc Charles IV au côté de l'empereur puis au profit des rebelles français l'exposaient à des actions de rétorsion, où la force militaire avait plus de place que le droit des couronnes. L'aggravation du rythme et des ravages de la guerre en Allemagne avec l'intervention suédoise amenait enfin les Français à être vigilants sur leurs frontières orientales. Pour toutes ces raisons, le duché de Lorraine allait faire l'objet de harcèlements militaires et diplomatiques aboutissant en trois années à une occupation totale de fait.

Dès l'hiver 1631-1632, le gros de l'armée stationne sur les marches de l'Est et le maréchal de La Force orchestre des mouvements de troupes qui ont pour but d'intimider le duc de Lorraine. Des traités inégaux, signés à Vic et à Liverdun (janvier et juin 1632), imposent au duc le libre passage des régiments français à travers ses possessions et la remise des places de Stenay et de Dun, petites cités dotées de ponts sur la Meuse, commandant la trouée des Ardennes.

Aux conseils que Louis XIII tient au cours de ces expéditions frontalières, les choix de la diplomatie française en Allemagne sont anxieusement débattus. La guerre éclair menée en 1631 par le roi de Suède inquiète même ses alliés. Les Français voudraient l'empêcher d'attaquer la Bavière dont le duc Maximilien, comme les princes de la Ligue catholique, est, lui aussi, allié de la France et client de ses subsides. L'espoir de Richelieu serait de créer une sorte de tiers parti qui défendrait « les libertés germaniques » contre les ambitions centralisatrices de l'empereur et contre les ravages de l'envahisseur nordique. Des émissaires français, Charnacé et Feuquières, sont chargés de courir les routes allemandes, armés d'argent et de promesses, pour tenter de convaincre les princes et les généraux qui guerroient de la Baltique aux Alpes.

Après la déroute des partisans de Monsieur en 1632, les menaces sur les duchés lorrains s'aggravent encore. Le maréchal de La Force assiège Nancy et force le duc à céder sa capitale (traité de Charmes, septembre 1633). Charles IV préfère alors abdiquer et va mettre son épée et les troupes qui lui restent au service de l'empereur. La couronne ducale passe à son frère Nicolas-François. En fait, le territoire lorrain était dès lors entièrement confisqué et constamment parcouru par les régiments français.

En 1634, Louis XIII impose un serment de fidélité aux Lorrains et introduit les institutions françaises dans le duché, un intendant et un gouverneur de Nancy. Les déprédations commises par les troupes sont à leur comble et, pour plus de malheur, la peste frappe les cités lorraines de 1636 à 1640. C'est au cours de cette décennie tragique que Jacques Callot, graveur lorrain, compose sa célèbre suite de scènes sinistres intitulées *Les Grandes* et *Les Petites Misères de la guerre*, exactement en 1632. Tout curieux de l'histoire du XVIIe siècle les connaît certainement, puisque immanquablement l'évocation des horreurs et destructions subies par les pays allemands pendant la guerre de Trente Ans s'accompagne de quelqu'une de ses images.

L'occupation française du fait de l'espace lorrain se maintint jusqu'au traité des Pyrénées, en 1659.

La vigilance sur les frontières de l'Est avait conduit les garnisons françaises plus loin encore. Dès 1632, Louis XIII avait aventuré un détachement militaire jusqu'à Trèves dont le prince-évêque demandait la protection des armes françaises. La mort de Gustave-Adolphe à la bataille de Lützen (novembre 1632) avait été accueillie avec soulagement, même à Paris, mais l'armée suédoise du général Horn continuait ses avantages après la mort de son roi. En Alsace, des seigneurs ou des conseils de ville réclamaient pour leur sécurité l'envoi d'une garnison française, par exemple le comte de Hanau dès mars 1633, et l'année suivante les villes de Colmar, Thann, Sélestat, etc. Ainsi les forces françaises se trouvaient-elles, encore en pleine paix, engagées jusque sur les bords du Rhin et prêtes à intervenir sur les théâtres d'opérations de la guerre européenne.

En septembre 1634, l'éclatante victoire à Nördlingen des Impériaux sur les Suédois marquait une nouvelle étape dans la meurtrière chronique commencée en 1618. Les buts diplomatiques de Richelieu, l'amoindrissement des puissances Habsbourg ne pouvaient plus s'accomplir par le seul soutien d'alliés avancés, hollandais et suédois ; le temps de la « guerre couverte » était révolu. Louis XIII et Richelieu savaient qu'il leur fallait maintenant aller au bout de leur politique, c'est-à-dire faire basculer le royaume de France dans la guerre continentale. Un long cycle de paix aux frontières avait commencé en 1598. Pendant une trentaine d'années, les ruines des guerres de Religion avaient été effacées, villes et villages avaient retrouvé leurs foires et leurs fêtes. De nouveau, en 1635, le royaume entrait dans une guerre interminable et ruineuse. Il semble que Richelieu ait été conscient de ces périls mais qu'il ait cru que les enjeux internationaux méritaient de tels efforts.

10

La France
dans la guerre ouverte

Louis XIII et Richelieu avaient fait le choix d'une politique européenne agressive en se confiant à l'étendue des ressources du royaume, sans toutefois envisager le moins du monde les procédés ou les délais nécessaires pour les mobiliser au service des dépenses de guerre qui allaient se présenter année après année. Pour le cardinal ministre, l'administration des finances devait se ramener au bon ordre et à l'économie, et il entendait s'en remettre du tout à la prudence et à l'intégrité de surintendants des finances auxquels il ne demandait que la fidélité à sa cause. Michel de Marillac, lors de premières interventions militaires au-delà des Alpes, puis Antoine d'Effiat, en charge pendant l'entreprise de La Rochelle et la crise de 1630, avaient répondu à ces attentes. La mort prématurée du maréchal d'Effiat en 1632 fit appeler à la surintendance deux riches magistrats, Claude Bullion et Claude Bouthillier, remarqués l'un et l'autre pour leur attachement au cardinal, Bullion ayant soutenu les desseins de Richelieu en Italie, et Bouthillier ayant autrefois géré les biens privés de la famille Richelieu. Ils allaient diriger les finances de guerre conjointement jusqu'à la mort de Bullion en 1640, Bouthillier demeurant seul en charge jusqu'en 1643.

L'extraordinaire crue fiscale.

La succession d'échéances toujours plus lourdes avait commencé en 1626, les impositions augmentant de plus de moitié au moment des guerres de La Rochelle et de Mantoue ; mais ce fut à partir de 1632 que la croissance des taxes prit des proportions inouïes, parmi les plus brutales de l'histoire de la fiscalité, multipliées par deux ou trois en l'espace de peu d'années. Cette croissance fut demandée à peu près uniquement aux tailles, l'impôt royal majeur qui pesait presque sur les seuls paysans parce que nombre de villes jouissaient d'une exemption particulière. En effet, créer de nouvelles taxes de consommation aurait réclamé une longue préparation afin de prévenir les émeutes des places de foires ou des quais de cités portuaires qu'on avait vu surgir en 1602 lors de la pancarte ou en 1628 lors d'une crue des traites. Quant à augmenter les ventes d'offices, le marché en paraissait saturé. La solution la plus simple, la plus immédiatement rentable semblait de regréver les tailles. La part des tailles dans les revenus de l'État montait environ à 40 % ; elles passèrent à plus de 50 % : 54 % en 1639 (42 millions de livres de tailles sur 79 millions de revenus), et cette folle croissance n'était pas terminée puisqu'on parviendrait en 1648 au record de 62 % (57 millions de livres sur 92 millions).

Les surintendants avaient du moins cherché à diversifier socialement la pression en recourant à divers règlements. Un grand édit de janvier 1634 promulgua un nouveau code des tailles, remplaçant celui composé par Sully en 1600 ; on tentait d'y restreindre les exemptions vraies ou supposées en soumettant les titres à vérification et en taxant isolément les plus forts contribuables ; tous les calculs de répartition (on disait de département ou régalement des tailles) entre les généralités, les élections puis les paroisses devaient être réexaminés et le furent en effet. D'autres mesures furent dans les années suivantes annoncées à grand bruit ; en 1635, on publia que les droits dus aux officiers de finance du fait de la vénalité de leurs charges seraient décomptés à part, de telle sorte que le montant des tailles diminué du montant de ces droits aliénés apparaissait moins considérable. En 1637, le montant des tailles fut pareillement diminué de la part payée par les villes, constituée à part sous le titre d'emprunt. A partir de 1639, on distingua encore du principal de la taille une masse imposée à part, affectée à la « subsistance des troupes en quartier d'hiver », et, à partir de 1641, un autre impôt dit des étapes. Ces expédients ne trompaient pas longtemps l'opinion, puisque ces sommes devaient toujours au bout du compte être levées sur les taillables.

A l'ordinaire, le montant demandé au pays était arrêté en

juillet au Conseil du roi, réparti pendant l'automne et réclamé dans chaque lieu à la fin du premier trimestre de l'année suivante, payable en quatre termes portés par les collecteurs désignés dans les paroisses aux receveurs des élections. Dès l'année 1636, les tailles se révélèrent irrécouvrables en maints endroits, les derniers termes n'étant que partiellement ou pas du tout levés. Devant l'accumulation des arriérés sur bientôt plusieurs années, il fallait se résigner à reconnaître des non-valeurs et à accorder aux redevables des remises. Du fait de la diversité de l'appellation des tailles et de l'extrême irrégularité des levées selon les temps et les lieux, les données chiffrées dans ce domaine ne traduisent rien d'autre que l'intention du pouvoir, certainement pas les sommes parvenues au Trésor de l'Épargne, bien moindres, ni non plus les sommes levées sur les paroisses, tantôt moindres du fait des résistances, tantôt supérieures du fait des frais supplémentaires de recouvrement.

L'action des intendants de province.

Les procédés ordinaires de recette se révélaient évidemment insuffisants dans cette crue extraordinaire. Le pouvoir devait recourir à une gestion plus centralisée de l'impôt, envoyant des intendants dans les provinces pour contrôler ou remplacer les officiers de finance locaux, et octroyant, d'autre part, à ces intendants des moyens de contrainte pour venir à bout des résistances antifiscales.

L'envoi de commissaires royaux pour résoudre une difficulté locale n'était certes pas nouveau dans l'histoire des institutions de l'État français. En 1598, avec le retour de la paix, Henri IV avait dépêché dans le royaume de tels commissaires pour faire une nouvelle répartition des tailles et pour faire appliquer les clauses de l'édit de Nantes. En 1611, au début de la régence, on voit ces commissaires pour la première fois porter le titre d'intendants de justice. Ils furent généralisés en 1634 dans le cadre de l'édit de réforme des tailles. Ces commissaires étaient de jeunes maîtres des requêtes, un par généralité, munis de tous pouvoirs pour réviser les barèmes de l'impôt et en accélérer la levée. Leur action était suivie et coordonnée par le nouveau garde des Sceaux, un autre homme de confiance de Richelieu, Pierre Séguier (1588-1672). Issu d'une grande famille parlementaire parisienne, ce légiste lettré avait lui-même dix ans auparavant exercé des commissions provinciales ; garde des Sceaux en 1633, chancelier en 1635, il conserva cette charge, avec seulement une interruption d'exercice pendant la Fronde, jusqu'à sa mort. Tous les officiers de justice dépendirent donc de lui pendant à peu près quarante années, ce qui veut dire que toute l'administration du royaume pendant cette période cruciale et incertaine reposa sur lui. Laissé dans l'ombre par les fortes personnalités de Richelieu ou de Mazarin, il joua pourtant un rôle essentiel dans la continuité des politiques de centralisation et d'acheminement vers un gouvernement qu'on appellera plus tard absolutiste. La conception de la fonction d'intendant de province, agents du pouvoir central, responsables tout-puissants de l'exécution des décisions du Conseil à travers le territoire, était en tout cas dans son origine de 1634, significativement, puis dans sa continuation, en dépit des vicissitudes des événements, bien clairement l'œuvre de Séguier.

Il y avait déjà dans chaque province un représentant personnel du roi, le gouverneur, grand seigneur investi de la tutelle politique de son ressort, ce qui revenait en pratique à commander la noblesse et à disposer de la force armée. Ces personnages, souvent amenés à séjourner en cour ou bien à la guerre, étaient donc suppléés dans la province par un lieutenant général, lui aussi appartenant à la meilleure gentilhommerie. Ceux des gouverneurs et lieutenants généraux qui auraient été susceptibles d'opposition à la politique de Richelieu avaient été remplacés après 1630, et le Conseil du roi veillait soigneusement au choix de ces dignitaires qui devaient mettre leur prestige personnel et leur clientèle sociale au service des desseins du Conseil. Les intendants, hommes de loi par formation et par fonction, avaient à collaborer avec eux ; ils ne venaient pas les remplacer, comme on l'écrit parfois, mais compléter leur action. Les lettres de commission qu'ils recevaient lors de leur départ en fonction, énumérant leurs tâches et prérogatives, employaient les mots de « justice, police et finances », c'est-à-dire qu'ils avaient la possibilité d'évoquer des affaires et de les juger devant un tribunal constitué dans le cadre de leur commission, qu'ils devaient veiller à la « police », autrement dit à la bonne administration, et enfin aux finances, c'est-à-dire à la gestion de l'impôt qui était, bien sûr, leur véritable raison dêtre. Un arrêt du Conseil du 28 septembre 1634 obligeait les trésoriers de France composant le bureau des finances de chaque généralité de procéder à leur travail de répartition des tailles en présence et sous le contrôle de l'intendant. Il s'agissait d'un désaisissement de fait des instances ordinaires au profit d'un commissaire du Conseil. Par ce seul arrêt, toutes les institutions fiscales lentement mises en place dans le passé se trouvaient privées de leurs attributions et remplacées par une gestion centralisée et en grande partie arbitraire. Lors de l'exercice de 1642 (règlement du Conseil du 22 août), les trésoriers de France furent enfin effectivement interdits de leurs fonctions fiscales entièrement dévolues à l'intendant. L'esprit des institutions était ainsi transformé radicalement, sans que les apparences fussent modifiées ; l'inefficacité ou les malversations dont le Conseil accusait les officiers des bureaux des finances et des élections tenaient au principe de la vénalité et hérédité des offices, or ces données n'étaient pas changées ; le droit annuel accordant l'hérédité des offices avait été renouvelé en 1631 et Richelieu n'entendait plus le remettre en cause. Les officiers de finance conservaient donc des charges vides et inutiles ; l'essentiel de leurs fonctions originelles appartenait désormais aux intendants.

En face de l'impuissance ou de l'hostilité des contribuables, les intendants disposaient des anciennes voies de contrainte : saisie des biens des principaux taillables d'une paroisse en retard selon le principe de la solidarité de la dette entre tous les habitants d'une même paroisse, puis emprisonnement personnel des redevables. Dès lors que ces procédés, réputés jusque-là extrêmes, se multipliaient et perduraient, la levée de l'impôt prenait figure de guerre civile larvée et réclamait des moyens militaires spécifiques. A partir de 1636, les intendants organisèrent des compagnies de cavaliers d'élite, appelés fusiliers ou carabins des tailles ou de l'intendant. Ces troupes accompagnaient et protégeaient les huissiers porteurs de contraintes ; elles prenaient logement dans les paroisses redevables et y demeuraient à leurs frais jusqu'au complet paiement de la dette.

L'armée de Louis XIII.

A ce prix, les nouveaux procédés institutionnels portèrent leurs fruits et le roi put aligner aux frontières des forces armées considérables.

Dans les années 1620, les plus grosses armées royales avaient compté moins de 30 000 hommes. En 1634, Richelieu avait déjà fait monter les effectifs à près de 100 000 hommes ; on aurait atteint 200 000 soldats vers 1640 et près de 250 000 en 1643, à la fin du règne. Là encore, il faut dire que les précisions chiffrées sont fort incertaines, du fait des différences entre ces effectifs maximaux tirés des comptes du secrétaire d'État à la Guerre et les réalités sur le terrain, du fait aussi des fluctuations incessantes au cours d'une campagne, à cause des pertes et des désertions.

Le noyau dur de l'armée était formé des unités d'élite de la Maison du roi et des six premiers régiments permanents, les « vieux » : Picardie, Champagne, Piémont, Navarre, Normandie et « Marine », dont les noms évoquaient les habituels théâtres d'opérations à l'entour du royaume. S'y ajoutaient cinq autres régiments eux aussi maintenus sur pied en temps de paix, et mieux armés, entraînés et disciplinés que le gros des troupes, les « petits vieux » (Rambures, Vaubécourt, etc.). Ensuite, à l'approche d'une campagne, on formait des régiments de nouvelle levée, qui portaient le nom de leur colonel. Le nombre des régiments, plus de 50, et le nombre de leurs soldats, plus de 1 000, variaient considérablement, puisque chaque régiment comptait réglementairement 20 compagnies qui pouvaient passer de quelque 50 hommes jusqu'à 200. Très globalement, on peut estimer que la proportion des exigences militaires dans la France de ce temps aurait été d'un homme pour cent habitants, soit un équilibre comparable à celui de nos sociétés contemporaines, ou encore dix fois plus qu'au XVIe siècle et dix fois moins qu'à la fin du XVIIIe siècle. La cavalerie comptait pour 15 % de l'effectif. Il faut ajouter que les troupes étaient accompagnées d'un nombre très important de valets, goujats, femmes, vivandières ou prostituées, paysans requis pour des corvées locales, etc.

Les soldes étaient confiées aux colonels en fonction des effectifs reconnus lors de revues (les montres) par des commissaires des guerres, officiers civils occupés des questions de finances, vivres, charrois et logements. Richelieu allait les remplacer par des dizaines d'intendants d'armée, commissaires à l'instar des intendants de province, chargés comme eux de porter le regard du pouvoir central et de dessaisir les instances ordinaires. En effet, le plus lourd problème était l'entretien des troupes dans les provinces de l'intérieur pendant les quatre mois du quartier d'hiver, ensuite sur les routes d'étapes, puis aux frontières d'avril à octobre. Seuls l'armement et les soldes étaient vraiment budgétisés dans les comptes de la Guerre; les frais de logement, d'approvisionnement, de fournitures, de fortifications étaient le plus souvent imputés aux communautés d'habitants qui avaient le malheur de se trouver au voisinage des itinéraires ou des lieux de cantonnement. De la sorte, même si dans le royaume les troupes étaient tenues à une certaine discipline, le difficile contentieux des étapes et logements était une des plus fréquentes sources de procès, d'échauffourées et même de résistances populaires armées.

Le lecteur contemporain doit comprendre qu'en dépit des réformes étatiques la guerre demeurait encore en ce temps, et resterait sans doute longtemps, une sorte d'aventure privée, en ce sens que des liens de solidarité économique et de fidélité réunissaient soldats et officiers et que l'engagement au service d'une couronne tenait plus du contrat que du devoir, que tous les recrutements étaient volontaires et que l'on savait en partant à la guerre que le profit éventuel viendrait plus sûrement du pillage, reconnu et même réglementé, que des soldes dont on ne voyait la couleur qu'au début et, pas toujours, à la fin des campagnes.

Un secrétaire d'État à la Guerre tentait de réglementer et de rationaliser ces masses d'hommes. De 1636 à 1645, la fonction fut tenue par François Sublet de Noyers, qui avait été commis des finances, intendant d'armée et était, bien sûr, avant tout une « créature » de Richelieu.

Dans le domaine de la marine, le cardinal, familier des provinces de l'Ouest, avait tenu à se faire donner par le roi dès 1626 le titre nouveau de grand maître de la navigation, puis les gouvernements de deux places maritimes fortifiées, Le Havre, sur la Manche, et Brouage, sur la côte de Saintonge. Il portait une attention jalouse à ces problèmes et en avait confié le contrôle à son oncle Amador de La Porte, commandeur de Malte, devenu par la volonté de son neveu intendant général de la Marine. Des résultats furent obtenus, des fortifications dans les ports, quelques constructions navales et fonderies de canons, surtout en Bretagne méridionale (La Roche-Bernard). En septembre 1642, à la fin de la vie du cardinal, une concentration des moyens navals du royaume à Toulon fit paraître 22 galères et une soixantaine de vaisseaux.

Des établissements au-delà des océans avaient été encouragés, plusieurs milliers de colons et de marins passèrent ainsi dans les îles désertes des Antilles (Saint-Christophe, la Martinique, la Guadeloupe, la Dominique) et au Canada, où les Français tenaient la petite place de Québec, au bord du gigantesque fleuve Saint-Laurent, et deux nouveaux fortins un peu en amont : Montréal et Trois-Rivières.

Dans l'immédiat, ces aventures lointaines ou ces projets maritimes avaient peu de conséquences ; le destin des batailles se jouait avec les armes des fantassins, les divers grands combats disputés en Allemagne l'avaient montré. La défaite des Suédois en 1634 mettait Louis XIII et Richelieu le dos au mur ; la logique de leur politique leur imposait d'intervenir.

La guerre ouverte.

La décision d'entrer en guerre ne résultait pas du cynisme d'une raison d'État qui serait totalement séparée des règles de la morale commune et selon laquelle la fin, le bien de l'État justifierait toutes sortes de moyens. Certes, une telle opinion n'était pas inimaginable et le duc de Rohan, passé des rébellions de Languedoc au commandement d'armées royales, réfléchissant sur la guerre et le pouvoir, l'avait exprimée dans divers essais ou *Discours politiques*, dont le *Mercure français* avait publié en 1634 des extraits qui sans doute devaient avoir l'agrément de Richelieu. La vraie pensée du cardinal ministre était profondément religieuse et se voulait scrupuleusement catholique. Il en avait donné l'idée dans une harangue adressée au Parlement de Paris, elle aussi insérée en 1634 dans le *Mercure français*. Le roi de France, du fait de l'ampleur des ressources de son royaume, avait les moyens et, bien plus, le devoir d'assurer l'équilibre entre les puissances et donc de mettre un terme à l'hégémonie espagnole. Devant les succès de ses armes, on ne pouvait douter qu'il s'agît d'une mission voulue par la Providence divine. En outre, il n'y avait pas lieu de refuser l'opportunité d'alliance avec des puissances hérétiques en religion, dès lors que ces alliances servaient à la guerre juste, et la cause du roi de France l'était manifestement. Le comte-duc d'Olivares, à Madrid, ne pensait pas différemment et n'avait pas hésité à soutenir les protestants français contre leur roi ni à s'allier au roi d'Angleterre. Il est remarquable que Richelieu n'ait jamais manqué, dans ses négociations avec les Suédois, les Hollandais ou les princes allemands luthériens, d'intervenir pour assurer la liberté de culte aux catholiques dans les territoires conquis par ces puissances. Effectivement, au long de son ministériat, Richelieu rencontra auprès du pape Urbain VIII Barberini une assez favorable audience, qui amenait les nonces à plaider continûment pour une conférence de paix sans pour autant contrarier en rien les desseins particuliers de la politique française. Ainsi, convaincu de la justice de sa cause, le roi Louis XIII déclara formellement la guerre au gouverneur des Pays-Bas et au roi d'Espagne et, un an plus tard, à l'empereur. Un héraut d'armes portant un hoqueton fleurdelisé alla jusqu'à Bruxelles signifier la déclaration lue à son de trompette. Cette cérémonie d'apparence chevaleresque marquait un principe essentiel des relations entre les couronnes, qu'en paix comme en guerre elles étaient fondées sur l'honneur personnel des princes, incarnant leur nation.

Au mois de mai 1635, 30 000 hommes en deux colonnes entrèrent en Wallonie. Les dix provinces méridionales des Pays-Bas, demeurées catholiques et fidèles à la couronne d'Espagne, avaient été administrées depuis 1600 par le couple des archiducs Albert et Isabelle ; leur gouvernement avait coïncidé notamment avec la trêve de douze ans dans la guerre contre les Provinces-Unies, les provinces sécessionnistes du Nord ; le règne des archiducs, moment de renaissance et de reconstruction, serait regardé comme un âge d'or dans l'histoire des « pays de par-deçà ». Depuis la mort d'Isabelle à la fin de 1633, le gouvernement à Bruxelles était passé au cardinal-infant Ferdinand, frère de Philippe IV, remarquable conducteur d'hommes, vainqueur de Nördlingen. Il avait à ses côtés un autre grand général, le prince Thomas de Savoie, frère du duc de Piémont, rallié à la cause espagnole depuis 1634. S'appuyant sur le dense réseau de fortifications de villes disséminées dans les forêts et les plaines fertiles de Belgique, les régiments espagnols purent tenir bon et décourager la double offensive des Français et des Hollandais.

Deux épisodes sinistres dans la campagne de 1635 témoignèrent des usages féroces de la guerre et aussi, par contraste, de l'apparition d'une théorie du droit des gens. Après les sacs de Mantoue et de Magdebourg par les Impériaux, et les terribles ravages des Suédois, les gazettes retinrent le saccage de Tirlemont par les Franco-Hollandais (9 juin 1635) et celui de Saint-Nicolas-de-Port, en Lorraine (4-11 novembre 1635), perpétré par les soldats de Bernard de Saxe-Weimar, condottiere allemand gagé par la France, cantonné en Alsace. Les seuls avantages pour la France furent localisés en Italie où Créquy s'établit en Piémont, tandis que Rohan occupait de nouveau la Valteline, tous deux menaçant Milan et le Milanais.

La campagne de 1636 fut pire encore. L'initiative de l'offensive appartint aux Espagnols entrés en Picardie en juillet. Le prince Thomas avait mis le siège devant la petite place de Corbie et l'emporta le 15 août. S'engageant sur la route du sud en direction de Paris, ses avant-gardes de cavalerie furent vues vers Pontoise. Des scènes de panique commençaient dans la capitale ; Louis XIII alla en personne chevaucher par les rues pour rassurer et galvaniser la résistance. Une armée improvisée de 40 000 hommes, dont 12 000 volontaires parisiens, fut réunie devant Senlis. Les Espagnols firent retraite en novembre.

L'alerte avait été éloquente et Richelieu tenta, au printemps 1637, d'ouvrir des pourparlers de paix qu'Olivares crut bon de refuser. Le comte-duc plaçait en effet son espoir dans un second projet d'offensive, cette fois en Languedoc. Les régiments castillans et italiens concentrés en Roussillon dans l'été furent arrêtés à Leucate en septembre 1637.

La campagne de 1638 ne fut pas plus heureuse pour les

Français. Au nord, ils furent défaits à Thionville. En Italie, l'armée avait perdu ses chefs, morts en peu de temps, Créquy (1636), Rohan et Toiras (1638). Les Valtelins et les Grisons, réconciliés, avaient conclu une entente avec le gouverneur espagnol de Milan. Notons au passage que la Valteline a été réunie au Milanais en 1815 et que son italianité n'a jamais été discutée depuis. Le Piémont entrait dans une période de guerre civile opposant les fidèles de la duchesse Christine, sœur de Louis XIII, veuve de Victor-Amédée, soutenue par la France, et ses beaux-frères Thomas et Maurice de Savoie, ralliés à l'Espagne.

En cette année 1638, Richelieu avait donné la priorité à une offencive en Pays basque où le duc de La Valette avait mission de forcer les lignes de défense ennemies à Fontarabie. L'hypothèse de conduire une invasion par les plateaux de Navarre était assez absurde, mais le cardinal croyait cette zone vide de troupes et un premier succès naval à Guétary (22 août 1638), où une escadre française avait incendié douze gros vaisseaux espagnols bloqués dans la rade, lui avait donné l'illusion d'une prochaine importante victoire. L'impossibilité de franchir la Bidassoa et une débandade de quelques régiments de milices obligèrent La Valette à renoncer à l'offensive au cours du mois de septembre. Richelieu, déçu et furieux, fit poursuivre le duc pour trahison et lèse-majesté. La Valette réussit à fuir en Angleterre, alors qu'une commission extraordinaire le condamnait à mort, comme l'avaient été en 1636 les capitaines des places de Picardie emportées par les Espagnols.

Aux échecs multipliés sur tous les fronts s'ajoutaient des explosions nombreuses et dispersées de révoltes populaires.

Le temps des grandes révoltes paysannes.

L'ampleur extraordinaire de la pression fiscale, le caractère provocateur et terroriste des procédés de recouvrement rendent aisément compte des résistances, prenant bientôt la forme de révoltes armées, que l'on voit éclater un peu partout dans les provinces et à travers tout l'éventail social dès les premiers mois de l'entrée en guerre ouverte. Si ces éclats étaient ainsi clairement liés à la conjoncture fiscale, ils pouvaient cependant survenir pour des motifs très secondaires en apparence mais qui revêtaient un aspect plus scandaleux aux yeux de l'opinion populaire. Ainsi, en mai 1635, les villes de Guyenne avaient été secouées par une cascade d'émeutes sanglantes provoquées par une assez médiocre taxe imposée aux cabaretiers. Cette flambée de violence, embrasant plusieurs dizaines de villes du Sud-Ouest, selon une propagation incohérente et irrépressible, était caractéristique des soulèvements de mécontents de la France de l'âge moderne et de leur générale impuissance sur le cours des événements ; ils réunissaient un nombre considérable de participants sans qu'ils envisagent de se concerter, de se fédérer, et ils disparaissaient comme ils étaient venus, n'inquiétant les notables ou n'entravant les desseins des politiques que l'espace de quelques mois. Les émeutes urbaines de 1635, de par leur origine de rumeur et leur expansion incertaine de proche en proche, occupent une place dans les annales de la psychologie sociale comparable aux troubles des débuts de la Fronde, à l'été 1648, ou à la Grande Peur de juillet 1789.

En 1636, un foyer d'assemblées paysannes antifiscales se dessina en Angoumois ; des manifestes adressés au roi y furent rédigés au cours de grandes foires où se rencontraient des paysans venus d'un très grand nombre de paroisses. En mai 1637, ce mouvement gagnait le Périgord ; il y prenait la forme, comme en 1594-1595, de réunions de communes en armes, se donnant une structure militaire, avec des compagnies et des capitaines de paroisses et même un « colonel des communes soulevées de Guyenne », un vieil hobereau de la ville de Périgueux nommé La Mothe La Forêt. Nombre de petits gentilshommes campagnards accepteraient de servir de conducteurs aux attroupements paysans. Les Croquants, comme on les surnommait, s'emparaient de quelques bourgades, dont Bergerac, avant de se faire arrêter en rase campagne à La Sauvetat du Dropt (1er juin 1637) par un détachement de cavalerie que le duc de La Valette avait ramené d'urgence de la frontière. Plus d'un millier de Croquants furent tués dans la rencontre. Dès le 23 juin, le Conseil du roi, sur les avis du duc de La Valette et de son père le vieux duc d'Épernon, gouverneur de Guyenne, accordait une abolition, c'est-à-dire non seulement une suppression des poursuites mais même un oubli total de l'événement. En fait, des séquelles de la révolte de mai 1637, sous forme d'échauffourées, de troupes insurgées réunies sporadiquement dans des bois pour une embuscade ou une vengeance, persistèrent en Périgord et en Quercy jusqu'en 1641.

En Gascogne, dans les pays d'Astarac et de Pardiac, des groupes de plusieurs milliers de Croquants réussirent parfois à s'emparer de villes, Plaisance et surtout Mirande et Marciac (26 décembre-7 janvier 1639). Ces pays empêchèrent tout exercice fiscal de 1638 à 1645 au moins.

En Normandie, en 1639, des troubles commencèrent en juin contre des commis envoyés percevoir des taxes sur « les paroisses de quart-bouillon », qui s'approvisionnaient en sel en faisant bouillir des sables salins de la baie du Mont-Saint-Michel et, à ce titre, n'étaient pas soumises au régime des gabelles. De l'Avranchin et du Cotentin, la révolte dite des Nu-pieds gagna toute la Basse-Normandie et même la basse vallée de la Seine autour de Rouen. Le massacre de commis des gabelles à Rouen en août, sans que le parlement ni la milice bourgeoise empêchent l'émeute, incita Richelieu à une répression spectaculaire. Il fallut attendre que des régiments royaux puissent être distraits des frontières du Nord-Est ; le 30 novembre, sous les murs d'Avranches, les Nu-pieds de l'« armée de souffrance » furent facilement dispersés. Le chancelier Séguier en personne vint, sur ordre du roi, séjourner à Rouen pour y diriger les poursuites, de la fin décembre 1639 à la fin mars 1640. Plusieurs dizaines d'exécutions intervinrent, mais la répression s'attacha surtout à punïr les villes et les institutions locales de leur faiblesse ou leur adhésion silencieuse à la révolte. Le parlement de Rouen fut suspendu pendant un an ; des villes comme Avranches, Vire, Caen et Rouen y perdirent des privilèges, des remparts, des franchises fiscales ou des libertés communales.

Apparemment, la raison d'État venait à bout des résistances populaires. Dans les faits, les grandes révoltes formées n'étaient que les paroxysmes d'un gigantesque refus de l'impôt royal. Les non-valeurs dans l'ensemble des généralités du Sud-Ouest en 1637 dépassaient 10 millions de livres. Les intendants devaient recourir, bon gré mal gré, à des dégrèvements particuliers consentis aux aires insurgées. Les abolitions et les remises de tailles confirmaient les paysans dans leur conviction que ces impôts étaient des abus des mauvais ministres et que le roi, incarnant la justice, ne pouvait en être l'auteur. Des immunités fiscales s'invétéraient dans de vastes régions et, de la sorte, le trouble, ponctuel en apparence, des révoltes paysannes se transformait en désordre de longue durée. La gabegie fiscale commencée en 1635 ne serait pas effacée avant les années 1660.

En outre, les Croquants ou les Nu-pieds, dans les premiers jours heureux de leurs prises d'armes, avaient rédigé des manifestes dictés par des juges de village, des curés campagnards ou de petits gentilshommes à lièvres, comme on disait des nobles campagnards qu'on retrouvait parfois dans ces aventures éphémères. Ces textes disaient que le roi ne savait pas la détresse de ses sujets des campagnes, que les attroupements n'avaient d'autre but que d'éclairer sa justice et de lui dénoncer les mauvais ministres. Il n'y avait pas de programme politique immédat, le nom de Richelieu n'était pas cité, ni celui de ses adversaires princiers. On réclamait seulement le retour à un âge d'or, celui du roi Louis XII, où, disait-on, le roi aurait vécu de ses domaines sans mettre d'impôt sur quiconque. Les passages les plus précis allaient jusqu'à évoquer les anciens États provinciaux, réclamer le consentement à l'impôt, la suppression des officiers de finance, des élus, trésoriers ou intendants, de sorte que les députés des paysans iraient eux-mêmes porter directement au Louvre le produit de leurs tailles volontaires. Le mot qui revenait le plus souvent, comme dans tous les textes politiques français de ce temps, était celui de *liberté* : défense de la liberté publique, c'est-à-dire fin de l'oppression fiscale, maintien des libertés des provinces, c'est-à-dire respect des privilèges de lieu. Cette version utopique du royaume n'était pas près de s'éteindre. Ses expressions les plus solennelles verraient le jour dix ans plus tard dans les manifestes de la Fronde qui, dans cette perspective, n'est plus l'épisode erratique que l'historiographie a souvent représenté mais le fruit direct et amer des choix tragiques de Louis XIII et de Richelieu.

Le pouvoir surveillait plus étroitement les complots de noblesse qui représentaient un péril politique autrement redoutable. Des princes mécontents avaient le prestige social nécessaire pour cristalliser les oppositions, rallier une province, comme le Languedoc avec Rohan puis Montmorency, voire le pays tout entier. Leurs programmes n'étaient pas différents des manifestes populaires ; ils évoquaient de même le souvenir légendaire d'une monarchie des origines où les provinces et les princes auraient joui paisiblement et honorablement de leurs libertés premières.

Ces arguments figuraient déjà dans la lettre de Gaston d'Orléans publiée à Nancy le 30 mai 1631 ; on les retrouve pareillement dans le Manifeste pour la justice des princes de la paix publié en 1641 lors de l'ultime grande conspiration princière du règne de Louis XIII. L'épisode fut bref mais aurait pu être décisif. Louis II de Bourbon, comte de Soissons (1604-1641), prince du sang, issu de la souche des Bourbons-Condé, s'était illustré en reprenant Corbie en novembre 1636 ; comme tant d'autres, il s'indignait de l'influence écrasante de Richelieu dans le royaume et s'était associé de près ou de loin aux nombreux conciliabules qui continuaient, malgré son retour en France en 1634, autour du duc d'Orléans. Craignant pour sa sécurité, Soissons avait cherché asile dans la petite cité souveraine de Sedan, appartenant au duc de Bouillon. Sedan était devenu un refuge des mécontents, où, grâce à l'aide du duc de Lorraine et du cardinal-infant, avait pu se former au début de 1641 une petite armée de quelques milliers d'hommes. Son entrée en France devait donner le signal de la révolte contre Richelieu ; pour bien montrer qu'ils n'en voulaient qu'au ministre détesté, les soldats portaient l'écharpe blanche du service du roi. Le Manifeste des princes de la paix réclamait le soulagement du peuple et la défense des libertés ; il accusait Richelieu d'avoir perverti pour son seul profit l'ordre traditionnel du royaume : « Il a ôté à toutes les provinces et communautés leurs anciennes immunités et franchises et a cassé leurs contrats faits avec les rois. » La dénonciation de l'unification absolutiste et la revendication de mythiques libertés originelles fondaient une évolution alternative des institutions, esquissaient l'État parcellisé et aristocratique qui aurait pu remplacer la tyrannie du cardinal.

Le maréchal de Châtillon avec 10 000 hommes fut chargé d'arrêter l'armée rebelle, dès sa sortie, dans la trouée de

Sedan. La rencontre eut lieu le 9 juillet 1641 près d'une forêt de la Meuse appelée La Marfée. Châtillon fut défait et l'armée victorieuse du comte de Soissons aurait pu s'avancer en Champagne si son chef n'avait trouvé étrangement la mort dans les derniers instants du combat. Cette mort mystérieuse, si opportune pour Richelieu, entraîna la dispersion de l'armée sedanaise. Imaginer d'autres issues que le fait accompli est un exercice trop aventuré pour que la méthode historique l'autorise, on ne peut donc rien dire de l'avenir de Soissons et de ses projets politiques si le sort avait été différent. Soissons semble avoir été le seul des princes rebelles de cette époque à pousser aussi loin la réflexion politique et à envisager un autre cours des institutions de la France. De l'avis des ambassadeurs et mémorialistes, il n'était pas trop éloigné du succès : « Il n'est pas douteux que la ruine de ce prince a détourné de cet État une secousse imminente, car s'il était resté en vie, il pouvait s'avancer librement jusqu'aux portes de Paris où il ne lui aurait pas été difficile de soulever le peuple en sa faveur et de ranger à son parti une province entière de ce royaume » (dépêche de l'ambassadeur de Venise, Giustiniani).

Les conquêtes des armées de Louis XIII.

La fortune des armes était plutôt contraire. Louis XIII, anxieux pour l'avenir, avait décidé de consacrer son royaume, la France, à la Vierge Marie, Mère de Dieu, et ce vœu fut accompli solennellement au cours de l'année 1638. La piété mariale française était une très ancienne tradition, selon l'adage « *Regnum Galliae, regnum Mariae* », et Louis XIII personnellement vouait une dévotion particulière à la Vierge depuis sa maladie de septembre 1630. Les angoisses de l'année 1636 lui inspirèrent le projet d'un vœu plus solennel. Le texte fut présenté au Parlement de Paris en décembre 1637 afin de devenir loi de l'État. Il fut publié sous la forme d'une déclaration royale le 10 février 1638 mettant ses États sous la protection de la Vierge. Le 15 août suivant, le roi, se trouvant à Abbeville avec l'armée de Picardie, célébra le vœu pour la première fois.

Un signe de la Providence avait, aux yeux de Louis XIII,

confirmé la justice de sa cause : la reine Anne après vingt-deux années de mariage avait conçu un enfant. Richelieu, en serviteur conscient du roi et de la Couronne, avait joué un rôle psychologique certain dans le rapprochement des époux royaux, qui ne cohabitaient plus guère depuis environ quinze ans. La nouvelle, tout à fait inattendue, de la grossesse de la reine avait été connue en janvier 1638 et avait aussitôt répandu l'euphorie dans le pays. Cet événement intime était capital dans la chronique du royaume. Contre toute attente, la succession allait de nouveau être assurée ; le miracle capétien se répétait encore ; la grossesse de la reine Anne fut suivie avec autant de joie et d'attention que, une trentaine d'années plus tôt, celle de la reine Marie. Le 5 septembre 1638, au château de Saint-Germain-en-Laye, la reine Anne donna le jour à un garçon auquel on promit les noms de Louis Dieudonné. Richelieu fit tirer l'horoscope du dauphin par un dominicain italien visionnaire fameux, Tommaso Campanella, qui pronostiqua pour le nouveau-né un règne long et illustre. A Paris, l'église Saint-Germain, paroisse du Louvre, donna le signal des carillons. Dans le royaume entier les cloches sonnèrent ; les torches aux fenêtres, les feux de joie dans les rues, les barriques en perce sur les places et dans toutes les bonnes maisons scandaient l'allégresse générale.

De tels moments étaient essentiels dans la psychologie politique de l'ancien monde monarchique. Pour les mieux comprendre, il faut prendre conscience de l'entreprise de dénigrement et d'effacement du souvenir monarchique qui a cours depuis deux siècles d'apprentissage de légitimités concurrentes.

L'espoir changea clairement de camp en 1640. La campagne de 1639 n'avait apporté aucun gain sur aucun front, puis brutalement, au cours de l'année 1640, les positions espagnoles parurent s'effondrer un peu partout comme dans un château de cartes.

Sur mer, l'Espagne subissait deux échecs sanglants en face des Hollandais, perdant une grande bataille navale au large du Pas-de-Calais le 21 octobre 1639 et une autre rencontre funeste sur les côtes du Brésil au début de 1640.

En Italie, le contingent français, conduit par un nouveau jeune et valeureux général, le comte d'Harcourt, réussissait à débloquer la duchesse Christine et à lui assurer le contrôle de sa capitale, Turin (septembre 1640).

En Allemagne, l'armée mercenaire de Bernard de Saxe-Weimar, mort en 1639, était rachetée par la France. Ses colonels Erlach et Rosen, passés au service de Louis XIII et soumis au commandement du maréchal de Guébriant, pouvaient à partir de bases d'Alsace guerroyer jusqu'en Souabe. Au nord, la France marquait un avantage décisif en emportant Arras, capitale de la province d'Artois. Une offensive exceptionnelle avait été lancée en mai : 30 000 hommes vinrent bloquer la place qui n'avait que 2 000 hommes de garnison, plus 3 000 hommes des compagnies bourgeoises. Après deux mois de blocus, la ville d'Arras, sans espoir de secours, menacée d'un assaut par les brèches, vint à capituler avec les honneurs de la guerre (9 août 1640).

Le territoire alentour d'Arras, sous le nom d'Artois conquis ou Artois cédé, fut confié au gouvernement d'un intendant. Tous les privilèges de la ville étaient maintenus et la religion catholique seule autorisée. Des milliers d'Artésiens préférèrent fuir la tutelle française et chercher refuge à Lille et dans toute la Flandre. Les Pays-Bas méridionaux perdaient une de leurs plus belles provinces, un pays et une cité où l'empreinte espagnole était séculaire.

Deux catastrophes politiques plus lourdes encore vinrent accabler Philippe IV. Le royaume de Portugal et son empire d'outre-mer étaient depuis 1581 soumis au prince de Madrid dans une union personnelle. La noblesse portugaise, se révoltant contre cette tutelle étrangère, appelait à la couronne le duc de Bragance, plus proche parent de la dynastie disparue, et le proclamait roi sous le nom de Jean IV (1er décembre). La France s'empressait de conclure un traité d'alliance et de pourvoir de subsides ce nouvel allié inespéré (1er juin 1641).

La principauté de Catalogne avait été soumise, du fait du déchaînement de la guerre en Languedoc et en Roussillon, à des efforts fiscaux insolites. Ce territoire était secoué d'émeutes populaires dans les rues de Barcelone et d'attroupements paysans dans le haut pays. Le meurtre du vice-roi Santa Coloma à Barcelone le jour de la Fête-Dieu 1640 transforma le climat d'émeute en révolte sécessionniste. Exploi-

tant l'aventure, des émissaires français négocièrent le ralliement de la Catalogne. Un accord fut conclu avec les Corts,
c'est-à-dire les États de la principauté, et un représentant de
Louis XIII, le maréchal Du Plessis-Besançon, dès le
16 décembre 1640. En janvier, Pau Claris, chanoine d'Urgel,
parlant pour les États, reconnut le roi de France comte souverain de Barcelone, «comme au temps du roi Charlema-
gne». Des députés allèrent à Péronne, en Picardie, offrir leur
territoire à Louis XIII et, en réponse, le 23 février 1642, le
maréchal de Brézé avec pleins pouvoirs alla en triomphe à
la cathédrale de Barcelone prêter serment aux franchises du
pays au nom du Roi Très Chrétien son maître.

L'avancée extraordinaire des Français en Catalogne scellait à terme le destin du Roussillon où les secours espagnols
ne pouvaient parvenir que des montagnes d'Aragon ou bien
par mer jusqu'à Collioure. Au début de 1642, après une
concentration considérable de moyens, le siège fut mis devant
Salces, Collioure et Perpignan, tandis qu'une forte escadre
fermait la côte. Ayant perdu plus de 2 000 morts dans un siège
héroïque, la garnison de Perpignan, réduite à 500 survivants,
ouvrit ses portes le 9 septembre 1642. Un gentilhomme de
Roussillon, gouverneur du comté, entra le premier en ville
au nom du roi de France. Comme en Artois, les institutions
et les lois de France furent introduites en Roussillon. Comme
en Artois l'adhésion des habitants, notables ou paysans, au
changement de souveraineté était rien moins qu'évident; le
souvenir espagnol suscita dans la province des résistances
locales violentes au moins jusqu'aux années 1680.

En l'espace de deux années, le royaume de France venait
de s'agrandir de deux conquêtes essentielles, l'Artois et le
Roussillon, deux pays qui au nord et au sud poursuivaient
les paysages français, offraient des perspectives frontalières
nouvelles. La réunion de riches cantons et de bonnes villes
assurait un gain économique évident, mais c'étaient certainement les virtualités stratégiques qui tenaient le plus à cœur
aux gouvernements de ce temps. Les quelque dix années de
terrorisme fiscal et de tyrannie politique imposées à la France
par Louis XIII et Richelieu trouvaient enfin leur récompense.

Dernier écho de l'acharnement des deux hommes d'État,
un ultime complot avait été découvert à la cour. Un jeune

gentilhomme, ami personnel du roi, Henri d'Effiat, marquis de Cinq-Mars, fils du feu surintendant des finances, grand écuyer du roi, avait accepté de traiter secrètement avec des agents du duc d'Olivares. Arrêté en juin 1642, Cinq-Mars et son ami François-Auguste de Thou, fils d'un célèbre juriste, auteur d'une histoire universelle, furent jugés par une commission extraordinaire composée de magistrats liés au cardinal. La commission et ses prisonniers suivaient le cardinal ministre dans ses voyages, de sorte que c'est à Lyon, revenant de Languedoc, que les deux jeunes conjurés furent décapités, le 12 septembre 1642.

Le cardinal ne survécut guère à ses victoires et à ses victimes. Il mourut après une brève maladie le 4 décembre 1642. Il avait cinquante-sept ans; il avait gouverné le royaume continûment pendant dix-huit années.

La nouvelle de la mort du cardinal fut partout accueillie avec soulagement et souvent avec la plus grande joie. Le roi Louis XIII lui-même n'en fut pas trop accablé. Dans toutes les provinces, des particuliers allumèrent des feux de joie. Dans les jours et les semaines qui suivirent, les portes des forteresses s'ouvrirent devant les prisonniers politiques. Des Pays-Bas, de Lorraine, d'Angleterre, les exilés revinrent et se présentèrent devant les parlements pour purger leurs contumaces. Que ces retours aient commencé du vivant même de Louis XIII prouverait que les traits de férocité judiciaire provenaient bien de la volonté du ministre et que nombre de révoltes individuelles, par exemple celle du duc de La Valette, devenu serviteur dévoué de Mazarin, s'adressaient à la seule personne de Richelieu.

Richelieu laissait une fortune énorme, estimée à une vingtaine de millions de livres, moins 6 millions de dettes. La part des espèces de comptant était considérable, 4 millions en monnaies conservées dans des forteresses dont il avait le gouvernement. La part des domaines et des terres montait seulement à 25 %. La chronique méthodique de sa fortune révèle qu'à partir de 1637 son revenu annuel avait frôlé ou dépassé le million de livres. L'article le plus important dans ces revenus consistait en bénéfices ecclésiastiques. L'ampleur de cette fortune et sa structure particulière méritent l'examen. En la comparant aux autres fortunes ministérielles célèbres du même XVIIᵉ siècle, on serait tenté de n'y voir que cupidité et désir de puissance familiale. Le souci de l'honneur du nom tenait certes une forte part dans ce dessein d'enrichissement et la fondation de la ville neuve de Richelieu, à la limite du Poitou et de la Touraine, sur une terre familiale qu'il avait fait ériger en duché-pairie, en août 1631, est le témoin magnifique et avorté de cette volonté de puissance. Il faut dire que la frugalité de son train de vie et de ses goûts contrastait avec l'envergure des moyens économiques que gérait et développait son secrétaire particulier, Michel Le Masle. En effet, le cardinal savait que le pouvoir d'un ministre ne pouvait se maintenir dans une solitude superbe, qu'il lui fallait disposer pour agir plus librement et efficacement de réseaux de créatures, de fidèles et avant tout de la solidarité de parents. Il s'appliquait donc par gloire familiale et aussi par principe politique à doter ses nièces, à construire les fortunes de ses proches, de ses cousins et alliés. Il savait enfin et surtout que sa puissance économique individuelle devait répondre à l'exigence de magnificence imposée par le caractère somptuaire de l'État, qu'elle était le gage le plus visible de la force de la Couronne dont il était le serviteur et de la fiabilité des entreprises qu'il voulait mener à bien.

A l'égard de Richelieu, les historiens ont toujours professé l'horreur ou l'admiration, la sérénité n'étant guère possible tant les enjeux moraux et politiques paraissent évidents à toutes les générations. Les traits implacables du personnage avaient horrifié Voltaire et Alexandre Dumas ; encore ne jugeaient-ils le caractère du ministre que d'après les récits des chroniqueurs racontant les mises à mort de ses plus célèbres victimes, Chalais, Montmorency ou Cinq-Mars. Les opérations de terrorisme fiscal, systématiques à partir de 1636, leur étaient du tout inconnues.

La majorité des historiens donne dans l'admiration. Les auteurs hostiles à l'Église catholique lui font gloire d'avoir triomphé du parti dévot ; les nationalistes lui font crédit de l'expansion du territoire, d'annoncer le dessin des frontières de l'hexagone, où la France paraît s'épanouir dans de justes limites voulues par la nature. La plupart des auteurs tiennent la toute-puissance de l'État pour une nécessité historique et reconnaissent alors — à juste titre, si l'on admet ce postulat — chez le cardinal ministre une vision et un rôle de précurseur.

Il est certain, en tout cas, que Richelieu, comme tous les grands hommes d'État reconnus par l'histoire, a été son propre propagandiste. Il n'a pas laissé à la postérité le soin d'évaluer son œuvre et a fourni dans ses écrits personnels ou ceux de ses clients les éléments de sa louange ; il a dicté de son vivant les leçons de l'historiographie à venir.

Agissant à un moment crucial, opérant des choix radicaux dans les buts assignés à l'État — puissance et expansion au lieu de prudence et gestion —, dans les moyens de gouvernement — centralisme arbitraire au lieu d'un localisme traditionnel —, appliquant à ses desseins une intelligence aiguë et une volonté féroce, identifiant totalement ses projets et sa personne avec les raisons de l'État, il faisait dès sa mort incontestablement partie du petit nombre de personnages illustres qui ont laissé leur empreinte personnelle dans l'histoire de la France.

Le roi Louis XIII mourut cinq mois plus tard. Il n'avait pas changé les grandes lignes de la politique pratiquée du vivant de Richelieu. Pour le meilleur ou pour le pire, il y avait au moins autant de part, et l'image romantique léguée par Alfred de Vigny et Alexandre Dumas, d'un monarque velléitaire dominé par la volonté de son ministre, est tout à fait trompeuse. Louis XIII a voulu l'évolution du pouvoir royal vers l'absolutisme et l'engagement dans la guerre à outrance. Il mourut le 14 mai 1643 après trente-trois ans de règne.

Le 19 mai, cinq jours après, une forte armée espagnole entrée dans les Ardennes était arrêtée à Rocroi par un tout jeune prince, le duc d'Enghien, fils du prince de Condé. Ce n'était pas une bataille parmi tant d'autres mais une victoire éclatante, l'infanterie espagnole perdant 8 000 morts et 7 000 prisonniers. L'œuvre de Louis XIII et de son ministre trouvait là un triomphe posthume.

11

La France de la Fronde
et du ministériat de Mazarin

Louis XIII dans les derniers mois de sa vie avait rompu avec les rigueurs du cardinal, de sorte que les clients du ministre avaient commencé à leur tour à craindre pour leurs personnes et à circuler entourés de gardes et d'amis en armes. Le roi n'entendait pas toutefois rejeter entièrement la politique belliciste. Au château de Saint-Germain, le 20 avril 1643, il avait convoqué autour de son lit son frère, Condé, Séguier et les secrétaires d'État ; il leur fit lecture d'une dernière déclaration où, accordant la régence à sa veuve et la lieutenance générale du royaume à son frère, il les enfermait dans le cercle de ses conseillers actuels qu'il déclarait inamovibles. Le lendemain, le roi fit procéder au baptême de son fils qui n'avait été qu'ondoyé à la naissance ; le dauphin fut tenu sur les fonts par la princesse de Condé et par un des principaux conseillers, le cardinal Mazarin, qui avait été depuis trois ans chargé par Richelieu de conduire les négociations de paix. Le roi mourut en croyant avoir assuré la continuation de sa politique. La déclaration avait été présentée au Parlement par le chancelier et dûment enregistrée.

Le 15 mai, lendemain de la mort de Louis XIII, Louis XIV, étant devenu immédiatement roi à l'âge de quatre ans et huit mois, quitta Saint-Germain avec la reine sa mère et fit son entrée dans Paris ; le cortège mit plusieurs heures pour parvenir au Louvre à travers la foule chaleureuse des Parisiens. Le lundi 18 mai, le petit roi fut mené par sa mère au Parlement de Paris pour y tenir un lit de justice. La reine Anne, dans la même situation que la reine Marie en 1610, déclara s'en remettre au Parlement, disant que le lit de justice était « l'une des marques de la royauté » et qu'en toutes occasions le roi suivrait les conseils de la compagnie. Le duc d'Orléans puis le prince de Condé demandèrent que la reine mère soit reconnue comme régente pendant la minorité de son fils. Le chancelier Séguier, qui avait été quelques mois plus tôt le serviteur exact du cardinal, dut faire l'éloge de la reine et réclamer de la cour l'annulation de la déclaration du 20 avril. Sur l'avis de l'avocat général Omer Talon, le Parlement cassa à l'unanimité le testament du roi défunt et reconnut la reine mère pour régente avec plein pouvoir et autorité. On remarqua qu'en opinant à leur tour le conseiller Barillon et quelques autres conseillers de la chambre des enquêtes osèrent émettre des opinions ressemblant à des remontrances. Deux jours plus tard, on apprit la victoire de Rocroi sur les frontières de l'Est et le choix que la reine faisait du cardinal Mazarin pour la direction de ses conseils.

En peu de jours des cérémonies et des décisions contradictoires s'étaient succédé. Elles réclament un commentaire. Une fois de plus, la volonté d'un ministre et même d'un monarque disparu demeurait sans prise sur les lois fondamentales et la coutume qui appelaient un petit garçon au trône et plaçaient la famille royale autour de lui pour guider son gouvernement. Comme en 1610, la reine mère avait recours au Parlement de Paris non pas pour autoriser, fonder son pouvoir de régente, mais pour lui donner plus de publicité et lui obtenir une sorte de caution devant l'opinion publique. Le Parlement interprétait différemment la tenue du lit de justice ; les remontrances esquissées par certains conseillers montraient que la cour voulait y voir la reconnaissance de sa suprématie dans les conseils et dans l'État puisque son aveu était demandé avant tout autre acte de gouvernement. Enfin, dernier malentendu, la reine Anne ne souhaitait pas renvoyer tous les ministres du roi défunt ; elle prenait pour principal conseiller celui-là même que Richelieu avait recommandé avant de mourir.

Le gouvernement de la Régence.

Mazarin était un gentilhomme romain issu d'une famille protégée des Colonna. Dès sa jeunesse, ses missions dans la diplomatie pontificale l'avaient fait remarquer, notamment en 1630 lorsqu'il avait arrêté les combats devant Casale Monferrato. Il avait ensuite été employé en 1635 à Paris dans le cadre des tentatives de paix du pape Urbain VIII, et il avait eu alors le mérite et la chance de séduire Richelieu. En 1640, il avait choisi de passer au service de la France dont la puissance et les ressources l'avaient impressionné. Richelieu avait utilisé ses talents dans les négociations de paix continuées lentement et vainement chaque année en dépit des hostilités. Il avait même obtenu pour lui, sans que Mazarin fût prêtre, la dignité de cardinal (décembre 1641). C'était un honneur exceptionnel puisque les souverains pontifes n'accordaient alors à la France que trois ou quatre titres cardinalices, et une merveilleuse garantie d'indépendance pour le titulaire qui se trouvait désormais au rang des princes. Après la mort de Richelieu, Louis XIII l'avait agrégé à son Conseil pour sa compétence dans les négociations de l'Europe. Ce Méridional, plaisant et spirituel, avait belle apparence et des raffinements de manières et de culture qui avaient plu tout de suite à la reine Anne. A la différence d'autres créatures de Richelieu, comme Séguier que la reine détestait, Mazarin avait toujours eu soin de ménager Anne d'Autriche. C'est ainsi que, lorsque la reine qui voulait effectivement se débarrasser des serviteurs du cardinal défunt les plus compromis chercha un conseiller qui assurât la continuité des affaires, le nom de Mazarin s'imposa à elle.

La reine Anne d'Autriche avait compris immédiatement le poids redoutable du pouvoir et s'identifiait sans réserves aux intérêts de la Couronne de France et au salut du trône de son fils qu'elle chérissait. Elle ne contredisait pas ses attitudes antérieures, elle souhaitait ardemment la conclusion de la paix avec l'Espagne, mais, au nom de son fils, elle la voulait victorieuse. Le succès de Rocroi, s'ajoutant aux avantages accumulés depuis trois années, augurait favorablement de la fortune des armes de France ; il ne lui paraissait donc plus possible de revenir sur l'engagement militaire.

La reine était alors âgée de quarante-deux ans. Selon les témoignages des contemporains et les images des nombreux portraits où elle est représentée dans une majesté familière avec ses deux petits garçons, elle était belle et altière. On l'a dite peu intellectuelle et coléreuse, son intelligence était intuitive et impulsive. Comme la régente Marie, trente ans plus tôt, elle savait recueillir les conseils et prendre ses décisions, de sorte que, quelque influence qu'ait eu Mazarin, il n'eût jamais pu gouverner un seul instant sans la confiance et l'aveu de la reine. L'euphorie de l'opinion dura à peu près jusqu'à l'automne. La famille royale avait quitté Saint-Germain et pris résidence dans le palais que Richelieu avait fait construire, tout près du Louvre, par l'architecte Lemercier. Le Palais-Cardinal, légué à la Couronne, fut depuis cette date appelé le Palais-Royal.

Pour continuer la guerre, il fallait maintenir la pression fiscale, ce qui ne se pouvait plus du fait de l'exaspération paysanne, qu'il est loisible d'ignorer en écrivant l'histoire vue de Paris mais qui éclatait tous les jours sous les yeux des intendants de province. Le Conseil essaya de réduire le poids des tailles et d'atteindre d'autres personnes du pays échappant à l'impôt du fait des privilèges et exemptions. La plupart des villes étaient sous-imposées ou franchement exemptes, comme Paris, où les plus grandes fortunes du royaume se trouvaient concentrées. Mazarin s'en remettait dans ce domaine à l'expertise d'un intendant de finances, Michel Particelli, seigneur d'Émery, dont il avait apprécié les qualités lorsqu'il était ambassadeur en Piémont. Appartenant à une famille de riches banquiers lyonnais, monté à Paris, détenteur d'offices de finances dès l'âge de vingt ans en 1617, intendant de finances en 1629, il dirigea la politique fiscale à partir de 1643, d'abord avec le titre de contrôleur général, puis avec le titre effectif de surintendant en juillet 1647. Sa lointaine origine italienne, apparente dans son nom, et sa volonté d'atteindre les ressources parisiennes le firent particulièrement détester. Sa première innovation fut l'édit du toisé (mars 1644) instituant de lourdes taxes sur la superficie des terrains construits dans les faubourgs de Paris aux abords des murailles. La mesure suscita l'indignation des Parisiens et se heurta à l'opposition irréductible du Parlement qui refusa de l'enregistrer. En août 1644, un autre édit créa une taxe dite « d'aisés », frappant spécialement les marchands bourgeois de Paris. Le Parlement en restreignit l'assiette aux intéressés aux prêts au roi, c'est-à-dire aux financiers, ce qui obligeait à retirer l'édit pour ne pas affecter le crédit royal.

Il fallut donc revenir encore et toujours aux tailles. Depuis août 1642, les intendants étaient entièrement maîtres de l'assiette : ils reçurent dès juillet 1643 des pouvoirs supplémentaires de contrainte, la résistance antifiscale étant assimilée au crime de lèse-majesté. Le système des fermes, appliqué surtout dans la recette des taxes de consommation, fut étendu en 1645 à l'ensemble des tailles. La recette des tailles de l'année à venir était avancée au roi par des prêteurs, généralement associés dans un traité (d'où le nom de traitants) ; ceux-ci, sous le contrôle des intendants des provinces, se chargeaient eux-mêmes du recouvrement, effectué par des commis et des gardes à leur solde. Ainsi les officiers ordinaires des finances étaient entièrement dessaisis et les taillables étaient confirmés dans l'opinion que les impôts levés ne revenaient pas au roi. Mazarin agissait en matière de gestion des provinces avec la même ignorance et désinvolture que Richelieu, se préoccupant seulement de l'état du crédit au jour le jour. Aussi les illusions de l'opinion furent de courte durée et les oppositions dans tout le corps social et tout le royaume reprirent comme auparavant.

Croissance des oppositions.

Les foules populaires, qui se réjouissaient bruyamment de l'avènement d'un petit roi, ne doutaient pas que cette année 1643 ne dût amener la fin de la guerre et des exactions fiscales qui étaient liées à la personne du roi disparu et devaient disparaître avec lui. Dans beaucoup de provinces les recouvrements s'interrompirent. Le parlement de Toulouse alla jusqu'à publier, le 8 juin 1643, un arrêt qui annonçait la fin des commissions extraordinaires, celles des intendants par exemple, rappelant l'avènement de Louis XIII qui en 1610 avait fait révoquer une cinquantaine d'édits impopulaires. Cet arrêt du parlement semblait autoriser le refus de l'impôt ; une nouvelle révolte de Croquants s'éleva en Rouergue. A Villefranche, l'intendant de Haute-Guyenne, Charreton, bloqué par une troupe d'environ 10 000 paysans en armes, dut consentir à publier un texte ramenant les tailles au niveau de la jeunesse de Louis XIII. La ville de Tours et ses environs furent de même secoués en octobre par une longue révolte formée et organisée. Ces types de troubles ne cessèrent plus dans les années suivantes, couvrant sporadiquement les deux tiers du territoire. Le métier d'intendant était devenu dangereux et ceux-ci ne s'aventuraient en campagne qu'entourés de fortes escortes d'archers.

A la cour, le pouvoir de Mazarin aurait pu être mis en cause dès l'été 1643 ; le duc de Vendôme, bâtard d'Henri IV, et son fils le duc de Beaufort avaient pris la tête de l'opposition au nouveau cardinal ministre. Leurs menées furent arrêtées en septembre 1643 par Mazarin, qui osa faire enfermer Beaufort à la Bastille. Ce coup d'autorité marquait la volonté du ministre de s'accrocher au pouvoir et annonçait à l'opinion sa vraie mesure politique, sa résolution, la fermeté de la confiance de la reine à son endroit et la continuité des ministériats, de Richelieu à Mazarin. Cette petite aventure de cour avait été appelée par dérision la « cabale des Importants ».

Au printemps 1645, le vacarme suscité à Paris par l'édit du toisé trouvait un écho au Parlement, où le conseiller Barillon et quelques autres jeunes parlementaires tentaient d'entraîner la cour dans des arrêts antifiscaux. Là encore, Mazarin ne voulut pas se laisser faire ; il fit exiler Barillon en province et tint bon en dépit des protestations du président Molé, de l'avocat général Talon et en dépit même d'une grève des chambres durant trois mois. Un lit de justice tenu le 7 septembre 1645 imposa au Parlement l'enregistrement de plusieurs textes discutés. A cette occasion, Talon, dans sa harangue à la reine, osa dénoncer une sorte de gaspillage de l'autorité royale, de telles cérémonies ne devant servir qu'en des circonstances où le salut de l'État était en jeu.

En 1647, la Couronne était à bout d'expédients ; les armées françaises en Italie et en Catalogne marquaient le pas ou reculaient ; le gouvernement n'avait plus ni la confiance de l'opinion ni le crédit des financiers. Les efforts de diversification de la pression fiscale s'en prenaient de nouveau à Paris où un édit de tarif (octobre 1646) avait augmenté les droits d'entrée des marchandises dans la capitale, et à la bourgeoisie d'offices, la catégorie sociale qui recelait sans doute les fortunes sinon les plus importantes du moins les plus mobiles. Particelli recourait une fois de plus aux créations d'offices et aux marchandages accompagnant chaque renouvellement du droit annuel permettant l'hérédité des offices. Particelli et Mazarin savaient la puissance sociopolitique des officiers et le danger de paraître défier leur mécontentement mais, dans l'impasse où se trouvait le pouvoir, les ministres croyaient à la nécessité d'un choc psychologique, d'une dramatisation des décisions, afin de ranimer la confiance des bailleurs d'argent dans la résolution et la solidité du Conseil.

C'est pourquoi, le 15 janvier 1648, fut tenu un second lit de justice, pour forcer l'enregistrement d'une nouvelle collection d'édits fiscaux. Le montant des recettes attendues ne paraissait pas justifier cet appareil exceptionnel. Dans sa harangue, grand morceau d'éloquence pathétique, l'avocat général Talon dit à la reine qu'il souffrait de ce déploiement superflu d'autorité, donnant le spectacle du petit roi de neuf ans qui pleurait en lisant son texte. Il fit un tableau terrible des misères du pays, des milliers de redevables des tailles qui encombraient les prisons, du contraste de ces malheurs avec le luxe impudent des traitants. Ce discours, brûlant et médité, fut imprimé et largement diffusé dans les provinces où ces copies encouragèrent la résistance d'autres parlements, comme ceux de Rouen et d'Aix, eux-mêmes aux prises avec des menaces de créations de nouveaux offices en leur sein.

Particelli, le 30 avril, publia les termes du renouvellement du droit annuel ; il était accordé gratuitement au Parlement de Paris, alors qu'il était soumis pour les autres cours souveraines à une forte suppression de gages. Le bruit en avait circulé avant la publication et, dès le 29 avril, les magistrats de la Cour des aides, de la Chambre des comptes et du Grand Conseil s'étaient réunis dans une des salles du Palais de justice, la chambre Saint-Louis. Il faut dire que le vieux palais, à la pointe de l'île de la Cité, abritait les diverses cours souveraines de la capitale et que la galerie qui les desservait était couverte d'éventaires de métiers de luxe, libraires, parfumeurs, marchands d'estampes, et de buvettes, de sorte que le palais était un lieu de rendez-vous, une salle des pas perdus, un passage commerçant, le carrefour des modes et des nouvelles. A la chambre Saint-Louis, le conciliabule était rejoint par des conseillers au Parlement encouragés par Pierre Broussel, un digne conseiller septuagénaire, réputé pour son intégrité et son souci des pauvres. Le Parlement finit par s'associer en corps et, le 13 mai, rendit un arrêt d'union qui autorisait les délibérations communes des quatre cours dans l'assemblée de la chambre Saint-Louis.

Par lettre de cachet du 23 mai, la régente dénonça la nullité de ces délibérations, puisque « faire de quatre cours souveraines une cinquième sans autorité du roi et sans autorité légitime, c'est chose sans exemple et sans raison, que c'est une espèce de république dans la monarchie, l'introduction d'une puissance nouvelle ».

La Fronde.

Les termes de la lettre royale étaient pertinents : le principe même de l'assemblée de la chambre Saint-Louis était insurrectionnel, et le rapprochement avec le serment du Jeu de paume, avec toutes les réserves que doit susciter un tel anachronisme, peut mieux faire comprendre la portée institutionnelle de l'événement. Assurément, les magistrats frondeurs rejetaient hautement cette étiquette ; à leurs yeux, les lits de justice de 1645 et 1648 étaient abusifs, contraires à la coutume de la Couronne puisque jamais auparavant de telles cérémonies n'avaient été tenues au cours d'une minorité. Une régence avait le devoir de conserver les pouvoirs de la monarchie mais ne devait pas les modifier. Le rôle de conseil et de remontrance du Parlement devait être plus respecté que jamais dans une période critique comme une minorité, et les lits de justice destinés à faire taire ses sages conseils étaient une preuve de la tyrannie des ministres qui usurpaient la confiance du petit roi. Les magistrats du Parlement de Paris se regardaient comme « les pères de la patrie », les tuteurs de l'État, les dépositaires des institutions les plus sacrées, et leur devoir immédiat était donc de dénoncer les excès de pouvoir des ministres et les malversations de leurs financiers.

Les arguments des parlementaires étaient d'autant mieux reçus dans l'ensemble du royaume que l'opinion publique reflétait peu ou prou celle des gens de justice et que tous les corps d'officiers avaient à se plaindre de l'évolution du pouvoir. Les administrations de la justice et des impôts, auxquelles se ramenait tout l'exercice politique en dehors de la capitale, avaient été jusque dans les années 1630 assurées par des officiers propriétaires de leurs charges, c'est-à-dire des notables locaux connaissant bien leur ressort mais, de même, liés à ses intérêts particuliers. Depuis 1635, ces officiers ordinaires avaient été dessaisis systématiquement et remplacés par les intendants ou, pis, par les agents des traitants. Ils avaient protesté pacifiquement, comme ils en avaient le droit, par le canal de leurs députés ou syndics. En effet, depuis Henri IV, les trésoriers et les élus avaient l'habitude d'envoyer à Paris, à leurs frais collectifs, quelques-uns des leurs, chargés de négocier au Conseil un problème corporatif comme leurs gages, leurs droits levés sur les actes de la pratique, etc. Ce procédé de suivre une affaire au Conseil, d'envoyer des députés à la suite de la cour n'appartenait pas aux seuls officiers, tous les intérêts du royaume y pouvaient recourir, une ville, un syndicat de plusieurs paroisses, des églises protestantes, un métier ou toute autre communauté. L'arrêt d'union et les discussions de la chambre Saint-Louis avaient d'ailleurs été préparés par ces députés et syndics qui se démenaient beaucoup à Paris depuis le début de l'année. Jour après jour, les nouvelles des événements parisiens étaient envoyées en province par les lettres de ces magistrats activistes ou par des feuilles imprimées à leur initiative. Les progrès de la Fronde étaient ainsi suivis à Toulouse, Aix ou Dijon avec la même passion. Le mot de «fronde» était apparu au printemps, comparant les mécontents aux écoliers jouant à la fronde dans les fossés des remparts et déguerpissant à la vue des archers.

En face, le Conseil du roi ne pouvait accepter le défi institutionnel des magistrats frondeurs. Le chancelier Séguier faisait valoir que l'autorité du roi ne se divisait pas, qu'elle n'était pas moindre durant une régence et que le devoir du Conseil était d'arrêter les usurpations extravagantes des parlementaires. Jusqu'au 10 juin, le Conseil tenta d'obtenir la dispersion de la chambre Saint-Louis, mais en dépit des interdictions les réunions persistaient. A la fin de juin, Mazarin et le duc d'Orléans firent comprendre à la reine la nécessité de composer. La chambre Saint-Louis, dûment autorisée, délibéra officiellement du 30 juin au 9 juillet et parvint à rédiger une charte en 27 articles constituant un vrai plan de réforme de l'État. Ce texte fut aussitôt imprimé et diffusé dans tout le royaume.

Un premier article, décidé dès la première séance, portait que « les intendants de justice et toutes autres commissions extraordinaires non vérifiées ès cours souveraines » étaient révoqués. Les tailles étaient réduites du quart et seraient levées selon les formes anciennes par les élus et leurs receveurs (art. 2). Les impôts à l'avenir seraient soumis au consentement des parlements avec liberté des suffrages (art. 3). Tous les traités et fermes d'impôts étaient révoqués et les participants contraints de comparaître devant une chambre de justice. Il était même stipulé (art. 6) qu'aucun sujet du roi ne devait être détenu plus d'un jour sans être présenté à son juge ordinaire.

Ce texte fondateur instituait un nouveau style de gouvernement où le souverain aurait perdu son caractère absolu, clairement limité par la consultation et le consentement des cours souveraines en matière de justice et d'impositions. Il n'y avait là rien d'utopique ou d'impossible puisque l'opinion était alors à l'unisson et que les modèles étrangers ne manquaient pas dans les monarchies du Nord et de l'Est soumises à des assemblées d'États, ou dans les républiques oligarchiques de Venise ou des Provinces-Unies.

Dans l'immédiat, le pouvoir n'avait d'autre choix que de s'incliner. Des déclarations royales, les 1er, 18 et 31 juillet, ratifièrent la plupart des propositions de la chambre Saint-Louis.

Le 7 juillet, Particelli, renvoyé, se retira dans son château de Tanlay, en Bourgogne. Dans les jours suivants, tous les intendants furent rappelés, sauf six, établis sur les frontières, limités à des fonctions militaires. Partout dans le royaume, les nouvelles de Paris avaient déchaîné l'enthousiasme, le soulagement et l'espérance. Les recouvrements d'impôts s'étaient presque totalement interrompus. Le mois de juillet fut une explosion d'allégresse antifiscale. En peu de jours, les intendants, les fusiliers des tailles, les commis des fermes avaient complètement disparu, pourchassés parfois, cachés, enfuis, repartis vers la capitale. Certains intendants s'étaient appliqués au cours des dernières semaines à ménager les notables pour s'assurer un départ dans la dignité. Les plus courageux avaient quitté leur province vers le 25 juillet. Tout l'ordre extraordinaire mis en place depuis

1635 avait été balayé. La Fronde avait réussi. La France pouvait entrer dans un autre destin.

Ici encore la chronique politique de la capitale ne saurait résumer l'histoire du pays. En s'en tenant aux récits laissés par de grands nobles ou par des magistrats, on est tenté de majorer le rôle des parlements et des ministres et de négliger l'immense élan qui soulevait le royaume à l'été 1648. La Fronde ne se limitait pas à l'impatience des bourgeois de la capitale ou aux prétentions des parlementaires, elle était une puissante crise de rejet de l'absolutisme naissant. Tous les groupes sociaux, toutes les provinces partageaient cette attente.

Les guerres civiles de Mazarin.

En fait Mazarin n'avait pas admis sa défaite. Tout au long des cinq années de crise qui allaient suivre, aux instants les plus noirs de ses exils, il sut pouvoir compter sur le soutien de la reine qui incarnait la légitimité en France. Cette relation privilégiée a pu faire imaginer qu'Anne et son ministre auraient été secrètement mariés ; il n'en est rien, il est même vraisemblable que leurs liens n'ont pas dépassé l'affection, quoi qu'en aient pu dire les commérages des pamphlets frondeurs. On a conservé des lettres chiffrées échangées pendant les exils du cardinal ; elles révèlent des sentiments de dévouement et de tendresse, et la plus grande force de Mazarin était là, dans la confiance passionnée de la reine. Le cardinal ne représentait pas plus l'État qu'un autre ministre, et il avait moins de vocation à le faire que les princes du sang. La légitimité résidait dans les personnes royales, toute l'habileté et tout le mérite de Mazarin consistaient à en avoir capté la confiance. L'opinion publique en était, à bon droit, scandalisée et cette indignation passait dans un flot de textes éphémères que l'on a appelés globalement les « mazarinades ».

Parmi ces pamphlets, une vie burlesque de Mazarin, publiée par Scarron en 1651, portait le titre de *Mazarinade* sur le mode de l'*Iliade*, et le mot avait fait aussitôt fortune. Entre le printemps 1648 et l'été 1653, on dénombre environ 5 000 textes relevant de cette polémique au jour le jour. Les imprimeurs et les auteurs étaient le plus souvent parisiens mais le genre fleurit aussi à Rouen, Aix et Bordeaux. Le type de texte le plus fréquent se limitait à 8 pages, tirées à moins de 1 000 exemplaires, imprimées en une nuit et vendues le lendemain sur le Pont-Neuf ou dans les rues marchandes où les libraires tenaient boutique. La plupart couraient en style burlesque et presque toutes ces feuilles étaient opposées à la cour (seulement 600 textes sur 5 000 favorables à Mazarin).

On a vu l'importance de telles feuilles dans la diffusion des événements de 1648. Ce rôle de propagande et d'information provocatrice se poursuivit dans des *Courriers français*, *bordelais* et autres *Nouvelles de Paris* qui donnaient ainsi le dernier mot des troubles.

Dans l'histoire de l'opinion publique, cette extraordinaire explosion d'expression peut paraître unique par sa précocité et son ampleur, elle n'est pas toutefois sans exemple. La crise de la Ligue avait fait paraître un millier de textes comparables, les troubles du ministériat de Concini avaient suscité pareillement plusieurs centaines de ces pamphlets et, bien plus tard, les premiers mois de la crise révolutionnaire de 1789 verraient exploser le nombre des feuilles publiques et polémiques. La force de ce courant littéraire vient confirmer, s'il en était besoin, la profondeur des ressentiments, l'exacerbation des passions, l'ivresse de liberté qui secouaient le royaume et l'importance historique de la période.

Mazarin était réduit à manœuvrer, ruser, imposant l'autorité dès qu'il le pouvait, puis s'effaçant lorsque le torrent était près de l'emporter. De 1648 à 1650, il tenta trois coups de force pour arrêter le cours de la Fronde, trois initiatives brutales qui envenimèrent la situation et traduisaient son impuissance envers un mouvement que, comme jadis Henri III envers la Ligue, il avait sous-estimé, prenant pour une cabale de robins et de courtisans la vague de fond qui venait du pays tout entier.

Le 20 août 1648, sous les murs de Lens, le prince de Condé remportait un nouvelle brillante victoire en bataille rangée sur une forte armée espagnole. Mazarin crut bon de saisir l'occasion pour faire arrêter Broussel et quelques autres meneurs parlementaires. Le bruit dans le quartier de la Cité de l'arrestation du vieux conseiller par des mousquetaires donna le signal de trois journées d'émeute. Comme autrefois en 1588, en quelques heures, la capitale fut hérissée de barricades, la milice bourgeoise en armes dans ses quartiers et les chaînes tendues au bout des rues. Le chancelier Séguier échappa de peu au lynchage aux cris de « Broussel et liberté », et les quelque 7 000 soldats royaux ne contrôlèrent plus que les approches du Louvre.

Le Conseil du roi dut se résigner à libérer Broussel et confirmer par une nouvelle déclaration (22 octobre) tout le programme frondeur. De la sorte, la paix de Westphalie, signée le 24 octobre, passa à peu près inaperçue de l'opinion française.

Derechef, au début de 1649, Mazarin voulut profiter de la venue autour de Paris des régiments de Condé en quartier d'hiver. La nuit du 5 janvier 1649, après avoir affecté de fêter les Rois, la reine et son fils quittèrent Paris et allèrent se réfugier à Saint-Germain derrière des cordons de troupes. Paris et le Parlement se réveillaient privés de leur roi et assiégés par l'armée du prince de Condé, environ 10 000 hommes bloquant les abords de la capitale. Le royaume entrait dans une guerre civile qu'aucun frondeur n'avait voulue. La défense de Paris, révoltée malgré elle, revenait aux compagnies bourgeoises et aux gentilshommes qui avaient mis leur épée au service de la capitale, les ducs de Beaufort, de Bouillon, de La Rochefoucauld, etc. Les campagnes d'Ile-de-France furent cruellement ravagées par les royaux, et bientôt la cherté apparut en ville. De son côté, le parti de la cour se trouvait isolé, car la plupart des provinces ralliaient la cause de la capitale. Le Conseil et les émissaires du Parlement durent traiter et conclure une paix brusquée à Rueil (11 mars 1649).

Au cours des mois suivants, le prince de Condé, vainqueur de Rocroi à Lens, bouclier du parti de la cour, affirmait sa place prépondérante dans les conseils. Le cardinal ourdit alors un troisième coup de force. Il fit arrêter par surprise Condé, son frère le prince de Conti et son beau-frère le duc de Longueville, enfermés au donjon de Vincennes le 18 janvier 1650. L'idée tactique était de s'assurer la plénitude du pouvoir et de rallier les Parisiens qui se souvenaient des rigueurs du siège conduit par Condé. Aussitôt après le coup de théâtre, la régente et le jeune Louis XIV partirent pour une promenade militaire pour montrer la force armée dans les provinces, où

Condé avait ses clientèles et ses domaines, et faire acclamer la personne du petit roi, comme jadis d'autres rois adolescents, Charles IX en 1565 ou Louis XIII en 1614. La Normandie, le Berry, la Bourgogne furent parcourus sans peine de janvier à avril.

Une autre expédition royale vers le Sud-Ouest s'avérait nécessaire et plus lourde de danger. En effet, la famille de Condé comptait en Guyenne de nombreux alliés et obligés depuis le temps où Richelieu avait employé le défunt prince de Condé pour contrer l'influence d'Épernon disgracié. En outre, le duc de Bouillon y était le seigneur le plus puissant et le plus populaire, ses domaines et ses partisans couvrant tous les pays du bassin de la Dordogne. L'Aquitaine devenait dès lors le plus ferme bastion de la cause frondeuse et condéenne. En mai 1650, la princesse de Condé, passée secrètement dans le Midi, donnait le signal de la prise d'armes. Sur le passage de sa chevauchée triomphale, en Bas-Limousin, Périgord et Bordelais, des foules joyeuses accouraient criant « Vive le roi et les princes, et foutre du Mazarin ».

L'armée royale et la cour, transportées à Bourg-sur-Gironde, en juillet, tentaient de bloquer Bordeaux, où la résistance était animée par la princesse et Pierre Lenet, conseiller au parlement de Dijon, le plus fidèle auxiliaire de Condé. Une paix de compromis ouvrit les portes de Bordeaux le 5 octobre 1650, et la cour reprit le chemin de Paris.

Au Conseil du roi, le duc d'Orléans jouait désormais un rôle primordial. Le programme frondeur édulcoré était son œuvre ; il lui semblait que la paix civile n'était plus troublée que par la personnalité encombrante du cardinal. Ce dernier, conscient de l'évolution politique, essaya un ultime coup de théâtre qui cette fois échoua. Le 13 février 1651, Mazarin se rendit lui-même à la citadelle du Havre, où les princes avaient été transportés en août, et il leur ouvrit les portes de leur prison, espérant les rallier contre la Fronde parlementaire. Tandis que les princes, indifférents à ses offres, gagnaient la capitale, Mazarin choisissait de s'exiler, s'en allant résider à Brühl dans les terres du prince-évêque de Cologne. La reine et le roi demeuraient dans Paris et le duc d'Orléans dominait le Conseil. Il croyait possible de conclure la crise par une réunion des États généraux comme en 1614, comme Mazarin lui-même l'avait envisagé en mars 1649 pour répondre aux attentes confuses de l'opinion et concurrencer le prestige du Parlement confronté à une instance réellement représentative.

L'année des États généraux.

Pendant cette année 1651, Mazarin parut disqualifié, condamné par des arrêts des parlements et même par une déclaration royale du 5 septembre, le bannissant à perpétuité comme « perturbateur du repos public ».

Au Conseil du roi, les luttes d'influence battaient leur plein, autour de la régente et de ses ministres comme Lionne et Servien, opposant Condé, Orléans et les frondeurs modérés comme le président Molé, nommé garde des Sceaux.

Dans le pays, le moment semblait venu de trouver les nouvelles lois de l'État. Cette revendication fut d'abord portée par des assemblées informelles de noblesse survenant à Paris dès le début de février, avant la libération des princes, justement pour la réclamer. Au-delà de l'arrivée des princes à Paris, les assemblées persistèrent et attirèrent de plus en plus de participants au couvent des Cordeliers. Jusqu'à 800 gentilshommes d'Ile-de-France et des environs vinrent parfois discuter, siégeant et parlant sans hiérarchie, selon les convenances de solidarité et d'égalité du corps de la noblesse. Le but premier était de défendre la paix du plat pays contre les ravages des gens de guerre, de revendiquer pour la noblesse un droit à l'expression politique, comme le clergé dans ses assemblées tenues régulièrement depuis le règne de Charles IX, ou comme était supposé le faire le tiers état par la voix de ses magistrats. L'assemblée était tenue en suspiscion par le Parlement qui prétendait, avec la séance des pairs du royaume et des conseillers clercs, représenter les trois ordres, et par le pouvoir royal qui redoutait la multiplication des instances oppositionnelles. Les nobles assemblés scellaient leur résolution par un acte d'union, s'efforçaient d'obtenir l'adhésion d'autres provinces et obtenaient du duc d'Orléans qu'il fût leur porte-parole et plaidât pour une convocation des États généraux, dernier moyen de sortir des querelles de personnes et de factions. L'assemblée se sépara le 25 mars après

la promesse d'une convocation des États généraux à Tours
le 8 septembre.

De juin à août 1651, sans doute dans tout le royaume, des
députés des trois ordres furent élus et des cahiers de doléances rédigés, dans les hôtels de ville, dans les églises des paroisses rurales «au son de la cloche». Les premiers députés
arrivèrent à Tours vers la fin d'août. Quelques cahiers ont
été conservés, par exemple ceux des tiers états d'Agenais et
de Touraine, et aussi quelques cahiers de noblesse. Avec ces
rares textes, on peut dessiner les grands traits d'une idéologie frondeuse méconnue, qui ne se confond ni avec les articles juridiques des parlements, ni avec les exigences des
frondes princières, une troisième Fronde, plus profonde, plus
obscure et plus représentative.

Les doléances tenaient pour acquis les principes des déclarations royales de 1648, suppression des intendants, consentement à l'impôt; elles s'attardaient sur les conditions de
l'administration du royaume, réglementation sévère des logements des gens de guerre, rigueur et efficacité de la justice
royale, retour des tailles au temps du roi Henri IV. Elles
demandaient au roi de ne plus créer d'offices nouveaux et
de respecter les prérogatives des anciens officiers. Elles voulaient voir disparaître la plupart des officiers de finance, un
seul agent d'États provinciaux pouvant suffire à toute la gestion et au port des tailles directement au Trésor royal. Enfin,
elles réclamaient que les États généraux, seuls capables de
dire les réalités du pays, reçoivent une périodicité. Avec cette
dernière revendication, essentielle, on retrouvait l'image d'une
monarchie contrôlée par les États, dépourvue de fiscalité centralisée, laissant donc la réalité du pouvoir aux instances locales, un peu les cours de justice, surtout les villes et la noblesse.

L'espérance fut déçue. Ni le Parlement, ni la cour, ni Condé
ne souhaitaient entendre l'avis des États. Le 7 septembre 1651,
Louis XIV, ayant atteint l'âge de treize ans, fut proclamé
majeur et la réunion des États renvoyée à plus tard. Il devenait évident que Mazarin, depuis son exil rhénan, avait cor-
respondu avec la reine par des émissaires et n'avait cessé de
lui dicter des directives. Condé se retira dans le Sud-Ouest où
il s'était fait attribuer le gouvernement de Guyenne. En janvier 1652, Mazarin, ayant recruté 6 000 mercenaires alle-

mands, entrait en France et rejoignait la cour à Poitiers. La guerre civile recommençait, plus dure que jamais. Le parti de la cour tenait le Centre-Ouest, Condé le Sud-Ouest et la capitale demeurait contrôlée par le Parlement.

L'hypothèse d'une réunion des États ne disparut pas tout à fait. Le duc de Longueville, gouverneur de Normandie, en maintenait l'assurance dans sa région encore pendant l'hiver 1651-1652. En février 1652, les assemblées de noblesse reprirent en Ile-de-France, Orléanais et Normandie. Les plus zélés étaient les gentilshommes beaucerons qui élisaient parmi eux des responsables destinés à les commander en cas de besoin pour le service du roi. Des assemblées se tinrent jusqu'en juillet, s'efforçant d'étendre le mouvement à d'autres provinces autour du noyau nordiste dit des « Bailliages unis ». Le duc d'Orléans demeurait attaché à cette solution mais, comme toujours, plus par indolence que par lâcheté, hésitait à soutenir jusqu'au bout son opinion. Ce fut en mai 1653 que le Conseil du roi mit définitivement un terme à l'espérance d'États. Il ne serait plus question de recourir à cette grande instance traditionnelle avant la fin du XVIIIe siècle.

La guerre condéenne.

La parole était aux armes seules. Cet ultime avatar de la crise se ramenait à une confrontation militaire entre le parti de Condé et le parti de la cour. Louis II de Bourbon, prince de Condé (1621-1686), génial capitaine, individu volontaire, orgueilleux et implacable, ne se voulait pas un meneur politique ; il avait été le plus efficace soutien des droits de la Couronne et n'avait été rejeté dans la révolte que par la défiance de Mazarin ; il se défendait d'être « un homme de sédition ». A la différence du comte de Soissons disparu ou du vieux duc d'Orléans, il détestait l'image d'un royaume libertaire sous une monarchie limitée, il n'avait pas d'autre conception politique que celle de la cour et adhérait pleinement aux principes de l'absolutisme ; il ne faisait la guerre qu'à la personne de Mazarin. Certes, les bourgeois de Paris ou de Dijon qui soutenaient sa cause étaient acquis aux idées frondeuses, mais la forme de gouvernement issue d'une victoire de Condé les aurait sans doute déçus car elle n'aurait, selon toute vrai-

semblance, guère été différente du modèle louis-quatorzien.
Dès 1652 Condé avait négocié avec l'Espagne, et les historiens vertueux ont stigmatisé sa « trahison » ; en fait, il maintint toujours des rapports de souveraineté, traitant d'égal à
égal, se considérant comme dépositaire de la vraie légitimité
française, voulant arracher le royaume aux griffes de
Mazarin.

Condé s'était replié sur le bastion aquitain. Il n'en était
toutefois pas entièrement le maître. Depuis 1651, dans la
petite bourgeoisie des robins bordelais, s'était formé un parti
radical, défendant les libertés de la ville contre l'emprise du
pouvoir central et même contre le prestige social du parlement de Guyenne. Dans la situation obsidionale connue par
Bordeaux et ses environs dès l'été 1652, ce parti avait pris
tout le pouvoir en ville. Il portait le nom d'Ormée, d'après
une promenade où ses partisans avaient eu leurs premiers
rendez-vous. L'Ormée expulsait les modérés, édictait des
règles terribles contre les tièdes pour mettre la ville assiégée
à l'abri d'une surprise. Certains auteurs ont cru voir là une
intention révolutionnaire qui ne reflétait que la situation dramatique de la cité, exactement comparable à celle de Paris
pendant l'été 1652. Dans chaque cité, le blocus imposé par
les régiments royaux, l'isolement, la crainte des affres d'un
siège ou d'une surprise militaire, avivaient les factions et les
soupçons. Les condéens à Paris, les ormistes à Bordeaux,
recouraient ainsi aux précautions autoritaires usitées ordinairement dans les villes assiégées.

En effet, dans la capitale, nombre de parlementaires et de
bourgeois se lassaient des malheurs de la guerre civile, alors
que se faisait menaçante l'armée royale commandée par un
autre général valeureux, le vicomte de Turenne (1611-1675).

Condé, résolu à ne compter que sur lui-même, quitta secrètement le Midi et, prenant la tête de l'armée parisienne, réussit
à arrêter les royaux à Bléneau (7 avril 1652). La supériorité
des vieilles troupes royales finit cependant par s'imposer en
quelques mois de campagne meurtrière autour de Paris,
notamment au combat du faubourg Saint-Antoine (2 juillet).

Le 4 juillet, une assemblée de bourgeois parisiens à l'Hôtel
de Ville, tentant d'imposer des négociations, fut attaquée par
une foule de frondeurs populaires ou de soldats condéens et

plus de 200 bourgeois y trouvèrent la mort. La tutelle de Condé sur la capitale ne survécut pas à cet épisode. La victoire militaire lui échappait, la lassitude accablait ses anciens partisans. Comble d'habileté, Mazarin s'éclipsa en août, se retirant dans un second exil volontaire à Bouillon, dans les Ardennes liégeoises. Le 14 octobre, Condé abandonna Paris, prenant le chemin des Flandres espagnoles.

Le 21 octobre, le jeune Louis XIV revint triomphalement dans sa capitale. Le 3 février 1653, Mazarin lui-même se fit applaudir en rentrant dans Paris.

Le Sud-Ouest frondeur tenait bon. Il fallut encore de longs mois de guerre civile et un difficile blocus de Bordeaux pour que l'Ormée et les condéens perdent leur crédit dans la ville et qu'enfin le prince de Conti se résigne à en ouvrir les portes (31 juillet 1653). La dernière place frondeuse à se rendre fut Villeneuve-sur-Lot (13 août).

L'échec de la Fronde.

Comment la Fronde généreuse et libertaire de l'été 1648, ou celle de l'été 1651, triomphante alors dans tout le pays, ne put-elle s'imposer ?

L'appui de la reine à Mazarin et l'habileté du cardinal-ministre ont joué leur rôle, mais surtout les Frondes ont été divisées contre elles-mêmes et n'ont jamais trouvé un chef politique capable de les réunir. Orléans n'en avait pas le caractère et Condé n'en avait pas la conviction. Le Parlement de Paris était loin d'être unanime ; les arrêts les plus radicaux n'y furent pris qu'avec une majorité relative. Les procès commencés contre les traitants ou certains intendants terroristes n'y furent jamais menés à leur terme, car le système fiscal avait assez duré pour corrompre de vastes pans de la société intéressés aux fermes, de sorte que de nombreux parlementaires participaient aux prêts et spéculations sur le Trésor royal et ne mettaient pas trop de zèle dans ces poursuites.

La recherche de déterminismes sociaux des partis serait lourde d'erreurs et de confusions : on retrouvait en effet dans chaque camp des représentants de chaque ordre, de chaque corps, voire de chaque famille. Tout au plus rencontrait-on plus souvent chez les « mazarins » les officiers de finance et les intéressés des fermes, tandis que les paysans et les foules populaires, lorsqu'ils n'étaient pas accablés par la cherté ou la peur, s'engageaient généralement derrière la Fronde. Le choix des partis, les clivages des provinces, des villes et des familles suivaient plutôt les hasards des clientèles et des fidélités, des gentilshommes provinciaux allant à la suite de leur gouverneur, des paysans s'enrôlant à la suite de leur seigneur. Les gouverneurs des provinces étaient souvent maîtres du jeu, entraînant la plupart des nobles locaux et des magistrats des cités dans leur cause qu'eux-mêmes avaient choisie du fait d'un cousinage ou d'une amitié.

Dans nombre de villes, le destin politique hésitait. Les assemblées de ville ne furent jamais si fréquentées que dans ces années-là, se gonflant d'artisans et de boutiquiers dont l'affluence insolite venait déranger les habituelles oligarchies. Des gouverneurs, des intendants, des généraux suscitaient parfois ces grandes assemblées de tous les corps et communautés d'une ville : ainsi, en mars 1652, l'intendant Heere à Angers ou le comte d'Harcourt à Agen. Les factions locales traditionnelles qui s'exacerbaient pour une taxe, une cherté ou une élection disputée à l'échevinage se transformaient en petites guerres urbaines opposant violemment des familles irréconciliables. Les factions nationales venaient compliquer les clivages locaux, ou bien les recouper. Ainsi, à Angers, Saint-Maixent et Carcassonne, les partis locaux opposaient clairement les robins tenant pour la cour et la bourgeoisie marchande pour la Fronde. Dans les grandes villes, résidences de cours souveraines, les municipalités se partageaient entre clients et adversaires des magistrats, comme à Toulouse, Bordeaux, Rouen et Aix. Généralement, ces contradictions se traduisaient par le remplacement brutal des échevins ou consuls ou par le dessaisissement de la municipalité au profit d'instances extraordinaires, ressemblant à des conseils de guerre, décidant des taxes, des expulsions et des mesures de sécurité. Les clivages apparus pendant les années de crise allaient perdurer, bien au-delà du souvenir politique de la Fronde. Un même clan familial avait pu se trouver tour à tour frondeur puis mazarin, ou vice versa. Ces avatars étaient oubliés mais les haines civiles continuaient à Aix, Sarlat, Angers, etc., et persistaient parfois pendant plusieurs décennies.

La plupart des villes de 1649 à 1652 n'avaient été sûres pour aucun parti. Comme à Paris, le poids de la rue et les mobilisations de clientèles pouvaient faire basculer le pouvoir local. Ainsi en 1652, à Orléans, Nevers, Moulins, on adhérait à la cause royale mais on demandait l'exclusion de Mazarin. Agen ou Limoges fermaient leurs portes aux soldats tant royaux que condéens. Des bourgades passaient des traités avec des régiments, s'alliaient entre elles, marchandaient leurs ralliements. Chaque village fermé jouait un rôle autonome, le royaume avait l'apparence d'une mosaïque de solidarités de lieu, d'agrégat de petites patries citadines, d'un tissu complexe de corps et communautés, de clientèles et parentèles.

En 1653, la paix revenue, l'expérience des autonomies locales parut inacceptable au pouvoir restauré. Le Conseil du roi appesantit l'influence des agents du pouvoir central, limita les privilèges des villes, contrôlant ou tentant de confisquer les revenus des maisons de ville, restreignant les collèges électoraux. De 1653 à 1657, les élections à Angers furent trois fois annulées, les corps de ville réduits à Béziers, Dijon, Limoges, Aix, Marseille, etc. Sans grand succès encore, mais clairement et obstinément le Conseil du roi avait entrepris de démanteler les anciennes libertés provinciales.

La lutte d'une monarchie utopique parcellisée en myriades de libertés locales contre l'absolutisme naissant devait accorder la victoire, comme fatalement, à la cause du centralisme. Il est enfin une donnée psycho-politique rarement citée et pourtant essentielle. En 1649, la révolution anglaise mettait à mort son roi Charles Ier ; cette nouvelle incroyable frappa d'horreur le profond légitimisme des Français et conduisit la Fronde à se défendre d'une telle assimilation, à douter d'elle-même. Le reflux de l'agitation parlementaire, très sensible en 1651 et 1652, en fut sans doute une conséquence.

Mazarin, surtout, avait su constamment s'identifier à la légitimité. Il se savait indispensable auprès de la reine Anne, impulsive et isolée parmi les conseillers divisés ou dépourvus d'influence dans les provinces. Mazarin pariait sur une cause pluriséculaire et riche d'avenir, la force de l'État français. Ce calcul était compris tout aussi bien par les soldats des régiments suisses, qui, bien que non payés, demeuraient

au service du petit Louis XIV ; ils savaient que la légitimité
était liée à la seule personne du roi et que la victoire appartiendrait à ceux qui lui resteraient le plus longtemps et le plus
obstinément fidèles.

Mazarin et les séquelles de la Fronde.

Le roi, proclamé majeur en 1651, n'avait pas encore été
sacré. Selon la coutume de la monarchie, aucun terme particulier n'était requis. Il sembla que le retour de la paix civile
devait être solennisé de cette manière. Louis XIV fut sacré
à Reims le 4 juin 1654 sans qu'aucune menace politique appa-
raisse sur l'horizon. Cette accalmie dura à peu près deux ans.
Une déclaration royale du 22 octobre 1652 avait restauré
l'ordre suivi avant la Fronde, comme si les déclarations de
juillet 1648 ou de septembre 1651 avaient été oubliées d'un
seul coup. Dès 1650, des intendants avaient été renvoyés dans
les provinces et, à la fin de 1653, toutes les provinces avaient
retrouvé leur tutelle. On prenait simplement la précaution de
n'employer plus le mot d'intendant, affectant de les appeler
« commissaires départis ». Les officiers de finance, trésoriers
et élus, avaient été rétablis dans la fonction de leurs charges,
mais soumis au contrôle très strict des intendants. Les besoins
de la guerre étrangère avaient repris comme par le passé, les
dépenses du Conseil passant de 113 millions de livres en 1653
à 154 millions en 1657. Dans ces conditions, la pression fiscale recommençait comme avant et les intendants recouraient
désormais sans scrupule à la petite guerre menée contre les
taillables par les fusiliers des tailles.

Mazarin avait confié en février 1653 la surintendance des
finances à un vieux diplomate, Abel Servien, et à un homme
nouveau, Nicolas Fouquet, resté seul en charge après la mort
de Servien en février 1659. Fouquet (1615-1680), né dans une
assez riche famille parlementaire, maître des requêtes à vingt
ans, avait été remarqué par Mazarin ; il avait acquis en 1650
la charge de procureur général du Parlement de Paris qui lui
avait permis d'être utile au cardinal. Personnage brillant et
aimable, mécène fastueux, le surintendant Fouquet s'appliqua à restaurer la confiance des prêteurs. La conjoncture était
favorable, la victoire de la cour avait relancé l'affairisme.

Fouquet put aller jusqu'à réassigner de vieux billets de l'Épargne de sorte que les emprunts pour l'avenir se placèrent sans peine. Le crédit fut facile jusqu'à l'été 1656.

Les échecs des offensives françaises en Flandre en 1656 et 1657 firent revenir les conditions insurrectionnelles de 1648. Tout recommençait, les intendants et leurs fusiliers, Mazarin et ses traitants sévissaient plus que jamais sans que la paix semble s'approcher. Les révoltes populaires et les assemblées de noblesse reprirent dans la majeure partie du territoire. Le Sud-Ouest, comme souvent, connaissait les troubles populaires les plus graves en Chalosse, en Astarac, en Médoc, en Libournais, en Saintonge, en Auvergne, etc. Les petits gentilshommes de Beauce, qui avaient animé les assemblées de 1651 et 1652, reprenaient leurs réunions et les étendaient de proche en proche à l'Orléanais et au Berry, au Perche et à la Basse-Normandie, où l'on compta une douzaine d'assemblées clandestines en quelques mois. Une des plus nombreuses assemblées eut lieu dans la forêt de Conches, une autre, tenue à Peray en Vendômois, fit paraître des députés de quatorze provinces. Ces nobles mécontents réclamaient derechef la convocation d'États généraux, le retour de la paix et la fin du terrorisme fiscal.

En Berry, l'opposition nobiliaire se greffa directement sur des tumultes paysans. Cette région était envahie par des monnaies de cuivre, des liards, dont les frappes locales avaient été autorisées par les surintendants pour faciliter les petits échanges, mais que leur inflation démesurée discréditait, de sorte que les receveurs de tailles les refusaient et que les liards aboutissaient dans les poches des seuls paysans incapables de s'en débarrasser. Une prise d'armes paysanne s'éleva en Sologne en avril 1658, on lui donna le nom de guerre des Sabotiers. Au Conseil du roi, l'inquiétude fut vive ; un conseil de guerre fut mis en place à l'été 1658, une colonne militaire fut dirigée vers le Berry, le vieux duc d'Orléans fut sollicité de s'entremettre une dernière fois, une trentaine de gentilshommes furent emprisonnés. Un seul d'entre eux, Gabriel de Jaucourt, marquis de Bonnesson, fut décapité le 13 décembre 1659. Des contestations municipales survenues au même moment à Marseille reçurent une répression insolite ; les privilèges furent restreints, et 6 000 hommes de troupes envoyés loger en ville en janvier 1660.

Ce fut effectivement à ce tournant que les Espagnols perdirent l'espoir d'une paix plus favorable. La dispersion des révoltes en France, la victoire de Turenne aux Dunes, près de Dunkerque (14 juin 1658), les obligèrent à des pourparlers. La paix des Pyrénées et le mariage de Louis XIV avec Marie-Thérèse, infante d'Espagne, furent annoncés dans le pays par une lettre de février 1660. Le voyage royal du Pays basque jusqu'à Paris fut un merveilleux moment d'allégresse politique. L'opinion imaginait, comme en 1610, comme en 1643, que l'événement allait entraîner la fin des surcharges fiscales qui, selon les termes mêmes des édits, n'étaient justifiées que par les nécessités de la guerre et finissaient donc avec elle.

Une remise en ordre vint confirmer cette attente : les arriérés des tailles de 1647 à 1656 furent annulés, ceux de 1657 à 1659 soumis à liquidation et un rabais des tailles annoncé pour 1661. La mort de Mazarin (9 mars 1661), la décision de Louis XIV d'assumer pleinement son pouvoir et enfin l'arrestation de Fouquet (5 septembre 1661) furent de nouveaux ressorts pour l'espérance antifiscale.

Personne sans doute n'aurait pu dire alors le montant ahurissant de la fortune de Mazarin, gérée par son intendant général Colbert ; elle est estimée à 38 millions de livres pour les seuls biens connus en France. Dans l'enthousiasme du renouveau royal, les années terribles semblaient révolues et les ressentiments s'estompaient. Le jeune Louis XIV comprenait cependant le besoin de revanche de l'opinion. La disgrâce spectaculaire du surintendant des finances, l'érection d'une chambre de justice contre les financiers, ces nouvelles éclatantes et démagogiques furent acclamées. Fouquet fut le bouc émissaire qui paya pour les insolences de Mazarin, l'oppression sans cesse renouvelée des taillables et le mépris de la petite noblesse des provinces. Son procès, achevé en 1664, se termina par un emprisonnement à vie. L'injustice était flagrante mais toute l'affaire avait été bien accueillie par l'opinion, la mémoire détestée de Mazarin s'estompant avec ce simulacre de justice.

Au plan des institutions, rien n'était joué. Il était tout à fait loisible au jeune monarque de continuer à satisfaire l'opinion, réunir des chambres des grands jours dans les parlements pour y faire sentir la justice royale dans les cantons les plus reculés, refondre les textes disparates des lois dans de grandes ordonnances réformatrices comme sous Marillac, abaisser les impôts paysans en renforçant les taxes de consommation ; tout ceci allait être mis en œuvre effectivement par Colbert. On aurait pu aussi envisager une réunion des États généraux, une restauration de la dignité des officiers, la suppression de la vénalité des offices annoncée depuis 1615, la restriction des pouvoirs des intendants. Il n'en sera pas le moins du monde question, mais personne alors n'aurait pu le prédire. La France avait encore les moyens d'une alternative étatique, la virtualité d'un gouvernement étranger à l'absolutisme, à la suédoise ou à la polonaise, ou encore à la mode d'Angleterre où le roi Charles II venait de retrouver son trône. Il n'en fut pas ainsi. La génération montante choisit l'absolutisme. Les contemporains de Louis XIV, ceux qui avaient eu vingt ans en 1658, rejetaient comme la peste les malheurs des guerres civiles, les complots et les émeutes de leurs parents et grands-parents, les désordres d'un passé absurde et tourmenté sévissant depuis cent années, depuis le début des guerres de Religion. Ils aspiraient à un royaume centralisé, à la toute-puissance d'un monarque absolu selon les règles de la raison. Cette génération fondait enfin l'absolutisme dont le cahier du Tiers avait rêvé lors des États de 1614. Louis XIV était le plus illustre rejeton de cette génération.

12

Les nouveaux équilibres européens

Le royaume de France, entré en guerre en 1635, devait soutenir des hostilités sur au moins quatre fronts, la Catalogne, où des régiments français étaient cantonnés depuis 1641, le Milanais, que l'on tentait d'atteindre à partir de Pignerol ou de Casale, les Pays-Bas méridionaux, où à chaque printemps on entreprenait de nouveaux sièges de petites places fortes. Il y avait enfin, à partir de l'Alsace et de la tête de pont de Brisach, des opérations plus lointaines en Souabe ou en Bavière. Il fallait maintenir sur pied plus de 200 000 hommes, les entretenir en quartier d'hiver dans le cœur du pays, puis dès le mois de mars les faire marcher vers les frontières où la stratégie du Conseil du roi avait choisi de faire porter l'offensive annuelle. Évitant les grandes batailles rangées, emportant des bourgades pour s'assurer des points d'appui et empêcher des surprises aux arrières, les généraux essayaient de conquérir un nouveau pan de territoire qui servirait de gage supplémentaire dans les éventuels pourparlers de paix. A l'automne, il serait temps soit de consolider les espaces conquis, soit de faire retraite sur la France intérieure. Les plaines de Belgique et d'Italie du Nord, les deux principaux théâtres de la guerre contre les Espagnols, présentaient des conditions tactiques comparables, un paysage sans relief, fertile et très densément peuplé, parsemé de petites cités fortifiées, qu'il fallait investir à force d'hommes et d'artillerie, alors que les régiments et les milices des ennemis offraient résistances et diversions, harcelant les fourrageurs et les arrière-gardes. De campagne en campagne, la guerre pouvait se poursuivre interminablement, épuisant les ressources des belligérants sans apporter de changements décisifs sur le terrain.

Mazarin dirigeait la stratégie française et échafaudait les

plans de paix, redessinant allégrement la carte de l'Europe. Sa formation avait été celle d'un diplomate pontifical. On a coutume de parler de sa subtilité italienne, ce qui n'est qu'un stéréotype culturel ; on peut décrire plus précisément son habileté de négociateur papalin, comme on appelait parfois les sujets de l'État ecclésiastique, c'est-à-dire d'homme de paix, de prudence et d'obstination, comptant plus sur sa puissance de conviction que sur la fortune des armes.

Les offensives françaises au-delà des frontières.

Les attaques en Milanais avaient échoué en 1636, en 1640 et en 1646, mais le cardinal ne se résignait pas à demeurer sans influence sur l'équilibre de son Italie natale. Le nouveau pontife élu en septembre 1644, Innocent X Pamfili, se montrait favorable à l'Espagne, refusant ainsi de reconnaître les sécessions de la Catalogne et du Portugal où il n'acceptait pas de nommer d'évêques sans l'assentiment de Madrid. Mazarin voulait intimider le pontife en réussissant un coup d'éclat dans l'aire méditerranéenne. Il conçut le projet d'une expédition navale contre les présides espagnols de la côte de Toscane. Quelques forteresses littorales tenues par des garnisons espagnoles jalonnaient les abords maritimes du golfe de Gênes, lieu de débarquement des contingents espagnols. En mai 1646, tous les vaisseaux de Provence portant 6 000 hommes avec le maréchal de Brézé et le prince Thomas de Savoie, rallié à la France, allèrent attaquer la presqu'île d'Orbetello. La première vague fut un échec, le maréchal de Brézé périssant dans l'action. Une seconde vague en octobre réussit à s'emparer de l'île d'Elbe, où les corsaires provençaux trouveraient un point d'appui leur permettant de parasiter les trafics dans la Méditerranée occidentale.

Au printemps 1647, les événements fournirent aux Français un autre objectif saisi au vol. Des émeutes populaires antifiscales avaient éclaté dans les domaines espagnols de l'Italie du Sud, à Palerme et dans les principales villes de Sicile (mai 1647), et même à Naples (7 juillet 1647). L'émeute napolitaine, commencée par le patron de barque Masaniello, s'était peu à peu au cours de l'été transformée en révolte politique. Le vice-roi et les soldats espagnols s'étaient enfermés dans les forteresses, de sorte que le pouvoir revenait, dans les rues de Naples et dans les proches provinces, à qui pouvait le prendre. Les notables napolitains évoquaient, en octobre 1647, la liberté antique de leur cité et sa vocation de république maritime. L'intérêt français se manifestait par l'arrivée discrète en novembre du duc Henri de Guise, petit-fils du chef de la Ligue, apparenté par ses lointains ancêtres aux rois angevins de Naples qui avaient régné sur le Midi italien avant les rois d'Espagne. Le 24 décembre, dans la cathédrale de Naples, Guise fut proclamé duc de la république avec des pouvoirs comparables à ceux des stathouders de la maison d'Orange en Hollande. L'aventure napolitaine ne dura pas. Trahi par les factions locales, privé de soutien par Mazarin, Guise fut livré aux Espagnols revenus en force en avril 1648. La flotte de Thomas de Savoie tenta au cours de l'été une croisière aux abords de Salerne, sans aucun succès.

En Italie du Nord, de juin à octobre 1648, le maréchal Du Plessis-Praslin engagea de gros moyens humains dans le siège de la place de Crémone qui commandait la partie méridionale du Milanais et dont la chute aurait été catastrophique pour la présence espagnole en Lombardie. Les ravages des fièvres et les attaques des milices locales obligèrent les Français à lever le siège et à retraiter vers l'ouest. Par la suite, la Fronde empêchant l'envoi de renforts, les présides toscans furent repris par de petites expéditions espagnoles de mai à août 1650. Faute de secours depuis Toulon, les garnisons suisses des places se rendirent aux dates fixées par les assiégeants, selon leur maxime de ne pas outrepasser une défense raisonnable.

Au comble de leurs replis, les Français évacuèrent Casale Monferrato en octobre 1652, de sorte que la garnison de Pignerol restait seule à maintenir le souvenir des interventions françaises au-delà des Alpes, où Richelieu avait placé ses premiers rêves d'expansion. La politique de Mazarin se traduisait dans son terrain de prédilection par une suite de sanglantes déceptions.

C'est en Allemagne que les énormes virtualités militaires de la France recueillirent leur récompense dans les années 1640. Au-delà du Rhin, les Français pouvaient peser sur le cours de la guerre par l'intermédiaire de leurs alliés suédois ou, plus directement, en utilisant les régiments mercenaires weimariens cantonnés en Haute-Alsace, passant le Rhin à Brisach et s'étendant à l'est depuis 1638 sur tout le Brisgau. Le cœur des opérations s'était déplacé vers le sud, menaçant les zones catholiques méridionales de l'Allemagne et notamment le puissant réservoir d'hommes du duché de Bavière. Le duc Maximilien, régnant à Munich de 1596 à 1651, gendre de l'empereur Ferdinand II depuis 1626, avait été regardé comme un allié potentiel par Richelieu, mais, après l'entrée en guerre ouverte de la France, il s'était engagé totalement au côté de l'empereur.

Turenne et Condé tentèrent dès la campagne de 1644 de porter la guerre aux confins de la Bavière, en Souabe et Forêt-Noire. Chaque été, ils livrèrent des batailles meurtrières et incertaines auprès de Fribourg-en-Brisgau (août 1644) puis à Nördlingen (août 1645), combinant enfin leurs opérations avec les régiments suédois du maréchal Wrangel (été 1646). L'offensive montée dans les premiers mois de 1648 fut décisive. Turenne et Wrangel, agissant de concert, contraignirent les Impériaux de Montecuccoli à battre en retraite à la bataille de Zusmarshausen (17 mai 1648), occupant peu après Munich et s'avançant même en Autriche en direction de Vienne. L'empereur Ferdinand III (1608-1657), qui avait jusque-là nourri l'espoir d'une paix blanche sans modifications territoriales, fut contraint alors d'accélérer le processus de paix.

Négociations et traités de Westphalie.

La nécessité du rétablissement de la paix en Europe centrale était depuis longtemps évidente, les ravages de la guerre ayant emporté le bonheur et la fortune qu'avaient connu les pays allemands au début du siècle. Des discussions exploratoires avaient été amorcées dès 1638 et des conférences formelles commencèrent dans la ville libre de Hambourg en 1643. Le pape, suivant la vocation pluriséculaire du Saint-Siège, et la république de Venise, qui désirait un apaisement en Europe pour faire face aux menaces ottomanes en Méditerranée, avaient proposé leurs bons offices. Il avait été décidé après de longues querelles de convenances que les belligérants catholiques débattraient entre eux à Münster sous l'égide du nonce Fabio Chigi (futur pape Alexandre VII) tandis que les puissances protestantes siégeraient à Osnabrück en face des ambassadeurs impériaux sous l'égide du Vénitien Contarini. Pendant quatre années, les deux petites cités de Westphalie, neutralisées, abritèrent une réunion constante de plénipotentiaires des diverses souverainetés, formant une sorte de congrès continental dont la Diète de Ratisbonne avait déjà donné en 1630 un premier modèle. Les conférences durèrent d'août 1643 à octobre 1648. Du côté français, Abel Servien, marquis de Sablé, et Claude de Mesmes, comte d'Avaux, avaient pleins pouvoirs, entourés de dizaines de secrétaires, greffiers, courriers, gardes et domestiques.

Le but était d'établir un ordre continental durable, en réglant en une seule et solennelle fois des contentieux entre nations parfois séculaires. Il fallait que cet ordre reçoive l'assentiment des plus petites souverainetés. La répartition dans le Saint Empire des pouvoirs souverains, des confessions religieuses et des prérogatives politiques venait en cause, ainsi que le partage des territoires, les pertes ou les récompenses des belligérants, qu'ils fussent allemands ou étrangers à l'Empire comme les rois de Suède et de France.

L'Espagne participait aux négociations, représentée par le comte de Peñaranda. Ses ministres hésitaient entre deux versions de la paix, privilégiant la conclusion d'un traité avec les Provinces-Unies ou bien avec la France. Un accord pour un échange de prisonniers avait été conclu avec la France en 1645 et avec la Hollande en 1647. Les Hollandais, de leur côté, se défiaient désormais beaucoup plus de la puissance maritime du Portugal ou de la France que de leur ancienne suzeraine. Suivant l'adage plaisant *Gallus amicus sed non vicinus*, ils préféraient que les forces françaises restent éloignées de leurs provinces. Une paix séparée entre l'Espagne et les Provinces-Unies fut donc conclue dès janvier 1648, à la grande déception des Français. Après quatre-vingts années de guerre, l'Espagne reconnaissait la souveraineté des Pays-Bas du Nord.

L'éclat des troubles civils commencés en France en juillet 1648 et l'espérance de revanches militaires au moins en Catalogne dissuadèrent les Espagnols de s'associer aux traités généraux conclus en octobre. De la sorte, les hostilités persistèrent au-delà de 1648 entre les deux grands monarques catholiques.

Les deux traités de Westphalie signés simultanément le 24 octobre 1648 procédaient dans l'Empire à une réorganisation complète des institutions et des territoires ; ils fondaient une nouvelle constitution de l'Empire succédant aux conventions de 1555, à l'âge de Charles Quint. On parla par la suite d'une *Constitutio Westfalica*, partie essentielle du droit public de l'Europe, destinée à subsister cent cinquante ans. Les quelque 350 États de l'Empire avaient chacun désormais une vraie souveraineté, dite en allemand *Landeshoheit*, qui leur permettait de conclure des traités et d'entretenir des armées, avec la seule restriction que ce ne fût ni contre l'empereur ni contre l'Empire.

Les princes qui avaient été défavorisés par le sort des armes, comme le duc de Wurtemberg ou le prince électeur de Palatinat, retrouvaient l'intégrité de leurs domaines. Il s'agissait bien d'une paix allemande destinée à réparer les abominables dévastations de trente années de guerre acharnée. Certaines régions dévastées ne retrouvèrent leur niveau de population de 1618 qu'à la fin du XVIIᵉ siècle.

On a pu dire qu'après 1648 l'Empire n'était plus qu'une coquille vide, ou encore une femme sans dot. Il est vrai que les tentatives des Habsbourg pour faire de l'Allemagne un État unitaire s'évanouissaient. En revanche, le pouvoir de la maison d'Autriche dans ses domaines patrimoniaux s'exerçait pleinement et confirmait l'œuvre de Contre-Réforme commencée au début du siècle. En outre, le prestige de l'empereur sortait de l'épreuve paradoxalement renforcé : le prince de Vienne n'était plus un rival menaçant mais le garant de la nation allemande contre les périls de l'Est — les Ottomans — ou de l'Ouest — peut-être les Français. La mort prématurée de Ferdinand III en 1657 vint vérifier cette évolution. Alors que la succession de son jeune fils Léopold n'avait pas été préparée, que cette première échéance sous le régime des traités de Westphalie pouvait être l'occasion d'un changement dans la coutume de succession et qu'effectivement la diplomatie française s'était employée en ce sens, envisageant la candidature de Louis XIV, l'archiduc Léopold (1640-1705) fut finalement porté à la couronne impériale, confirmant une fois de plus la transmission ininterrompue dans la maison de Habsbourg.

La France et la Suède recevaient leur « récompense ». La couronne de Suède acquérait la Poméranie occidentale, duché sis sur la rive gauche de l'Oder. Cette implantation suédoise sur la rive sud de la Baltique conférait au souverain de Stockholm le titre et les prérogatives de prince allemand. Elle lui accordait un avantage décisif dans la longue rivalité avec l'autre couronne baltique, le royaume de Danemark, promis ainsi à un inévitable déclin.

La France recevait les droits de l'empereur et de la maison d'Autriche en Haute- et Basse-Alsace. Cette cession était ambiguë : elle pouvait être regardée par les Français comme un gain territorial pur et simple et par les Impériaux comme une collection de bribes de droits seigneuriaux. Clairement, la France acquérait la place de Brisach, le Sundgau, le bailliage d'Ensisheim, la « préfecture de la Décapole » (dix cités : Haguenau, Colmar, Sélestat, etc.), et des droits imprécis sur les autres villes, bourgs et campagnes. Échappaient totalement à l'autorité française la ville libre de Strasbourg et la république de Mulhouse, alliée des Cantons suisses. Les Français, comme dans tous les espaces conquis par leurs armes, introduisirent en Alsace leur mode d'administration, un gouverneur, un intendant, Colbert de Croissy en 1655, et même la structure fiscale, rattachant l'Alsace en 1661 au bureau des finances de Metz. La politique de francisation, patiente, autoritaire et efficace, connaîtrait son aboutissement extrême en 1681 avec l'occupation militaire et la réunion au royaume du territoire de Strasbourg.

Des points disputés depuis fort longtemps reçurent alors leur règlement : ainsi les Cantons suisses étaient enfin reconnus comme une souveraineté étrangère à l'Empire et la France se voyait reconnaître les Trois-Évêchés lorrains détenus depuis 1552.

L'importance des traités de Westphalie était évidente et l'historiographie en a porté à juste titre l'écho. Les traités fixaient l'ordonnancement des pays allemands pour un siècle et demi, ils marquaient l'apparition chez les souverains et dans les opinions d'une conscience d'un droit public de l'Europe, d'une sorte de responsabilité commune à l'ensemble des nations de l'équilibre et de l'apaisement de cet espace continental. Ce droit public remplaçait les tutelles médiévales du pape ou de l'empereur qui avaient eu cours quelques décennies plus tôt et qui à ce moment précis étaient décisivement regardées comme obsolètes.

La continuation de la guerre franco-espagnole.

C'est à partir de 1650 que les guerres intestines de la France eurent leurs premiers effets sur les théâtres extérieurs. Cette année-là, les présides toscans durent capituler faute de secours. Dans les Flandres, l'effort d'une offensive paraissait irréalisable. En Catalogne, l'approvisionnement des troupes devenait de plus en plus difficile. La revanche espagnole s'affirma en 1652. Dans les Flandres, la place de Dunkerque, prise par les Français en 1646, était reprise par les Espagnols. En Italie du Nord, le marquis de Caracena, gouverneur de Milan, s'emparait de Casale en Montferrat. Enfin, en Catalogne, la garnison française de Barcelone, bloquée depuis quatorze mois, capitulait le 13 octobre entre les mains de Don Juan d'Autriche, fils bâtard du roi Philippe IV. On put croire à Madrid que la succession des désastres avait pris fin et que le pari de Philippe IV en 1648 de refuser les exigences de Mazarin et de continuer la guerre se trouvait validé. Quel que fût l'épuisement des domaines espagnols, le désordre en France n'était pas moindre et de nouveaux conflits surgissaient en Europe capables de brouiller les cartes, comme la guerre maritime opposant de 1652 à 1654 la Hollande et l'Angleterre. En 1656, Don Juan, devenu gouverneur des Pays-Bas, arrêtait une attaque française à Valenciennes, puis à Cambrai en 1657. En France, les mécontentements avaient repris et une troisième Fronde semblait possible.

La rivalité franco-espagnole était de nouveau parvenue à une sorte d'équilibre dû à l'épuisement de l'un et l'autre parti. Le succès appartiendrait au meilleur diplomate, à celui qui serait capable de faire entrer dans son camp une tierce puissance, en l'occurrence l'Angleterre de Cromwell, protestante et régicide, émergeant enfin de la guerre civile qui l'avait tenue à l'écart des affaires du continent. En octobre 1655, Cromwell choisit l'alliance française pour des motifs maritimes, parce que des lambeaux de l'empire espagnol d'Amérique paraissaient faciles à prendre et parce que les négociants anglais réclamaient la neutralisation du repaire de corsaires catholiques de Dunkerque. Les résultats de cette alliance se firent aussitôt sentir sur mer. Enfin, au printemps 1658, une offensive franco-anglaise fut entreprise contre le port flamand. Turenne conduisait l'attaque contre une force à peu près égale commandée par Condé et Don Juan. Le 14 juin, à la bataille dite des Dunes, les Espagnols dépourvus d'artillerie furent durement bousculés et la place dut se rendre le 23 juin. D'autres petites places jusqu'à Ypres tombèrent dans l'été. A la fin de l'année, Philippe IV donna son accord à une paix négociée.

La dernière astuce de Mazarin pour convaincre les Espagnols de traiter appartient à la petite histoire mais vaut la peine d'être citée. Louis XIV avait vingt ans, son mariage avec une infante d'Espagne était envisagé depuis fort longtemps et devait constituer même une pièce symbolique et essentielle de la paix entre les deux couronnes. Pour hâter la conclusion, la cour de France affecta de nourrir un autre projet matrimonial et de chercher la main d'une princesse de Savoie, cousine germaine de Louis XIV. La cour de France se rendit donc à petites étapes de Paris à Lyon, où la cour d'Espagne se dépêcha d'envoyer un ambassadeur extraordinaire (novembre 1658). En mai, le choix pour Louis XIV de l'alliance espagnole fut publié et, en août 1659, les conférences de la paix s'ouvrirent enfin.

Le traité des Pyrénées.

Le lieu choisi pour les négociations était lui-même un signe de réconciliation : l'île des Faisans, au milieu de la Bidassoa, marquant la frontière entre les deux couronnes avait servi jadis de lieu d'échange de fiancées royales. Des pavillons avaient été une fois de plus dressés dans l'île de part et d'autre d'une ligne idéale où se rejoignaient les deux souverainetés. Les discussions commencées en août s'achevèrent le 7 novembre 1659.

Au profit de la France, la couronne d'Espagne perdait trois provinces détenues de fait par les Français depuis 1640 ou

1642, l'Artois, le Roussillon et la Cerdagne. Sur les limites méridionales des Pays-Bas, un certain nombre de petites places, du Luxembourg jusqu'aux Flandres, passaient aux mains des Français, soit Thionville, Montmédy, Avesnes, Le Quesnoy, Landrecies et, plus au nord, Gravelines et Bourbourg. La place de Dunkerque était remise à l'Angleterre. En échange, les Espagnols obtenaient que les Français évacuent toutes les autres places emportées notamment lors de l'offensive de 1658. Ils obtenaient aussi la grâce du prince de Condé et la restitution de ses domaines et dignités. Le duc Charles IV de Lorraine retrouvait ses États occupés continûment par la France depuis 1634. Un traité particulier à Vincennes, en février 1661, régla le contentieux qui séparait la France et la Lorraine.

Le 9 juin 1660, à Saint-Jean-de-Luz, fut célébré le mariage qui scellait la réconciliation des deux pays, unissant Louis XIV et l'infante Marie-Thérèse, fille de Philippe IV et d'Élisabeth de France, c'est-à-dire cousine germaine de son époux. Leur retour à travers les provinces du Sud-Ouest et de l'Ouest puis leur entrée à Paris, le 26 août, furent une suite de fêtes et de démonstrations de joie générale.

Le triomphe diplomatique de Mazarin était complet. Des princes allemands choisissaient la protection de la France dans une alliance dite « Ligue du Rhin » conclue en juin 1658 à Francfort. Les couronnes du Nord, en guerre depuis plusieurs années, demandaient l'arbitrage de négociateurs français. La paix d'Oliva, d'après le nom d'une abbaye proche de Dantzig, signée en juin 1660 par la Suède et le Danemark, la Pologne et la Prusse, marquait le prestige continental du nom français.

S'affirmer au soir de sa vie comme l'arbitre de l'Europe, mettre le jeune roi son filleul à pied d'œuvre à la tête du plus puissant royaume de l'Europe, telles étaient les extraordinaires satisfactions du cardinal ministre.

Rien pourtant n'était joué en 1648, alors que la France presque entière maudissait l'usurpateur italien, encore moins en 1652 lorsque toutes les conquêtes de Richelieu semblaient condamnées, ni même en 1657, lorsque les dernières offensives échouaient aux Pays-Bas. En grande partie par la faute de Mazarin, le pays avait dû traverser cinq années de troubles et de guerres civiles. Le terrorisme fiscal inauguré par Richelieu en 1635 avait été prolongé au-delà de 1642 pendant une quinzaine d'années. Le succès aux tables de négociations, le seul qui intéressait Mazarin, était cependant au rendez-vous. La plus grande chance de Mazarin était sans doute d'être le contemporain et le profiteur du déclin brutal de la puissance espagnole, d'en avoir le premier recueilli les fruits. Qu'il se fût agi de lucidité ou d'aventure, il reste que Mazarin avait en 1660 gagné ses enjeux.

13

Espérances et croyances

Une approximation de vocabulaire accorde souvent l'étiquette baroque au premier XVIIe siècle. Quelques formes de
la sensibilité de ce temps pourraient en effet se ranger sous
ce titre, les compositions complexes et contrastées des
tableaux de Simon Vouet ou bien les accents de l'opéra, théâtre chanté naissant alors en Italie, mais en revanche les har-
monies apaisées de Poussin non plus que la recherche
antiquisante de l'architecture ne sauraient s'en accommoder.
Il est certes tentant de regrouper toutes sortes d'évolutions
dans de vastes synchronismes, mais l'observation plus attentive révèle bientôt la multiplicité des rythmes et des changements, selon les disciplines de l'esprit, selon les milieux
sociaux, les classes d'âge ou les possibilités régionales. Il y
a bien cependant une sorte d'unité dans ce qu'on appelle une
époque, peut-être plus ressentie par la postérité que revendiquée par les contemporains ; en ce sens l'originalité des premières décennies du XVIIe siècle s'opposerait au temps de
l'humanisme et de la Réforme en deçà, et à celui du classicisme et de l'absolutisme au-delà. S'il faut donc caractériser
ce moment historique en quelques mots, je propose de l'appeler l'âge des romans picaresques ou comiques, cette création
culturelle naissant et s'épuisant avec le demi-siècle et reflé-
tant nombre de ses tensions. C'est en 1605 que Cervantès
publia la première partie du *Don Quichotte* et en 1612 les
Nouvelles exemplaires traduites en français dès 1615. Le genre
picaresque séduisit aussitôt une certaine pente du goût français et, se mettant à son école, Charles Sorel fit paraître en
1623 l'*Histoire comique de Francion*. Les autres étapes
majeures de cette veine réaliste, comique et aventureuse,
amoureuse du burlesque et du pittoresque social seraient *Le
Page disgracié* de Tristan l'Hermite (1642) et enfin *Le Roman*

comique de Scarron (1651). Les idéaux d'honneur et de liberté campés dans un décor de gueuserie et de drôlerie sordide ne trahissaient pas les avatars généreux ou terrifiants de cette époque. Cette image des romans comiques permet d'introduire l'exposé des espérances et des croyances des sujets d'Henri IV et de Louis XIII.

Il convient d'évoquer la foi de l'immense peuple catholique, les conceptions du monde et les représentations, les rythmes de vie et les images de la société, retrouver ce qui vient à changer avec les années, ce qui reste immuable et ce qui s'avère transitoire et évolutif.

La pratique catholique.

Le premier XVIIe siècle fut le théâtre d'un des plus grands élans de foi religieuse de l'histoire de France. La ferveur, l'héroïsme et le fanatisme avaient marqué l'époque des guerres de Religion. Les générations suivantes professèrent une foi mûrie dans les épreuves, plus réfléchie, plus sereine, encouragée, pour les catholiques, par le grand mouvement de réforme et de renouveau que le concile de Trente, achevé en 1563, avait donné à l'Église romaine.

Le courant mystique, c'est-à-dire une expérience de communication personnelle avec Dieu par la contemplation et la prière, caractérise majoritairement la piété de ce temps. Cette spiritualité, d'origine méridionale, notamment espagnole, marqua les décennies de la Ligue et du règne pacifique d'Henri IV. L'œuvre de référence de la nouvelle piété, plusieurs dizaines de fois rééditée, fut l'*Introduction à la vie dévote* de François de Sales (1567-1622). La première édition parut à Lyon en 1609 et son succès fut immédiat car les réflexions du saint évêque d'Annecy et de Genève s'adressaient à la moyenne des fidèles, «à ceux qui vivent ès villes, ès ménage, à la cour...». Dans l'Église de France, la plus forte personnalité était celle du cardinal Pierre de Berulle (1575-1629), l'un des aumôniers des rois, assez influent dans les conseils pour autoriser l'introduction en France d'ordres nouveaux comme le Carmel, réformé par Thérèse d'Avila (1604), ou la compagnie des prêtres de l'Oratoire (1611).

Dans toutes les provinces et dans tous les milieux sociaux,

des formes de dévotion originales s'affirmèrent. Elles étaient souvent introduites grâce à l'influence des jésuites. Un moment exclus de 1594 à 1603 du nord du royaume, les jésuites avaient pu maintenir leurs établissements dans les ressorts des parlements du Midi. Jouissant de la confiance personnelle d'Henri IV, puis plus tard de Richelieu, ils purent alors multiplier leurs collèges dont le nombre passait d'une quarantaine en 1610 à plus de quatre-vingts en 1650. Novateurs, gratuits, dynamiques, accompagnant leurs élèves dans la vie, ces collèges jouèrent un rôle essentiel dans la formation des élites de l'âge moderne.

Qu'il s'agisse de l'établissement d'un collège ou bien d'un nouveau couvent féminin, l'intervention des municipalités était déterminante. C'est parce que les familles notables souhaitaient des établissements pour l'éducation et l'avenir de leurs enfants que les villes accordaient à un ordre un terrain ou un bâtiment, des dotations, des protections indispensables pour la création d'une nouvelle maison religieuse et pour son développement. En l'espace de quelques dizaines d'années, de petites villes recevaient dans leurs murs trois ou quatre maisons pieuses nouvelles ou réformées. Ainsi, au cours de la période, les carmélites fondèrent une soixantaine de leurs couvents. Les Ursulines, établies à Paris en 1612, vouées notamment à l'enseignement des filles, comptaient près de quatre cents maisons à la fin du XVIIe siècle. Les Visitandines, créées par Jeanne de Chantal en Savoie, en 1610, ouvrirent en France plus de cent maisons en un demi-siècle. Un si fort courant de vocations religieuses, notamment féminines, ne se retrouvera plus en France avant le XIXe siècle.

Dans la masse anonyme des fidèles, la vogue des pèlerinages, des processions, des confréries de pénitents ou de métiers, des signes de dévotion à la Vierge et aux saints, dévotions spécifiquement catholiques, s'étendait aux mêmes dates. Reflet de l'attente fidéiste, les lieux traditionnels de pèlerinage voyaient survenir des miracles nombreux, dûment vérifiés par le clergé des lieux, visités par des milliers de pèlerins au retour des beaux jours. A Sainte-Anne-d'Auray, sanctuaire miraculeux à partir des années 1620, à Notre-Dame-des-Ardilliers de Saumur, Notre-Dame-de-Verdelais en Bordelais, affluaient des foules aux ampleurs inconnues. Chartres et Liesse dans la France du Nord, Rocamadour, Fourvière et Notre-Dame-de-la-Garde, sites pluriséculaires du Midi, s'enrichissaient de nouvelles coutumes de piété.

La dévotion au rosaire, c'est-à-dire la récitation des Ave Maria du chapelet, répandue vers 1620, était l'une des formes les plus populaires de l'intense piété mariale. Les victoires catholiques, de Lépante jadis, de La Rochelle en 1628, étaient l'occasion de vagues de ferveur dans les confréries mariales de tout le pays.

Les canons du concile de Trente étaient lentement et méthodiquement mis en œuvre dans tout le monde catholique. Aux États généraux de 1614, le clergé et les évêques français s'étaient résolus à une plus exacte application. La résidence permanente de l'évêque dans son diocèse, la visite de toutes les paroisses de son ressort, la rédaction d'un catéchisme, l'attention à la dignité de son clergé étaient les réquisitions les plus spectaculaires, les plus susceptibles d'un retentissement sur le commun des fidèles. L'institution de séminaires destinés dans chaque diocèse à la formation des prêtres n'avait été effective au début du XVIIe siècle que dans une dizaine de diocèses, Reims, Bordeaux, Toulouse, etc. A partir des années 1640, les créations allèrent grand train, une quarantaine en vingt ans environ. L'insistance sur la construction d'un modèle ecclésiastique pouvait s'appuyer sur de nombreuses compagnies de prêtres, qui fournissaient les cadres de ces nouveaux séminaires, jésuites et oratoriens ou sulpiciens, fondés par Olier, curé de la paroisse Saint-Sulpice, nouveau quartier en expansion au sud-ouest de Paris (1641). Nombre d'ordres organisaient aussi des missions de prédication dirigées à l'intérieur du royaume. Un groupe de prêtres allait passer une ou deux semaines dans des villages écartés, prêcher, confesser, instruire, édifier les paysans : ainsi les Prêtres de la Mission ou lazaristes (parce que établis au prieuré Saint-Lazare à Paris), fondés en 1625, ou les eudistes, fondés par Jean Eudes, en Normandie, en 1643.

Les fruits de ce gigantesque effort d'encadrement et d'instruction chrétienne se firent sentir plus tard, après plusieurs générations. Le dépouillement de procès criminels des règnes d'Henri IV et de Louis XIII révèle encore des comportements ecclésiastiques scandaleux (ivrognerie, inconduite) qui

contrastent avec l'image du bon prêtre telle qu'elle s'impo-
sera un siècle plus tard. Ce temps était plus traversé de
conflits, secoué par des transformations brutales et controversées. Les nouveaux courants de piété n'étaient pas accep-
tés de façon univoque.

Les traits majeurs de la Contre-Réforme suscitaient chez
beaucoup de gens de loi, inquiets de l'influence ultramontaine, une réaction fortement gallicane, craintes politiques
à l'encontre des jésuites, défiances vis-à-vis des innovations
venues de Rome. Les vives querelles du Parlement de Paris
contre les prérogatives des jésuites ou les tendances antiéta-
tiques de la théologie ultramontaine en étaient les témoignages pendant le règne d'Henri IV et la jeunesse de Louis XIII.

Une autre réaction se faisait jour contre l'optimisme huma-
niste et triomphant de la Contre-Réforme ; cette nouvelle sensibilité, apparue dans les années 1640, fut appelée janséniste
d'après le nom de Corneille Jansen, évêque d'Ypres dans les
Pays-Bas. Son œuvre, pessimiste en face des faiblesses de la
nature humaine, s'en remettait pour le salut de chacun à la
toute-puissance de la grâce de Dieu, c'est-à-dire qu'à la suite
de saint Augustin elle refusait d'exalter la liberté et les mérites de l'action des hommes. Cette famille de pensée rencontrait une large audience dans le milieu des robins parisiens,
prédisposés par leurs opinions gallicanes et par leurs goûts
et genres de vie austères. Elle était professée notamment à
l'abbaye bénédictine réformée de Port-Royal, dans les campagnes au sud de la capitale, où séjournait souvent un jeune
philosophe, Blaise Pascal (1623-1662), dont les écrits d'apologétique, de morale et aussi de polémique auront par la suite
de profonds retentissements. Une mise en garde pontificale
en 1653 a donné le signal d'une longue lutte théologique. A
cette époque pourtant nul n'aurait pu prédire la durée,
l'ampleur des débats et leurs lointains échos dans le domaine
des idées politiques.

Les œuvres de charité.

A compter de 1630 commencèrent des années de misère et
de mortalité. L'histoire et la légende ont retenu l'action de
Vincent De Paul (1581-1660), un prêtre landais de modeste

origine, éloquent, chaleureux et inventif, capable de ripostes neuves et puissantes en face de la montée des détresses. Grâce à la protection de la famille de Gondi, Vincent De Paul accédait en 1619 à la charge d'aumônier des galères, et il allait assumer toute sa vie des responsabilités capitales dans la vie religieuse du royaume. En 1625, il put fonder un groupe de prêtres, dits de la Mission, auxquels il assignait d'abord la tâche d'ouvrir des séminaires et d'encourager des confréries de charité. La crise des années 1630 serait décisive pour le style de ses fondations : ainsi apparut en 1633 la confrérie de la Charité des servantes des pauvres malades ou Filles de la Charité, vouées à l'assistance des malades et des miséreux et, après 1638, à la sauvegarde des enfants trouvés, autre fléau spécifique de la démographie de ce siècle. On les appelait les « sœurs grises » d'après la modestie de leur robe ; elles allaient marquer fortement l'histoire mondiale de la charité. Le prestige de Vincent De Paul rayonnait dans tout le corps social ; son modèle et son influence personnelle se retrouvaient dans une autre œuvre typique des conceptions de ce temps, la Compagnie du Saint-Sacrement.

Des laïcs notables soucieux d'action chrétienne se rencontraient dans des conférences cherchant à exercer une sorte d'apostolat social. Le terme de Compagnie du Saint-Sacrement apparaît en 1630, réunissant des grands noms de la cour et des parlements. Vincent De Paul la seconda toute sa vie. La Compagnie s'efforçait de lutter contre des fléaux sociaux comme la prostitution ou la violence, et de le faire secrètement pour plus d'efficacité. Il semble bien que, parmi d'autres objectifs, la Compagnie ait réussi au cours des années 1650 à déraciner dans la jeunesse nobiliaire la mode meurtrière du duel. Les édits royaux condamnant à mort les duellistes avaient été répétés sans succès et les duels tuaient chaque année plusieurs centaines de jeunes gens. Le patient apostolat des élites exercé par la Compagnie obtint ces résultats dans le silence des consciences. Le caractère occulte de ses actions entourait la Compagnie de suspicions, lui accolant l'étiquette de « cabale des dévots » reprise par l'historiographie anti-romaine. A partir des années 1660, l'État louis-quatorzien ne toléra plus une influence sociale indépendante du pouvoir royal et interdit les réunions de la Compagnie.

Dans un autre domaine social essentiel, on reconnaît encore les effets de la spiritualité vincentienne et des jeux d'influence de la Compagnie du Saint-Sacrement. Un édit d'avril 1656 annonçait la création d'un hôpital général destiné à accueillir les pauvres des rues de Paris. Les bâtiments allaient s'élever au lieu-dit la Salpêtrière, du nom d'un arsenal abandonné sis au sud-est de Paris non loin de la Seine. Depuis François Iᵉʳ, un bureau des pauvres, à Paris, traitait le sort des flots de miséreux des années de cherté. La plupart des grandes villes d'Europe s'étaient dotées de tels établissements au début du XVIᵉ siècle. Les déficiences de Paris étaient alors évidentes, puisque l'hôpital de la Pitié, créé par Marie de Médicis en 1612, offrait moins de 100 places. La Salpêtrière, dès les années 1660, put abriter à peu près 6 000 personnes. Une mode historiographique a fait parler de « grand renfermement ». Refusant les conventions de l'hagiographie, cette étiquette assimilait les œuvres de charité à des institutions répressives, instruments de domination sociale. Il est vrai que les membres de la Compagnie du Saint-Sacrement, comme l'avocat Duplessis-Montbard, responsable du bureau de l'Hôpital général, déploraient en 1656 qu'on agisse « par vue de police et pas seulement par compassion et presque point par charité et pour l'amour de Jésus-Christ ». Du moins la Salpêtrière n'était-elle pas une prison, on en sortait librement et il n'était pas facile d'y être admis. Plus de la moitié des pensionnaires étaient des vieillards et des infirmes et l'autre partie composée d'enfants trouvés et de pauvres femmes chargées d'enfants. On est bien éloigné de l'image du renfermement forcé des mendiants qui n'a de réalité statistique que dans la seconde moitié du XVIIIᵉ siècle voire au XIXᵉ siècle. Le scandale contre lequel luttent les bonnes gens de l'âge moderne n'est pas l'oppression des pauvres mais leur déréliction. Le pauvre ne fait pas peur, il est l'image du Christ souffrant ; la grandeur d'un personnage et le train de vie de sa maison se mesurent au nombre de pauvres qui se pressent en tout temps à ses portes pour profiter de ses aumônes. La réputation de pouillerie du Paris de ce temps tenait aux dimensions exceptionnelles de la cité, plus de 400 000 âmes vers 1650, mais la plupart des grandes villes du royaume présentaient à leur échelle les mêmes saletés et misères. C'est en

1667 que Colbert va créer une lieutenance de police de Paris et c'est dans les années 1680 que, sur ce modèle, des villes de province recevront à leur tour des hôpitaux généraux et des lieutenants de police. Vincent De Paul était mort en septembre 1660 au terme de cet âge de gueuserie qui avait servi de théâtre et de provocation à ses diverses inventions charitables.

Le demi-siècle qui court des guerres de Religion à l'ère louis-quatorzienne avait profondément changé la France catholique. La pratique religieuse du temps d'Henri IV semblait désormais fruste, inégale et cahotique ; les fidèles étaient en route vers une piété plus raisonnable, plus intériorisée. A vrai dire, il faut quelque peu anticiper pour donner de telles conclusions, en 1660 on n'est encore qu'aux prémices d'une pareille évolution.

Les images du temps.

Le temps est la plus grande richesse des pauvres gens qui en ont même à ne savoir qu'en faire. Dans les sources judiciaires, pour justifier une heure de loisir qui finit mal ou un moment d'ivrognerie, des accusés invoquent la nécessité de « passer le temps ». L'ancien monde préindustriel connaissait assez peu le rythme des heures et laissait de longs jours au loisir ou à l'ennui. Le temps se mesure au train des saisons et aux étapes de la vie. Les calendriers liturgiques, agraires et politiques venaient s'intégrer dans ces structures hors de l'histoire et y ajoutaient leurs rythmes propres. Bien entendu, les usages des champs n'évoluaient guère et se répétaient à peu près chaque année tout comme les scènes conventionnelles de travaux qui personnifient les mois dans les calendriers en images. Le mois d'octobre commence l'année agraire avec les semailles des blés, on l'évoque encore par la chasse, les pressoirs de vendange, le ramassage des pommes ou le glandage du cochon promené dans la forêt. Le mois de novembre voit le sacrifice du cochon et l'arrivée du vin nouveau. L'hiver qui va venir est le temps des veillées où l'on s'occupe autour du feu à des travaux patients, casser les noix, peler les châtaignes, filer le chanvre, le lin ou la laine. Les fêtes de Noël et du début de l'année arrivent au moment où les caves et les greniers sont pleins et où les tâches des champs laissent de la liberté. Ce bon temps se poursuit jusqu'en février ou mars ; c'était à cette phase de l'année qu'intervenaient les mariages et fêtes de famille et qu'éclataient ici ou là les réjouissances plus ou moins bruyantes, plus ou moins prolongées du Carnaval. En mars, il convient de semer les céréales de printemps (avoine, orge), de sarcler les blés d'hiver, de tailler les vignes. L'étape majeure des sociétés céréalières — tous les villages de France, quelle que fût la qualité de leurs terres, vivaient de leurs grains — est, bien sûr, le temps des moissons en juillet et août. On moissonnait à la faucille ; les fermes des grandes plaines à blé employaient des saisonniers qui venaient parfois de fort loin s'embaucher pour les récoltes. Une fois les dernières gerbes levées du champ, l'espace était laissé au glanage, privilège des pauvres gens qui ne laissaient pas perdre un grain dans les chaumes. La moisson était suivie par le battage, au rouleau de pierre sur une aire de terre sèche dans les pays les plus ensoleillés, au fléau en grange dans la plupart de l'espace français, ce qui permettait de répartir le travail sur plus de jours et de se mettre à l'abri des orages d'été. Un grand banquet marquait dans les bonnes fermes la fin des travaux. La fenaison, les regains et les moissons des céréales de printemps survenant à différents moments de l'été maintenaient longtemps par les chemins les troupes de saisonniers ; ils revenaient chez eux avec un petit pécule ou plutôt un sac de blé sur le dos.

A la fin de septembre, il faut vendanger. La viticulture était plus étendue qu'aujourd'hui car il fallait approvisionner les villes et le vin ne valait pas assez cher pour qu'on l'amène de bien loin. Le vin ne vieillissait pas et les vignobles locaux avaient peu de réputation. Les cabaretiers parisiens faisaient descendre des tonneaux de Bourgogne par l'Yonne et la Seine ou de Champagne par la Marne. La sélection des vins, la célébrité de certains crus n'arriveraient qu'un demi-siècle plus tard.

Aux abords des montagnes, l'automne était la date du retour des troupeaux revenant des pâturages d'estive en altitude. De grandes foires correspondaient à ces rendez-vous, on y vendait les fromages confectionnés là-haut et le croît de l'été, veaux et agnelets. Partout, cette saison était un moment de rencontres, on y réglait les marchés agricoles, les baux et les métayages, on embauchait la main-d'œuvre de l'année à venir, valets de ferme, domestiques et servantes et aussi dans les métiers les apprentis et les compagnons. Ceux qui voulaient se faire prendre se rangeaient avec un petit ruban au chapeau ou épinglé sur le devantier dans les traditionnelles foires de louées. Et puis octobre revenait avec ses semailles...

Le temps de l'Église.

Aux premiers siècles, l'Église avait inscrit les fêtes liturgiques de l'année dans ce cadre agraire. L'histoire du salut de l'humanité revient donc chaque année comme les saisons, commençant avec l'Avent annonçant la venue du Messie et Noël qui célèbre sa naissance. Le Carême rappelle son séjour au désert dans l'attente du sacrifice de la Semaine Sainte. A ces temps de recueillement particulier de l'Avent et du Carême, les fidèles des grandes villes pouvaient écouter les prédications d'un ecclésiastique à l'éloquence réputée, venu exprès aux frais d'un chapitre, d'une confrérie ou même d'une maison de ville pour un cycle de sermons.

La Résurrection au jour de Pâques, variable selon les cycles de la lune du 22 mars au 25 avril, est la plus grande fête chrétienne. Elle donnait partout le signal des plus générales joyeusetés de l'année. Le lundi de Pâques et les dimanches suivants, on renouait avec les jeux des beaux jours, les parties de quilles, de boules ou de quintaine. Certains lieux avaient des traditions festives plus élaborées avec des parties de soule, ou des joutes à cheval ou en barque, des courses à la bague ou au faquin (un mannequin de bois qu'il faut faire basculer), des mâts de cocagne, des tirs à l'arbalète, à l'arc ou même au mousquet. Des cantons du Nord et de l'Est ont conservé ces coutumes, parfois jusqu'à aujourd'hui, mais il y avait au début du XVIIe siècle des confréries de tireurs à peu près dans tout le pays. Ne variaient guère que la forme ou le nom de la cible et les prix et les titres attribués au meilleur tireur, roi de l'oiseau, du papegai, etc.

L'Ascension et la Pentecôte terminent le temps de Pâques, on arrive ainsi au courant de mai ou au début de juin. L'Église avait placé là les lundi, mardi et mercredi avant l'Ascension, la fête des Rogations, rite essentiel de la religion paysanne. Ces jours de prières situés au moment du mûrissement des blés appelaient la bénédiction du Ciel sur les récoltes à venir. Des processions faisaient alors le tour du terroir de la paroisse, s'arrêtant à des stations marquées par des reposoirs. Les villageois ambulaient aux limites de leur horizon jusqu'à l'abord des forêts et des bornes de la communauté voisine ; ils reconnaissaient ainsi leur domaine, sa solidarité, son ampleur et sa précarité.

La fête de Saint-Jean-Baptiste au jour le plus long de l'année, le 24 juin, n'était guère religieuse que de nom. Précédant les grands travaux, elle était le dernier élan des fêtes de jeunesse commencées la nuit du premier mai. Ces deux nuits de mai ou de juin, des troupes de jeunes gens à marier parcouraient le village dressant des mais, c'est-à-dire des mâts enguirlandés devant des maisons de personnes à honorer, le seigneur ou le juge du lieu ou, plus aimablement, les plus jolies filles du pays. Ces joyeux garçons qui n'étaient plus des enfants et pas encore des hommes mariés élisaient parfois l'un d'entre eux appelé roi, duc, abbé ou prince de la jeunesse. Ce personnage assez riche pour payer à boire à la cantonade était réputé l'organisateur des réjouissances du groupe, des bals de la belle saison, des farces et des vindictes. Quelque personnage méritant la censure de la collectivité, un veuf remarié, un jeune marié étranger au village, ou un vieil avare ayant quelque accointance avec les huissiers des tailles, pouvait être ainsi tourmenté de charivaris et de brimades. Les rites de nuits juvéniles avaient grossièrement les mêmes fonctions, qu'ils se déroulent dans le cadre du Carnaval, du mai ou de la Saint-Jean : entourer, contrôler, accompagner les fiançailles et les mariages, assurer donc la survie de la communauté. Ils avaient un peu toujours les mêmes formes. On bravait l'obscurité en allumant de grands feux et l'on dansait à l'entour. Il semblait que le feu brûlait le mauvais sort, emportait le malheur, augurait bien des récoltes prochaines. La jeunesse dominait la nature, la nuit et le silence par le bruit de ses chants et la lumière des flammes.

Les rencontres des calendriers agraires et religieux étaient rendues plus évidentes encore par la datation coutumière des événements mémorables de l'existence ou des rendez-vous économiques annuels par la fête du saint du jour. « Vers la Saint-Martin (11 novembre), il arriva un grand débordement de rivière. » Ou encore, « le jour de la Saint-Jean (24 juin) des soldats vinrent loger dans la paroisse ». On retenait la Saint-Georges (23 avril) pour les transactions de printemps, et la Saint-Michel (29 septembre) pour les baux de la fin de l'été ; on citait aussi la Sainte-Marie-Madeleine (22 juillet) ou la Saint-Luc (18 octobre). Le départ pour les transhumances se faisait souvent à la Saint-Urbain (25 mai) et le retour à la Saint-Michel. La paisson ou glandée du cochon était limitée par les coutumes de la Saint-Michel à la Saint-André (30 novembre). On peut mesurer l'emprise de la Réforme dans certains cantons du Languedoc d'après le passage des contrats notariés ruraux à la datation chiffrée. Cette datation s'était imposée bien plus tôt au monde des marchands, mais la mesure du temps par les dates de quelques saints inscrits dans la mémoire demeurait prépondérante pour tout ce qui concernait le cercle du foyer et de la famille.

Le temps de l'histoire.

Les pouvoirs locaux prenaient leur part des fêtes ou plutôt les marquaient de leur empreinte en les autorisant ou en les décorant de leurs symboles. Le droit de battre le tambour par les rues pour attirer les chalands et leur montrer un ours ou un danseur de corde, le droit de dresser des tréteaux et d'y faire monter des joueurs de flûte et de musette pour faire danser la belle jeunesse devaient se demander à la maison de ville, ou au seigneur, ou au juge royal. Chaque cité possédait son propre catalogue de réjouissances que les magistrats communaux célébraient annuellement dans l'apparat de leurs bonnets et chaperons écarlates, soit une dizaine de dates, dont deux ou trois majeures où une grande procession générale faisait défiler tous les corps de la cité selon un parcours convenu partant de l'hôtel de ville et aboutissant à l'église principale. Cette parade sociale associait les confréries de métiers et les corps d'officiers avec costumes et bannières suivant un ordre soigneusement fixé par la tradition. Les enfants de la ville, c'est-à-dire la milice bourgeoise en armes, étaient de la fête et déchargeaient force mousquetades en l'air. Certaines de ces fêtes faisaient promener un mannequin représentant un dragon ou un géant, évoquant la menace d'un moment légendaire du passé de la ville et la délivrance de ce fléau par un saint évêque ou un chevalier. Ainsi promenait-on la Tarasque à Tarascon, le Graouilly à Metz, la Kraulla de Reims ou le Gayant de Douai. D'autres fêtes célébraient des événements plus récents, comme le départ des Anglais à la fin de la guerre de Cent ans, la levée d'un siège pendant les guerres de Religion, ou la délivrance de la grande épidémie de peste de 1626-1632.

Le pouvoir royal n'était pas totalement absent. Les rois dans leur jeune âge s'associaient aux spectacles de Carnaval ou de Saint-Jean dans la ville de Paris. Les dates de la monarchie, naissance d'un prince, victoire sur les ennemis, étaient, bien sûr, partout solennisées par des *Te Deum* chantés dans les églises, des processions de reconnaissance et surtout des feux de joie et beuveries publiques.

Il arrivait que le langage de la fête fût usurpé, détourné par la politique. Ainsi moquait-on en roi de Mardi gras un mannequin de Concini (Amiens, 1614) ou de Mazarin (Bordeaux, 1651). Dans maintes scènes burlesques de 1648 à 1651, on vit des Mazarins de paille avouer leurs crimes et faire leurs bagages pour l'Enfer. De tels épisodes étaient cependant exceptionnels et l'on se tromperait beaucoup en imaginant selon les modes idéologiques d'aujourd'hui des contaminations fréquentes de ces différents domaines d'expression.

Un jour viendrait pourtant bientôt où le pouvoir central, jaloux des prérogatives des municipalités, de l'indépendance manifestée pendant les années de Fronde, confisquerait leurs revenus sous le prétexte de la liquidation des dettes des villes, supprimerait les fonctions militaires des milices et s'en prendrait aussi aux particularismes des fêtes locales. Un accident lors d'un spectacle ou d'un concours de tir, des débordements de jeunesse dans un bal public offraient des occasions de dénoncer la licence, l'oisiveté et les dangers et d'interdire telle fête ou telle coutume par arrêt de justice. Cette évolution serait surtout sensible après 1660.

Une plus forte contamination tenait au rôle des Églises des deux réformes, calviniste ou tridentine, qui se défiaient des heures de loisir et se souciaient de les moraliser. De nombreux rites de fêtes de jeunesse ou de confréries allaient sous l'influence du clergé s'édulcorer ou se restreindre au monde des enfants. La recherche d'une religion épurée, libérée de ses attaches matérielles, de ses liturgies trop attentives aux expressions sensibles conduisait certains prêtres et évêques à protester contre le trop grand nombre des jours de fête et leurs dangers pour les bonnes mœurs. En 1627, la constitution pontificale *Universa* avait tenté de limiter les fêtes de précepte à 25 par diocèse, s'ajoutant aux 52 dimanches. La censure effective et l'interdiction de chômer certains jours ne furent mises en œuvre que pendant le ministère de Colbert, le premier texte répressif en ce sens étant un arrêt de la cour des grands jours d'Auvergne en 1667.

Contrairement aux affabulations des folkloristes du XIXe siècle, ces coutumes n'étaient nullement intemporelles et figées. Les années calamiteuses imposaient de longs silences, des cessations brutales et prolongées des traditions. Dès que la disette ou la contagion faisaient leur apparition, que la guerre ou l'impôt accablaient le village, on renonçait aux réjouissances. De la sorte, la crise des années 1630 mettait fin à un âge béni qui avait couru à peu près de l'édit de Nantes à la guerre de La Rochelle.

Les images de la société.

Chaque époque a son système de valeurs et l'idéal social qui lui correspond. Ils dessinent des modèles de comportement, des moyens de parvenir, des styles de vie. Le type social idéal dans la France du premier XVIIe siècle était celui du gentilhomme et chacun s'efforçait de s'identifier aux conventions particulières de la noblesse. Les plus fortunés acquéraient des titres et investissaient leurs revenus dans la terre et les domaines de campagne qui permettaient de suivre les modes de l'existence nobiliaire. Les plus défavorisés eux-mêmes tentaient par leurs costumes, leurs gestes et leurs paroles de se rapprocher des attitudes ou supposées des gentilshommes, comme mettre une plume à son chapeau, porter des armes et régler ses querelles de vive voix. Nul ne doutait que la noblesse eût la prééminence dans la vie de société, même si à l'église elle cédait le pas pour l'honneur de Dieu au clergé, ou dans un tribunal pour l'honneur du roi aux magistrats qui portaient la livrée royale. Cette hiérarchie sociale n'était pas seulement implicite, elle se vérifiait dans cent actes quotidiens, dans la façon de marcher ou de se vêtir. On peut donc reconstituer l'estime sociale de ce temps en scrutant les convenances des préséances et des lois somptuaires.

Les préséances règlent avec précision la place des individus non seulement dans les cérémonies politiques ou liturgiques mais aussi dans les hasards de la vie quotidienne. Tenir le haut du pavé, passer le premier dans un seuil, parler le premier, garder son chapeau en tête, demeurer assis en public étaient des prérogatives des personnes de qualité qui à leur tour devaient céder le pas, se lever ou se découvrir devant un tiers de plus haute dignité. Pour une procession dans les rues de la ville ou une messe dans l'église majeure, il importait de savoir qui passerait le premier ; les officiers de l'élection devaient-ils s'effacer devant les présidiaux, ou encore la confrérie de charpentiers avait-elle le pas sur celle des boulangers ? En cas de doute, on se référait à la tradition, aux témoignages des anciens ou des archives de la maison de ville. Des échauffourées pouvaient survenir pour une place refusée ; on appelait ses valets à la rescousse et le déni de préséance finissait en bataille rangée. Ces disputes ont paru ridicules aux historiens des époques suivantes qui n'en comprenaient plus les raisons. Une préséance cérémonielle impliquait une prééminence politique. Un pas cédé dans une procession pouvait engager l'avenir, créer un précédent, compromettre une prise de parole dans un débat politique brûlant. Chaque corps et compagnie devait donc défendre son patrimoine de privilèges et de préséances qui illustraient aux yeux de tous sa place dans la cité.

Suivant une jurisprudence pluriséculaire, des édits somptuaires se mêlaient de réglementer le luxe des costumes, de la parure, des équipages. Les motifs de ces mesures étaient d'abord économiques. Le faste du costume se marquait par les soieries et les dentelles, les tissus de fils d'or ou d'argent qu'on ne trouvait guère dans le royaume et qu'il fallait acheter en Italie. La hantise mercantiliste de la fuite des monnaies à l'étranger épuisant le médiocre stock monétaire du royaume voulait donc bannir le port de pareilles étoffes. Des motifs moraux dénonçaient la dégradation des mœurs et la dilapidation des patrimoines des meilleures familles par une sotte vanité de costume. Des motifs sociaux enfin suggéraient qu'il était juste de connaître le rang social d'un individu d'après sa mise et que, pour parler en proverbe, il fallait que l'habit fasse le moine. Un célèbre édit de novembre 1633 interdisait les fils d'or, un autre de 1656 prétendait régler l'apparence des carrosses. Ces mesures étaient à peu près inapplicables mais elles correspondaient assez bien à l'opinion commune qui voulait que la qualité des étoffes, la couleur des tissus, l'emploi des fourrures ou des dentelles, des rubans et lacets, le port du chapeau et de l'épée fussent répartis selon l'échelle sociale et les conventions de dignités particulières à chaque état.

Le vrai révélateur des hiérarchies en tout temps est le mariage et ceci est encore plus vrai dans une société fondée sur le respect de la tradition. On ne donne sa fille qu'à un égal ou un supérieur. Le mariage unissait deux familles plus que deux individus ; le choix du conjoint était fait par les parents, non pas que l'amour n'eût pas eu de part en ce temps mais il devait venir après, dans la vie commune de mari et de femme. Le mariage pouvait alors constituer un moyen de parvenir, il faisait partie d'une stratégie familiale patiemment mûrie et conduite à travers les années et les générations. L'égalité convenable des conditions s'accommode toujours d'une légère ascension sociale de l'épouse ; on le constate aussi au XVIIe siècle, la jeune épouse apportant et ses beaux yeux et (ou) sa dot. Le contrat notarié de mariage, très répandu même chez d'assez pauvres gens, fixait les contributions des deux partis, la dot et le trousseau de la femme et l'apport du mari. L'importance de l'examen des fortunes pourrait faire croire à un déterminisme économique. *Le Roman bourgeois*, publié en 1666 par un magistrat subtil et humoriste, Furetière, imaginait même une table ou tarif des dots et des situations sociales des époux qu'une fille pouvait espérer pour ce prix ; par exemple, pour une dot de 6 à 12 000 livres on obtenait pour mari un marchand bourgeois de Paris, un procureur au Châtelet ou le secrétaire d'un grand seigneur. En réalité, le caractère de la fortune (terrienne, marchande, etc.), l'ancienneté de la famille, sa place à la ville ou à la cour, ses dignités (titres de noblesse, charges royales, offices), l'honneur du nom, c'est-à-dire la réputation de la famille du fait de tous ces critères, venaient corriger l'illusion comptable. Certains métiers fortunés, par exemple, n'avaient pas un rang social proportionné et se trouvaient déclassés, engagés dans une stricte endogamie ; la fille d'un riche boucher fermier du pied fourché d'une ville marché n'épousait malgré tout son argent qu'un fils de maître boucher. A l'inverse, un gentilhomme pauvre, distingué aux armées, apportait en noces plus d'honneur que d'argent. L'estime sociale était donc le résultat complexe, incertain de toutes ces nuances de rang, d'honneur, de mérite et de fortune. Elle faisait passer sans conteste un noble titré avant un simple écuyer, un robin propriétaire d'office royal même modeste avant un marchand, un maître de métier avant un compagnon et un compagnon avant un simple brassier.

Les logiques de la hiérarchie sociale.

La hiérarchisation très exacte et très forte des individus trouvait sa justification dans un certain nombre d'analogies et de métaphores qui soulignaient la nécessité de la stabilité en toutes choses, pour l'harmonie du monde et la tranquillité de chacun.

L'ordre du monde dépend de la solidarité de ses éléments dont l'ordonnancement a été voulu par la Providence. L'agitation des insensés qui veulent changer cet ordre était donc non seulement choquante et criminelle, mais aussi absurde et suicidaire. Diverses images illustraient ce raisonnement ; le monde était comparé à une immense chaîne des êtres vivants ou encore à une pyramide, et l'on conçoit que le déplacement d'un maillon de la chaîne ou d'un bloc de la pyramide provoque une catastrophe. Une image anthropomorphique assimilait le monde ou la société à un corps humain dont la tête serait le roi et donc chaque sujet, comme les membres du corps, occuperait une fonction. On citait alors les fables du serpent dont la queue avait voulu passer la première et qui se déchirait sur les cailloux, des pieds qui voulaient porter un bonnet tout comme la tête, ou des membres qui s'indignaient de laisser toute la nourriture à la bouche. Ce dernier apologue était emprunté à un épisode historique souvent cité, la sécession de la plèbe de Rome sur le mont Aventin (VIe siècle av. J.-C.), ramenée à la raison par le discours du consul Menenius Agrippa montrant l'absurdité d'une révolte ou d'une guerre civile opposant entre eux les éléments d'un même corps.

La Nature elle-même donnait l'exemple des hiérarchies, le soleil dominant le cours des astres, le lion roi des animaux, l'aigle premier des oiseaux, le diamant parmi les pierres ou le lys parmi les fleurs. Imiter une dignité que l'on n'a pas, vouloir jouer un autre rôle que le sien propre était un péché contre l'ordre de la Nature, comme celui de Satan voulant imiter Dieu. Ainsi, observait Ambroise Paré, serait scandaleux le comportement du singe voulant imiter l'homme, ne faisant rire que les petits enfants ignorants de la faute essentielle de cet animal. Une autre justification du fixisme comparait la vie à un rôle de théâtre ; on trouve cette analogie chez l'essayiste vénitien Zuccolo (1624) ; il convient à chacun de réciter le texte qui lui est imparti, et les meilleurs acteurs sont ceux qui demeurent fidèles à leur partition et les plus détestables ceux qui la trahissent pour plus de prétention.

Le fixisme social pouvait aussi trouver des explications historiques. La noblesse aurait été constituée par la descendance de conquérants antiques, peut-être des chefs gaulois, des Romains ou des Francs vainqueurs ; il y aurait donc une aptitude particulière, biologique, qui rendait compte de la hiérarchie des individus. Cette transmission de la dignité était suggérée d'ailleurs dans les notions de race et de sang royal qui fondaient la légitimité d'une dynastie.

Le fixisme trouve enfin, à n'importe quelle époque, une justification morale dans les mérites des savoirs traditionnels, dans les avantages de la prudence, dans les vertus de modestie, de résignation et d'obéissance.

De l'idéal hiérarchisé et immuable dérivaient plusieurs conséquences sociales. La plus claire était la condamnation de l'esprit de révolte, et cet argument tourmentait effectivement les catholiques anglais opposés à Élisabeth, les protestants français prenant les armes dans le royaume, les Croquants ou les Frondeurs. La mobilité sociale elle-même était réputée coupable et ce préjugé était l'un des lieux communs les plus assurés de l'époque, illustré par des proverbes et dictons : la caque sent toujours le hareng, il n'y a rien de si vaniteux qu'un pou sur une casaque de velours, etc. Tôt ou tard, le parvenu doit révéler la bassesse de son âme, rappelant la bassesse de sa naissance. Le thème provocateur du laquais devenu financier par le biais des profits faits sur les pauvres taillables était le ressort de toutes les révoltes populaires. Concini et Mazarin avaient incarné ce personnage détestable. Le thème n'était pas mythique puisque les affaires du roi étaient alors le meilleur placement pour l'argent et qu'en deux ou trois générations on pouvait par cette voie passer de l'obscurité provinciale aux traités de finance et aux plus grands offices royaux.

Il reste enfin que le conservatisme était sans doute l'attitude la plus sage dans une société où les changements étaient lents et les modèles apparemment immuables. Dans un régime démographique où l'espérance de vie est courte, le père mourait généralement avant que ses enfants soient au travail ; il devait donc leur léguer très vite ses champs, sa boutique ou son savoir-faire. Il n'y avait pas place pour de longues adolescences et jeunesses studieuses, il fallait se mettre très tôt dans les pas des prédécesseurs dont on portait souvent le prénom même. Le savoir des vieilles gens était rare et précieux, ils avaient la connaissance des bonnes coutumes et l'expérience des anciens temps. De la sorte, plus une société était juvénile, plus elle avait tendance à être coutumière et éloignée de l'innovation.

L'exposé de ces croyances et préjugés ne doit pas être pris au pied de la lettre. Ces opinions communes n'empêchaient pas les mécontents de se révolter non pas contre le roi mais contre ses mauvais ministres ; elles n'empêchaient pas tout un chacun de tâcher de s'enrichir et de promouvoir ses enfants, le parvenu étant toujours celui qui avance plus vite que vous ; elles n'empêchaient pas les innovations matérielles ou intellectuelles suscitées par l'effondrement des savoirs antiques, continûment remis en question, et par l'exploration de nouveaux mondes au-delà des océans.

Il est généralement admis que les révolutions industrielle et urbaine ont développé l'individualisme et, de fait, les anciennes sociétés d'ordres enfermaient chacun dans de multiples réseaux de solidarité. On ne vit pas seul ; on appartient comme la plupart des paysans à une famille et à une paroisse, au-delà à un métier, à une confrérie, à une communauté citadine, ou encore à une famille très vaste réunissant les plus lointains cousins, à une clientèle, à un corps ou compagnie, à une province, à un ordre. Chacun de ces liens nuançait le statut, accordait des devoirs et des privilèges, définissait la place exacte de la personne dans la société et dans le royaume.

Aucune société n'est immobile. Le changement peut résulter de l'apparition de nouveaux venus ou du renouvellement naturel qui fait constamment disparaître des noms par mariage des filles, par déshérence ou par ruine. Il existe en effet une mobilité sociale descendante, mais la honte, la misère, le silence, l'oubli emportent la trace des familles nobles dispersées, retombées dans le sein de la paysannerie. L'ascension sociale est toujours plus facile à deviner. Dans la France massivement rurale, l'ascension d'une famille commençait avec la diversification de ses activités. Un riche laboureur se mêlait un jour de vendre lui-même ses grains, de faire le roulier et le marchand, de prêter à ses voisins, de prendre à bail d'autres terres, de faire les affaires d'un seigneur des environs, d'entrer en relation de commerce avec les gens de la ville voisine. Ce marchand laboureur mettrait son fils au collège et en ferait un notaire ou un avocat. Le petit-fils achèterait un office royal et l'arrière-petit-fils achèterait peut-être une charge anoblissante. Les filles épousaient des gentilshommes d'épée ou de robe, les fils portaient le nom de la terre, les cadets allaient à la guerre ou au séminaire. L'éducation des collèges et la vénalité des offices ont leur bonne place dans cette trajectoire, mais aussi le genre de vie et l'estime sociale. Ainsi va le monde.

L'œuvre et l'influence de Descartes.

La vie de Descartes épouse à peu près les limites de cette époque. Son œuvre résume génialement les ambitions et les réussites de ce temps. Elle marque une étape essentielle dans l'histoire de la pensée.

René Descartes, né en 1596 aux confins de la Touraine et du Poitou, était fils d'un conseiller au parlement de Rennes. Il fut élevé au collège jésuite de La Flèche qui venait de s'ouvrir. Après des études de droit, il passa deux ans dans les armées, hollandaise puis impériale, comme gentilhomme volontaire. Il voyagea à travers l'Europe puis s'établit en Hollande, se consacrant librement à son œuvre.

Le vieil ordonnancement des connaissances selon Aristote vacillait alors, secoué par l'élan des découvertes. Les dernières générations de l'humanisme, par exemple dans des domaines différents Jean Bodin ou Ambroise Paré, comprenaient cette désuétude et ressentaient le besoin d'une réflexion sur l'essence même du savoir. En astronomie, ou en physiologie, dans tous les champs scientifiques, des expériences et des découvertes remettaient en cause les certitudes de l'école. Francis Bacon, chancelier d'Angleterre, rejetait (*Novum Organum*, 1620) tout argument d'autorité et de tradition, recommandant le doute, l'observation, l'expérimentation et l'induction. L'œuvre de Descartes se place à ce rendez-vous de la pensée européenne. Alors que des lettrés contemporains comme Peiresc ou les frères Dupuy restaient encore au stade des échanges de questions et des collections de curiosités, le jeune Descartes s'appliquait solitairement et obstinément à construire une méthode de raisonnement qui puisse fonder, légitimer les disciplines de la connaissance. Il envisageait d'abord sans les publier des traités sur les « règles pour la direction de l'esprit » (1628), sur le Monde et sur l'Homme (1633). Enfin en 1637, à Leyde dans les Provinces-Unies, il publiait en français un *Discours de la méthode* se présentant comme une introduction à trois essais, *Dioptrique, Météores, Géométrie*, simples exemples d'application de cette méthode. En 1644, il éditait en latin ses *Principes de la philosophie* qui se voulaient un système unique et cohérent des connaissances. Le système se déduit des causes premières ou principes, qui constituent la philosophie première ou métaphysique, et qui sont comme les racines de l'arbre de la connaissance. La physique, c'est-à-dire les sciences de la nature, est la philosophie seconde, le tronc de l'arbre. Les mathématiques ne figurent pas dans cette construction, car elles sont l'exercice préparatoire, méthode purement abstraite, dépourvue d'objet. Descartes mourut prématurément à Stockholm en février 1650 alors qu'il était accueilli par la reine Christine.

Le succès de l'œuvre de Descartes en France fut immédiat. Bien qu'il ait publié certains de ses travaux en Hollande pour éviter les censures de la Sorbonne, la traduction française de ses *Principes* parut à Paris en 1647, année où il fut gratifié d'une pension royale. Ses *Passions de l'âme* (1649) parurent conjointement à Paris et Amsterdam. Par la suite, les éditions en France de ses divers écrits se comptèrent par dizaines. Des traités de physique, de médecine, venant à paraître à Paris dans les années 1660, affectaient de s'autoriser « des principes de la nature et des mécaniques expliqués par M. Descartes ». De grands personnages, le duc de Luynes, le duc de La Rochefoucauld, le prince de Condé, se mettaient à l'école de sa pensée et tenaient dans leurs hôtels des conférences d'explication et de commentaires de l'œuvre de Descartes. Les réticences et les censures effectives de la Sorbonne attachée à l'aristotélisme en 1671 ne pouvaient plus rien contre l'immense audience du « cartésianisme », adopté sans réserve par les auteurs qui écrivaient dans le *Journal des savants*.

La volonté de doute de Descartes, de rejet de la tradition, quelle qu'elle fût, la soumission en toutes choses aux règles de la raison, enfin le souci de fonder même un rationalisme métaphysique allaient être les piliers de la pensée classique.

14

Vie artistique

L'histoire de l'art est aussi l'histoire de la sensibilité, de l'attention qu'une époque accorde aux diverses formes d'art, soit non seulement le goût des artistes de métier, mais encore la perception de l'art dans toute l'étendue de la société. Parmi l'environnement quotidien, dans le décor des églises ou des maisons de ville, dans les spectacles des jours de fête, apparaissaient des fresques, des tableaux, des panneaux et tentures qui mettaient sous les yeux du plus grand nombre des œuvres durables ou éphémères. Ces occasions étaient à la fois des sources de profit pour les artistes et des moments exceptionnels de participation populaire.

Le métier de peintre.

Peindre pour gagner sa vie était un artisanat avec la structure des métiers jurés et les degrés d'apprenti, compagnon et maître. On naissait généralement dans la profession ; le fils un peu doué d'un maître peintre serait envoyé très tôt dans les ateliers, puis dès la prime jeunesse engagé dans des voyages où il devait découvrir de nouveaux maîtres et de nouveaux styles, et aussi visiter les monuments romains, les collections d'antiquités, regarder, étudier et copier des tableaux de maîtres modernes dans les églises ou les palais où ils étaient déposés. Amasser des croquis et des modèles, reconnaître les genres, rechercher sa personnalité étaient les enjeux. Bien entendu, le voyage par excellence était le voyage d'Italie, dont on allait découvrir les lumières, les paysages méditerranéens et les souvenirs antiques. On allait s'y mettre à l'école des grands maîtres, des Vénitiens du siècle passé (Titien, Véronèse, Tintoret), du retour au classique des frères Carrache à Bologne, ou des contrastes de lumière qu'un génie fulgurant à la vie brève, le Caravage, venait de mettre à la mode.

Parmi les genres italiens, les paysages désolés et ensoleillés de la campagne romaine semblaient offrir le plus juste décor pour les scènes empruntées au répertoire de la mythologie antique (on disait la fable). Les images de rues et de tavernes, peuplées de soldats, mendiants, bohémiens et filles de joie, composaient le genre des bambochades (d'après le nom d'un peintre flamand, Van Laer, dit Il Bamboccio, le nabot).

Certains comme Gellée ou Poussin s'établissaient dans un très long séjour romain, mais la plupart n'y passaient que quelques saisons.

Au retour en France, le métier pouvait prendre bien des aspects. Certains, plus ou moins itinérants, allaient au-devant des commandes, des hôtels de ville désireux de faire portraiturer en corps leurs échevins ou consuls, des couvents ou des églises qui multipliaient alors les bâtiments. Il fallait obtenir la faveur du conseil de fabrique ou d'une confrérie donatrice, se faire adjuger le décor d'une voûte ou la peinture d'un retable, c'est-à-dire le vaste panneau formant l'arrière-plan d'un autel. Un exemple classique du mécénat religieux serait la suite de tableaux offerts chaque mois de mai à Notre-Dame de Paris par le corps des orfèvres, œuvres commandées à La Hyre en 1635 et 1637 ou à Sébastien Bourdon en 1643.

De la clientèle citadine, on pouvait attendre des commandes de portraits. Avec l'ascension d'une bourgeoisie marchande, de riches parvenus voulaient se voir en peinture, seuls avec des attributs de leur métier, ou bien en famille entourés de leur femme et de leurs enfants. Cette mode sociale s'était développée dans la prospère Hollande des négociants et des armateurs. Elle se confirmait en France avec deux artistes d'origine flamande, Franz Pourbus, Anversois fixé à Paris en 1610, et surtout Philippe de Champaigne qui, après son portrait de Louis XIII vouant son royaume à la Vierge (1638), devint pendant une vingtaine d'années l'un des artistes les plus sollicités à Paris.

Le goût bourgeois réclamait encore des images plus variées, des scènes de genre, des gueuseries à l'italienne, ou à la flamande, moments pittoresques ou burlesques, voire des épisodes de vie militaire, scènes de bataille ou de corps de garde qui surprenaient, amusaient ou dépaysaient. Un choix féminin apparaissait aussi qui préférait les compositions florales, les vanités, c'est-à-dire des natures mortes moralisées évoquant la fragilité et la brièveté de l'existence humaine, ou enfin des passages extraits des romans de chevaliers amoureux si fort à la mode à l'époque de la Fronde.

Pour répondre à la grande diversité des commandes, les artistes se reportaient à des répertoires iconographiques qui expliquaient le langage des symboles et allégories du paganisme ou de la chrétienté. Le plus ancien ouvrage en ce domaine était le *Livre des emblèmes* d'André Alciat (Augsbourg, 1531), et le plus pratique en ce début du XVIIe siècle, l'*Iconologie* de Cesare Ripa (Rome, 1593), en attendant les travaux plus tardifs du jésuite Claude Ménestrier (1631-1705). Il y avait là un savoir qui nous paraît aujourd'hui précieux et ésotérique, mais dont les significations et conventions étaient assez familières aux artistes et à tous les lettrés de l'époque.

Les commandes les plus enviées étaient bien sûr celles du roi et de la cour. Les travaux entrepris par Marie de Médicis au palais du Luxembourg mobilisèrent les meilleurs talents, jusqu'au grand Rubens qui de 1622 à 1625 composa la galerie du premier étage, soit vingt et un grands tableaux retraçant la vie de la reine. Louis XIII au Louvre, Richelieu et Mazarin dans leurs diverses demeures offraient de nouveaux chantiers. Les allées et venues des artistes engagés ici ou là à travers l'Europe contribuaient à la circulation des styles et des modes. C'est ainsi que les séjours parisiens du Romain Romanelli, peintre décorateur appelé par Mazarin en 1645 et en 1655, introduisaient ou plutôt renforçaient la nouvelle veine classicisante du goût français.

Les bénéficiaires de telles commandes étaient des personnages au rang social considérable, commensaux de princes comme Rubens ou Van Dyck. Leurs ateliers employaient plusieurs dizaines d'autres peintres qui pouvaient être de proches parents, des associés temporaires, des compagnons, des apprentis et élèves. Le travail de vastes compositions était divisé entre spécialistes, l'un traitant les draperies, l'autre les ciels ou les fonds de paysage. Il arrivait souvent que, une œuvre ayant plu, d'autres clients la demandent et que l'atelier effectue à la file plusieurs copies ou variantes.

Un jour viendrait où ces peintres parisiens de grande réputaiton se lasseraient d'être confondus avec la masse des tâcherons qui peignaient à fresque la chapelle d'une confrérie de métier ou le tableau de cheminée d'un bourgeois. Des artistes ayant reçu des commandes et des privilèges commerciaux du roi se trouvaient en procès avec le corps des maîtres peintres de Paris. En 1648, une douzaine de ces artistes privilégiés comme Champaigne ou les frères Le Nain fondèrent une Académie de peinture, association de lettrés sur le mode italien revendiquant le prestige des arts libéraux par opposition aux arts mécaniques des métiers jurés. Avec la protection du chancelier Séguier, l'Académie siégea au Louvre. A vrai dire, elle n'obtint sa consécration qu'en 1663 lorsque Le Brun obtint d'y agréger automatiquement tous les peintres recevant un brevet du roi.

Le métier de peintre avait connu d'autres développements commerciaux du fait d'un nouvel élan des procédés de reproduction des œuvres peintes. La tapisserie, très ancienne technique, support d'image, décor des murs, suppose au départ le dessin d'un carton qui servira de canevas aux liciers. Des artistes, pour s'assurer de la fidélité de la traduction de leurs œuvres en tapisserie, dessinaient eux-mêmes les cartons. Rubens, Jordaens prenaient cette peine. L'art de la tapisserie n'était d'ailleurs plus réservé aux demeures des grands, des maisons citadines se décoraient à leur tour de modèles simples, verdures ou mille fleurs, de Bergame ou de Bruxelles. En France, Henri IV avait attiré des liciers flamands au faubourg Saint-Antoine, transférés ensuite au Louvre même, et d'autres encore au faubourg Saint-Marcel au lieu-dit les Gobelins. En 1622, Louis XIII demanda à Rubens de composer des cartons originaux pour une *Histoire de l'empereur Constantin*. En 1627, il confiait à Simon Vouet le dessin des cartons des ateliers royaux, et nombre d'autres artistes recevaient des commandes analogues.

L'art de la gravure offrait une autre méthode de reproduction des œuvres peintes, celle-là en très grand nombre et à bon marché. Au cours du XVI⁰ siècle s'étaient généralisées la gravure au burin sur métal (taille-douce), puis l'eau-forte où la pointe doit déchirer le vernis posé sur le métal, permettant à un bain d'acide de creuser le trait. Les possibilités de recreuser au burin, de varier la morsure de l'acide permettaient d'obtenir des nuances dans l'intensité des noirs et donc de suggérer une idée des couleurs et des valeurs d'un tableau. Un éditeur d'estampes, Hieronymus Cock, fit fortune à Anvers à la fin du XVIᵉ siècle en diffusant les œuvres des peintres flamands. Nombre de peintres tenaient à graver eux-mêmes leurs œuvres et à profiter directement de leur diffusion commerciale. Ce fut le cas de Rubens, de Vouet, de Van Dyck, de Rembrandt, etc. D'autres artistes se spécialisaient dans l'œuvre gravée originale, tels le Lorrain Jacques Callot (1592-1635) et le Parisien Abraham Bosse (1602-1676).

La vulgarisation de la gravure élargissait le répertoire des peintres, leur proposant des modèles d'œuvres lointaines, témoins La Lyre ou Champaigne qui, n'ayant jamais fait le voyage de Rome, avaient découvert les maîtres italiens par leurs gravures. Le commerce d'images à bon marché changeait surtout le décor de la vie. Des maisons d'artisans et de fort simples gens pouvaient avoir, auprès du lit ou de l'entrée, une gravure de piété ou un portrait du roi achetés quelques sous dans une foire à un colporteur d'estampes.

Quelques grands peintres.

Certains artistes français acquéraient alors, pour la première fois dans l'histoire de la peinture, une réputation qui dépassait les limites du marché parisien et des frontières du royaume. Les jeunes artistes français nés et grandis à la fin des guerres de Religion avec les premières années de paix prenaient le chemin du Midi et découvraient émerveillés les richesses de l'art transalpin. De cette génération, le plus caractéristique est Simon Vouet (1590-1649). Comme tous les artistes français, il avait commencé par découvrir dans sa prime jeunesse les fresques du château de Fontainebleau. Voyageant à Venise, puis à Rome dès 1613, il avait été ébloui par le caravagisme, en avait pris la manière et s'était imposé dans le milieu romain. En 1627, Louis XIII l'avait rappelé à Paris à son service. Vouet, maître incontesté de son temps, se voyait confier la décoration d'hôtels parisiens et de châteaux d'Ile-de-France. Son atelier débordait de compagnons et d'élèves. Il alliait en tous sujets à des couleurs somptueuses une composition originale et inventive, faisant triompher le goût baroque.

Georges de La Tour (1593-1652) fut l'un de ces nombreux artistes originaires du petit duché catholique de Lorraine. Il commença sa carrière à Lunéville avec la protection du duc Charles IV. Chassé par la guerre, il passa à Paris avec un brevet royal (1639). Le caravagisme marque ses tableaux de « nuits » où des personnages de romans picaresques surgissent entre les contrastes de lumière. Le mariage du pittoresque du sujet et de la simplification des formes lui a fait gagner les faveurs du goût de notre époque.

Les œuvres de Claude Vignon (1593-1670) et de Jacques Blanchard (1600-1638) témoignent de l'effervescence picaresque.

Nicolas Poussin (1594-1665) suivit le même itinéraire de jeunesse, puis se fixa à Rome et y resta sa vie durant, en dehors d'un bref rappel à Paris en 1641-1642. Savant lettré, honoré par les connaisseurs romains, il échappe dans ses tableaux d'allégorie et d'histoire aux classements de style. Ses paysages s'harmonisant subtilement avec chacune des scènes mythologiques qu'ils encadrent invitent toujours à la méditation et au rêve.

Laurent de La Hyre (1606-1656), auteur de compositions aux perspectives savantes et aux coloris souvent éclatants, annonçait le nouveau goût français qui vers 1650, renonçant au maniérisme, voulait simplifier les formes et les couleurs.

Claude Gellée (1600-1682), dit le Lorrain, fit carrière à Rome, comme Poussin, travaillant notamment pour les papes et pour le roi Philippe IV d'Espagne. La féerie de ses paysages imaginaires de ports aux lumières tardives séduisit les collectionneurs anglais du XVIIIe siècle et le lyrisme romantique après eux.

Les trois frères Le Nain, Antoine et Louis (vers 1600-1648) et Mathieu (vers 1600-1677), originaires de Laon et montés très tôt à Paris, créèrent une œuvre abondante, — portraits, tableaux religieux —, dont la postérité a voulu retenir les images réalistes de la vie paysanne ou du petit monde des enfants trouvés. Notons que ces scènes campagnardes ne représentent pas une noire misère comme on le dit souvent, mais la quotidienneté des villages céréaliers de leur région, le Soissonnais.

Sébastien Bourdon (1616-1671), montpelliérain, calviniste, avait fait le voyage d'Italie avant de s'établir à Paris (1637). Il travailla aussi à Stockholm, appelé par la reine Christine (1652), et en Languedoc. On lui doit des portraits, des bambochades et des décors comme celui de l'hôtel de Bretonvilliers, dans l'île Saint-Louis.

Philippe de Champaigne (1602-1674), venu de Bruxelles à Paris, travailla dès 1625 au palais du Luxembourg puis au Palais-Cardinal avec Vouet. Dans les années 1640-1650 sa renommée de portraitiste triomphe. Dévot de Port-Royal, où une de ses filles était entrée en 1656, il inaugurait dans ses tableaux de piété les normes du goût classicisant.

Charles Le Brun (1619-1690) illustre la même évolution, les choix d'une nouvelle génération. Caravagiste dans sa jeunesse romaine, il s'imposa dans les années 1650 comme le décorateur à la mode, à l'hôtel Lambert et au château de Vaux (1658). On situe en 1660 l'épisode symbolique de sa fortune et de son goût : il brossa devant Louis XIV un tableau intitulé *Les Reines de Perse aux pieds d'Alexandre*. Ce morceau d'éloquence et de doctrine, prôné et discuté par l'Académie, allait devenir un modèle de la veine classique aux yeux des artistes et connaisseurs des époques suivantes.

Habitat et construction.

Chaque époque vit dans l'environnement et le décor que lui ont légués les âges antérieurs. Le paysage quotidien n'est pas fait des créations et nouveautés, qui ne se rencontrent qu'en quelques sites ponctuels liés au pouvoir ou à la fortune, mais des restes médiocres ou glorieux des générations disparues. Le paysage urbain du XVIIe siècle devrait, d'après ses formes et ses équilibres, être dit médiéval, encore cette étiquette serait-elle même trompeuse, héritée des conventions du vocabulaire des styles établi au XIXe siècle ; cet ensemble d'apparences et de contraintes venait tout simplement du développement des cités au cours des XVe et XVIe siècles. L'histoire doit se lire d'amont en aval, exercice utopique puisqu'on ne peut recommencer ; c'est pourtant cette seule vision qui peut permettre de mesurer, pondérer, évaluer les changements minuscules et accumulés de l'habitat, du genre de vie, de l'environnement de tous les jours.

La plupart des maisons paysannes étaient faites d'une pièce unique avec une cheminée, une seule fenêtre ou pas du tout et pour mobilier un grand lit, un coffre et une table. S'y ajoutaient peut-être des dépendances — greniers, étable, grange et appentis à volailles —, mais toute la famille devait manger et dormir dans la salle unique. Il existait aussi, chez de riches laboureurs et dans des domaines exploités conjointement par plusieurs familles de frères et sœurs, de grandes bâtisses, maisons de maître, pouvant être mises en défense, portant fièrement le nom de la famille. Même à cette échelle, on n'échappait pas à la norme de la pièce unique par couple familial et à l'absence presque totale de meubles. Les parents couchaient dans le lit fermé par un rideau, les enfants sur des paillasses par terre et les domestiques dans la grange.

Les sites urbains, mieux connus par des portraits de ville figurant sur des guides de voyage, conservaient leur apparence dite médiévale. L'insécurité maintenait les rigueurs des enceintes fortifiées. Les villes et jusqu'aux plus petites bourgades étaient entourées de remparts, avec une occupation intense de l'espace. Un petit nombre de portes s'ouvraient sur les faubourgs radiaux qui commençaient à se développer le long des départs de chemins. Les rues étaient étroites et sinueuses suivant les pentes, les places rares, irrégulières et sans perspectives. Le parcellaire des maisons était aussi resserré. Par des étals et des encorbellements, les maisons débordaient sur la rue. Il y avait place cependant pour des jardins de maisons bourgeoises ou de couvents à l'intérieur des murs, mais il aurait fallu monter au clocher pour les apercevoir dans l'entrelacs des toits.

L'habitat urbain présentait lui aussi des pièces uniques, deux ou trois pour des marchands ayant boutique ou atelier. La promiscuité et l'inconfort étaient la règle commune. Le bois dominait dans la construction, charpentes et colombages, lattis et pans de bois, avancées d'étages sur rue, galeries et escaliers sur cour. La pierre ne servait qu'à soutenir un seuil ou une fenêtre, le gros œuvre était en moellons et les murs en torchis ou en plâtre. Les rares ouvertures étaient autrefois fermées par des meneaux de pierre et des volets de bois, maintenant on voulait avoir des fenêtres à petits carreaux qui fassent entrer la lumière. Si les pièces venaient à se diversifier, on aurait en entrant une salle commune, où se tenaient les domestiques, puis chez les gens de qualité, une antichambre et des chambres plus ou moins spacieuses où une grande dame recevait dans sa ruelle. La densité de l'occupation du sol et la médiocrité des matériaux favorisaient les incendies qui pouvaient brûler des quartiers entiers avant qu'on réussisse à faire la part du feu. Ainsi des villages d'habitat groupé étaient complètement détruits en une nuit et leurs habitants réduits à la mendicité, on les appelait des « quêteurs de brûlé ». Citons des incendies à Montauban en 1614 et 1643, à Nérac en 1611, à Bolbec en 1656, etc.

Les demeures les plus fortunées reflétaient, à leur échelle, le même passéisme. Les châteaux de la noblesse étaient encore des maisons fortes. Avec la paix civile et une nouvelle liberté d'existence, on cherchait à aménager le vieux décor fortifié, on abattait un mur de l'enceinte, dessinant des bâtiments en U, ouverts sur une cour d'entrée, avec les anciennes tours sur les côtés où de nouvelles fenêtres laissaient désormais passer le soleil.

Selon les vœux des assemblées de notables de 1596 à 1626, de nombreuses fortifications furent démantelées, notamment pendant les années 1620 : châteaux forts découronnés ou rasés, remparts de villes abattus. Mais ces entreprises, pour importantes qu'elles fussent — plusieurs centaines de chantiers de destruction par province —, laissaient en place l'immense majorité des lieux forts, plusieurs milliers dans le royaume. Une autre campagne de suppression de remparts citadins appartient à la seconde moitié du siècle.

Les églises elles aussi avaient souvent reçu, à la campagne du moins, des éléments de fortifications pendant les guerres de Religion. Un très grand nombre avaient été alors détruites ou endommagées ; les premières décennies du XVIIe siècle furent des moments de reconstruction intensive, même dans de très petits villages. Les maçons villageois construisaient, selon leurs traditions, des voûtes et des fenêtres gothiques, des murs et des porches que l'on dirait romans. Même dans les grandes villes, les modes anciennes persistaient pour la reconstruction ou l'achèvement d'édifices préexistants. La cathédrale d'Orléans, reconstruite en grande partie de 1611 à 1636, était couverte de voûtes ogivales, pareillement, la grande église paroissiale du quartier des Halles à Paris, Saint-Eustache, commencée en 1623, fut couverte vers 1650 d'une haute voûte structurée de nervures.

Comme tous les autres arts mécaniques, la profession d'architecte ou de maître maçon était un métier juré. De même que les apothicaires se séparaient des épiciers ou les chirurgiens des barbiers, l'architecte, concepteur, doté d'un savoir livresque, tenait dès le XVIe siècle à se distinguer du commun des maîtres maçons, simples praticiens. Il y avait quelque 150 maîtres maçons à Paris et tous n'auraient pu passer pour architectes, mais la frontière était incertaine. Ils avaient appris les secrets de leur métier de père en fils et dans les apprentissages, et aussi grâce à la vulgarisation de traités d'architecture. Les œuvres des théoriciens italiens du siècle passé, Serlio, Vignole, Palladio, circulaient en traductions ou en adaptations ; on trouvait aussi en librairie des recueils de modèles comme *La Manière de bien bâtir pour toutes sortes de personnes* de Pierre Le Muet (1623) ou les collections de portes, plafonds, cheminées, serrures, etc., publiées à partir de 1647 par le graveur Jean Marot.

Quelques nouveaux bâtiments.

Les nouvelles générations voulaient desserrer le carcan de l'habitat médiéval, elles se montraient avides d'espace, de perspectives, de lumière et de monumentalité. Henri IV nourrissait personnellement de tels projets pour sa capitale. En 1598, il faisait entreprendre l'achèvement du Pont-Neuf, premier pont qui fût dépourvu de maisons, doté d'une puissante pompe monumentale (la Samaritaine). Dans le quartier en développement du Marais, il faisait réaliser à l'emplacement de l'ancien hôtel des Tournelles une place Royale (actuelle Place des Vosges), édifiée de 1605 à 1612, et la place Dauphine (1607-1615) dans l'île de la Cité devant le Palais de Justice. La place Royale, due sans doute à l'architecte Louis Métezeau (1599-1615), était composée de maisons particu-

lières soumises à un modèle commun présentant un ordonnancement caractéristique du goût français du temps, hauts
combles droits couverts d'ardoise, percés de lucarnes en
pierre, chaînages de briques et pierre sur les façades. Une
autre place presque analogue, due au même Louis Métezeau,
fut édifiée de 1606 à 1627 pour Charles de Gonzague, gouverneur de Champagne, détenteur à côté de Mézières, à la
frontière de l'évêché de Liège, d'un petit espace souverain
désormais appelé Charleville. La place ducale fut achevée par
Clément Métezeau (1581-1652), frère cadet de Louis, devenu
célèbre notamment pour la construction de la digue du siège
de La Rochelle.

D'autres exemples d'urbanisme volontaire se rencontrent
dans la création par Sully d'une ville neuve à Henrichemont
en Berry (1608), ou de la cité de Richelieu voulue par le
cardinal ministre en 1631. Ces deux sites artificiels périclitè-
rent bientôt. Richelieu avait confié le soin de créer une ville
neuve et un château à l'architecte Lemercier (1585-1654) qui
avait collaboré sur des chantiers avec Salomon de Brosse. Le
château, dont il reste peu de chose, était alors le plus grand
de France ; il se composait de trois ailes autour d'une cour
fermée par un corps d'entrée monumental. Il a pu servir de
modèle au projet du château de Versailles.

Dans Paris, la fièvre de construire était à son comble. La
pierre était rentable. La valeur des loyers triplait de 1600 à
1650. De nouveaux quartiers se dessinaient : l'île Saint-Louis
lotie en 1614, construite surtout à partir de 1627 ; le quartier
Saint-Sulpice, prolongeant le bourg abbatial de Saint-
Germain-des-Prés ; le quartier du Palais-Royal entre le Louvre et les remparts au nord-ouest, etc. On a dit que, dans cette
heureuse période, 2 000 hôtels particuliers furent construits.
Si le chiffre est certainement exagéré, il traduit bien cependant la situation privilégiée de Paris. Le contraste avec les
difficultés paysannes vérifie clairement le détournement
contemporain des ressources du royaume au profit de la capitale. Ces hôtels s'ordonnaient généralement autour d'une cour
d'entrée. Le corps de logis principal accueillait le plus souvent des vestibules et escaliers monumentaux accédant à de
grandes salles à plafonds décorés, les offices étant relégués
dans les ailes.

Les provinces ne suivaient pas les mêmes modes et pouvaient grâce à des architectes locaux suivre des traditions plus anciennes, comme l'hôtel de ville de La Rochelle remanié en 1606, ou bien plus italianisantes comme les hôtels de ville de Lyon, commencé en 1645, ou de Salon-de-Provence (1655). On admet que le premier grand édifice public provincial serait le parlement de Rennes, dessiné par Salomon de Brosse en 1618. Nombre d'hôtels de ville étaient encore logés dans des maisons fortes médiévales, percées d'une halle et d'un poids public au rez-de-chaussée et d'une horloge à l'étage, seule trace de modernité. Les cours de justice aux auditoires étroits au-dessus de prisons sordides et branlantes ne valaient guère mieux. Des changements n'apparaîtraient pas avant plusieurs décennies.

La magnificence des palais transalpins était passée au début du siècle dans la bâtisse du château du Luxembourg, que Marie de Médicis avait voulu sur le modèle du palais Pitti de Florence (1614-1626). De la grande activité de François Mansart (1598-1666), le réalisateur le plus fécond de ce temps, peu de témoignages ont subsisté : le château de Balleroy en Basse-Normandie (1631), les aménagements du château de Blois pour Gaston d'Orléans (1635-1638), et le château de Maisons (Maisons-Laffitte), construit de 1642 à 1651 pour le président de Longueil.

Les constructions d'églises empruntaient lentement et timidement les modèles romains. L'église des Feuillants de Paris (1601), aujourd'hui disparue, fut dans Paris la première église à vaisseau unique selon les recommandations du concile de Trente et sur le modèle de l'église jésuite du Gesù, due à Vignole (Rome, 1568-1575). La diffusion des modèles romains, fonctionnels et simples, devait beaucoup au père Martellange, architecte général de la Compagnie de Jésus (1569-1641). L'église de la maison professe de Paris, Saint-Louis, menée à bien de 1627 à 1641, présentait le premier grand dôme construit dans Paris. D'autre dômes allaient suivre, la chapelle de la Sorbonne (1635-1642) et l'église du Val-de-Grâce (1645-1662).

Les changements que subissait le paysage monumental français en cette époque semblaient fort inégaux. Ils affectaient massivement la capitale dont les nouvelles bâtisses reflétaient un goût français original qui ne suivait que de loin les modèles méridionaux, tandis que les provinces demeuraient encore gothiques ou déjà italiennes. Cette image inégale est peut-être biaisée par la plus facile attention accordée aux édifices de la capitale. Les châteaux du duc de Lesdiguières, gouverneur de Dauphiné, à Vizille, du duc d'Épernon, gouverneur de Guyenne, à Cadillac, du prince de Condé à Chantilly et Montrond, les quartiers d'hôtels parlementaires dans toutes les villes où siégeaient des cours souveraines (Aix, Toulouse, Bordeaux, Rennes, Rouen, Dijon, Grenoble) témoignent aujourd'hui encore de l'existence de nombreux pôles provinciaux indépendants et féconds.

Le métier de musicien.

Dans les bals champêtres et les fêtes de jeunesse des mois de mai et de juin, les hautbois et les musettes faisaient danser les villageois. De ces traditions locales de danses et de chansons, souvent nourries par les bribes des modes de cour transmises au gré des voyages des grands et des séjours royaux en province, on sait peu de chose.

« C'est une chose étrange et admirable de voir combien du pays de Limousin et particulièrement la Basse-Marche est adonné aux joueurs de hautbois et cornemuses et aux danses, n'y ayant bonne maison ou village qui n'ait quelqu'un qui en sache jouer. Bien que ce soit des laboureurs et pauvres paisants qui n'ont jamais rien su ni appris aucune chose de la musique , qui ne savent ni lire ni écrire, ils jouent néanmoins toutes sortes de branles tant nouveaux qu'anciens » (Journal de Pierre Robert, lieutenant général du Dorat, 1630).

Chaque province, chaque canton avait un ou plusieurs branles à sa mode et aussi ses musiciens campagnards, sonneurs, cornemuseux ou cabrétaïres qui, juchés sur des tonneaux, le chapeau décoré de rubans, accompagnés de fifres et de tambourins, scandaient les réjouissances de la belle saison.

En ville, les fêtes municipales faisaient sortir dans les rues des trompettes, des fifres et des cornets à bouquin, instruments traditionnels appartenant au trésor de ville. Un jeune bourgeois amoureux pouvait pour une aubade louer une bande de violons. Les caractéristiques de cet instrument s'étaient à peu près fixées à la fin du XVIe siècle. Il s'était imposé aux musiciens, diffusé dans toutes les provinces ; il passait parmi les instruments « comme le plus propre à faire danser », il accompagnait désormais les troupes de hautboïstes dans les fêtes de plein vent. On ne trouvait pas de luths, d'épinettes et clavecins, trop dispendieux, ni de guitares, trop exotiques. Ces instruments, qu'on voit figurer dans des scènes de concerts galants, appartenaient à une bourgeoisie raffinée, aux cercles précieux parisiens vers 1640 ou au milieu de la cour royale.

Le métier de musicien était soumis, à Paris et dans les quelques très grandes cités où il pouvait exister, à la jurande des joueurs d'instruments. Les musiciens du roi attachés à la Chapelle, à la Chambre ou à l'Écurie avaient obtenu que leurs privilèges fussent reconnus par les statuts de la jurande en 1658. Ils se détachaient ainsi définitivement de la masse des gagne-petit, obligés de rechercher des clients et des protecteurs. La célèbre dynastie des Couperin descendait de laboureurs d'un village de Brie. Trois frères Couperin auraient fait remarquer leurs talents dans une aubade lors d'une fête d'été dans un château d'Ile-de-France vers 1650. Le premier d'entre eux à conquérir Paris, Louis Couperin, obtint en 1653 la charge de l'orgue de Saint-Gervais.

Nombre de musiciens étaient itinérants. Aller par le royaume à la recherche d'embauche, cela s'appelait « vicarier ». Les plus humbles accompagnaient des marchands forains sur leurs tréteaux. Les plus heureux cherchaient des leçons de danse ou de musique dans les bonnes maisons. C'était l'église qui fournissait le plus de travail, offrait des charges de choriste, de chantre, de maître de chapelle ou d'organiste. Il fallait savoir tout faire, fournir des partitions aux couvents de filles, former au chant liturgique les enfants de chœur, composer un motet, un chant de Noël, une leçon de ténèbres pour un riche bienfaiteur, un chapitre de chanoines, un évêque, un grand seigneur.

Des cathédrales, mais aussi de simples collégiales et de riches paroisses urbaines, s'appliquaient ici ou là à entretenir une tradition chorale ou bien à obtenir la construction d'un buffet d'orgues. L'installation et l'entretien de cet instrument représentait un effort financier important, un objet de mécénat. Un grand personnage local, un corps de ville se cotisaient pour offrir à leur paroisse des orgues. Des cités parfois modestes s'enorgueillissaient de ce prestige musical, ainsi Rodez dans le Sud-Ouest, ou bien Salon en Provence. Pour le mariage de Louis XIV célébré dans l'église de Saint-Jean-de-Luz, on fit construire un jeu d'orgues par le facteur de la cathédrale de Rodez. Il réussit son travail en un peu plus d'un an et pour seulement 1 800 livres. C'était là une chance extraordinaire pour la petite cité basque ; la dépense pour la construction de jeux monumentaux dans des paroisses parisiennes, comme Saint-Étienne-du-Mont ou Saint-Louis-des-Jésuites, pouvait être dix fois plus lourde.

Comme en peinture ou en architecture, les nouveautés venaient de l'Italie. L'Église de la Contre-Réforme avait suscité de nouveaux genres ou multiplié les créations au service de la liturgie : l'oratorio, opéra religieux chanté dans les églises, d'innombrables motets composés généralement sur un thème des Psaumes, des sonates d'églises jouées en concerto grosso. C'était de Venise surtout que venaient les musiques profanes. Le genre le plus original et le plus insolite était, bien sûr, l'opéra, pièce de théâtre chantée. On le fait naître à Venise et à Florence dans les années 1590, se détachant des intermèdes chantés joués dans les entractes, ressemblant fort à d'autres genres de spectacles contemporains comme les « masques » de la cour d'Angleterre ou les ballets de cour en France. La consécration de l'opéra serait la représentation de l'*Orfeo* de Monteverdi le Mardi gras 1607 devant Vincent de Gonzague, duc de Mantoue. Mazarin, truchement du goût italien en France, dépensa énormément pour faire venir à Paris des troupes de chanteurs, comédiens et machinistes de la péninsule. Les Parisiens furent impressionnés par l'*Orfeo* de Luigi Rossi donné en 1647 dans la salle du Petit-Bourbon, spectacle de six heures, somptueusement décoré, ponctué de merveilleux effets de machines. En fait, il faudrait plusieurs décennies avant d'acclimater le genre aux conventions et au goût des Français.

En musique, comme dans les autres arts, l'écart entre les modes de la capitale et les usages des provinces était éclatant. Une musique savante, un artisanat de facteurs d'instruments, un public vaste et fortuné, des salles de spectacle permanentes, les virtualités d'un riche mécénat ne se rencontraient qu'à Paris. Si les provinces méridionales, Provence et Languedoc, connaissaient parfois avant la capitale les modes et les talents venus d'au-delà des Alpes, la plupart des pays du Centre et de l'Ouest demeuraient le théâtre des seules joyeusetés rustiques.

15

Vie matérielle

Il ne peut y avoir de vitalité économique, de productions, d'inventions et de fortunes marchandes sans des réseaux de communications et d'échanges. La maîtrise de l'espace français était encore incertaine. La découverte de l'étendue des provinces et de leurs virtualités pour les besoins du commerce ou du voyage était attestée par les premiers itinéraires routiers et relations de voyage imprimées. Le *Grande Guide des chemins de France* de Charles Estienne, le premier guide de France, parut en 1552. On disposait en 1591 de la *Sommaire Description de la France* de Mayerne-Turquet qui ajoutait en appendice un guide des chemins et postes. Avec l'*Ulysse français* de Louis Coulon (1643), on trouverait encore cinq ou six autres titres jusqu'à la fin du XVIIe siècle, c'est dire qu'il n'était alors ni facile, ni plaisant de sillonner les chemins raboteux et interminables des provinces écartées.

Routes et foires, ports et voies d'eau.

Les régions françaises majoritairement continentales, souvent montagneuses, n'offraient pas de communications évidentes, même si les moindres cours d'eau étaient parcourus, dès que la saison le permettait, par des flottages, des descentes de barques et de coches d'eau. La Seine, la Loire et la Garonne, et aussi la Saône et le Rhône, emportaient des trafics de voyageurs et de gabares chargées de produits pondéreux comme madriers, fers et charbons. Leurs rives étaient jalonnées de très nombreux villages en retrait des zones inondées et de stations de batellerie dans des sites et des parcours dont il ne reste rien aujourd'hui. Les façades maritimes comptaient pareillement des centaines de très petits ports s'adonnant à la pêche et au cabotage. La plupart n'étaient que des sites d'échouage à l'abri des tempêtes et seuls quelques ports réputés disposaient de quais empierrés ou de pontons de bois. L'immense majorité des bateaux ne dépassaient pas 20 ou 30 tonneaux, ce qui n'empêchait pas les marins de se risquer sur l'océan pour aller de port en port ou même en Espagne et en Angleterre. En fait, l'essentiel des transports maritimes des ports français — l'enlèvement des vins et des blés pour les pays du Nord de l'Europe — était assuré par des vaisseaux anglais et hollandais (de 200 à 300 tonneaux pour les flûtes hollandaises) qui par centaines venaient acheter les vins nouveaux dans les premiers mois de l'année. Avec des bateaux de 50 à 100 tonneaux, les pêcheurs français allaient pêcher la morue sur les bancs de Terre-Neuve. Les plus grands ports morutiers, chacun une cinquantaine de navires, étaient Les Sables-d'Olonne, Saint-Malo et Le Havre. Les patrons essayaient de faire deux campagnes à Terre-Neuve chaque année, rapportant la morue verte, soit juste salée, ou bien séchée sur place en Amérique puis vendue au Portugal, en Espagne et dans les ports de Méditerranée. Les Basques pêchaient aussi la baleine dans les mers froides. Les autres pêches plus courantes étaient la sardine depuis tous les ports atlantiques, le thon depuis la Bretagne et le hareng en mer du Nord. Les poissons salés ou fumés, facilement stockables et transportables, jouaient un rôle essentiel dans l'alimentation des villes. Dans les conditions précaires de l'économie céréalière, les régions maritimes avaient toujours une situation relativement privilégiée, avec des prix plus bas et peu de risques de disette.

Pendant le ministère de Sully, qui s'était fait donner en 1599 le titre de grand voyer de France, les routes avaient fait l'objet d'une tentative de développement. Cet épisode fut bref et les revenus fiscaux des ponts et chaussées sous Louis XIII furent généralement détournés pour les besoins de la guerre. L'entretien des routes reposait donc entièrement sur les moyens des villes, de sorte que la plupart des chemins n'étaient pavés qu'à l'approche des cités. Les tracés exacts variaient ; à la mauvaise saison il valait mieux allonger sa route et passer par les hauteurs, alors qu'on choisissait les chemins de vallée pendant l'été. Une carte des routes de postes ayant des relais réguliers de chevaux sur leur itinéraire, dressée par Samson d'Abboville en 1632, montre presque toutes les routes rayonnant à partir de Paris avec seulement deux transversales de Lyon à Clermont et de Nîmes à Toulouse. De Paris partaient des routes pour Amiens, pour Bruxelles, pour Nancy. Par Dijon on pouvait gagner la vallée de la Saône ; par Moulins celle de l'Allier ; par Orléans on rejoignait la Loire. Il y avait très peu de routes vers l'Ouest ; on gagnait la Normandie par la Seine, la Bretagne par la Loire, et le Sud-Ouest par la grande route de Blois à Poitiers et Bordeaux. Le voiturage de marchandises lourdes par les routes était donc réduit. Des grands chariots de rouliers à quatre roues avec avant-train pivotant, portant jusqu'à 15 quintaux, n'avançaient guère que de vingt ou trente kilomètres par jour, mettant des semaines pour un long trajet. Cette limitation retentissait sur la commodité des échanges et aussi des déplacements de troupes militaires dont les capacités stratégiques étaient fort étroites. Sur les routes royales étaient établis des maîtres de postes disposant d'écuries, et aussi le plus souvent d'une auberge et d'une forge. Protégés par les édits royaux, bien placés pour de fructueux négoces, ils étaient souvent des personnages considérables dans leur canton. Il y avait aussi possibilité de confier des lettres aux messagers royaux circulant régulièrement entre les principales villes, mais tous ceux qui le pouvaient, un corps de ville, un riche marchand, un grand seigneur, avaient leurs propres courriers et messagers. La vitesse de circulation des nouvelles urgentes correspondait tout simplement à la vitesse de déplacement d'un cavalier. Dans le cas de la mort d'Henri IV survenue l'après-midi du 14 mai 1610, la nouvelle parvint à La Rochelle le 17 mai et à Pau le 19 mai en fin de journée.

Les marchands et colporteurs, avec leurs mulets chargés de balles, fréquentaient quelques foires célèbres, celles de Paris, bien sûr, à Saint-Germain-des-Prés et au Lendit (Saint-Denis), dans l'Ouest celles de Caen et de Guibray près de Falaise, Amiens au Nord, Niort et Fontenay en Poitou, les quatre grandes foires franches de Bordeaux qui attiraient des centaines de bateaux dans le port, les quatre grandes foires de Lyon, durant quinze jours chacune, fréquentées par des marchands italiens et allemands. Les foires de Beaucaire étaient les plus fameuses du Midi ; les bords du Rhône s'y couvraient à la fin de juillet de milliers de tentes et de tréteaux.

En outre, chaque petite bourgade avait son marché, soit des milliers dans le royaume où les paysans des environs venaient vendre leurs victuailles, herbes et légumes, laitages et volailles, aux bourgeois du lieu. On y trouvait parfois des colporteurs de mercerie ou de quincaillerie auxquels les paysans achetaient des babioles ou des outils avant de terminer la journée dans les cabarets de la place.

Quelques foires et marchés locaux étaient spécialisés dans le commerce des bestiaux. C'était surtout pour la consommation des villes et des armées que l'élevage prenait une envergure marchande. Il y avait des négociants, des maîtres bouchers de villes de l'Ouest ou du Centre, de Normandie, de Limousin ou d'Auvergne qui s'associaient pour envoyer des troupeaux sur pied sur le marché de Paris ou pour les régiments royaux vers l'est. Le cheval, moyen de déplacement ordinaire, bête d'attelage et de somme, était l'objet d'autres grandes foires à travers tout le pays. On disait que le royaume n'avait pas à suffisance de bons chevaux et devait les acheter chèrement, notamment en Allemagne. Le Boulonnais, le Perche, le Limousin, certains cantons d'Auvergne et des Pyrénées avaient déjà une réputation enviable dans l'élevage et la sélection des bêtes. En fait, on a bien peu de certitude sur l'apparence de ces animaux, sans doute petits et trapus, bien éloignés de l'image des races régionales telles qu'on croit les connaître aujourd'hui et qui n'ont été fixées qu'au cours du XIXe siècle. La valeur des chevaux était, en tout cas, suffisante pour entretenir un commerce de fraude, vols dans les prés, maquillage et revente lointaine, qui était à peu près la seule forme de criminalité organisée de l'ancienne France.

On possède à la fin de cette période le témoignage du marchand nantais Jean Éon, dont *Le Commerce honorable* (1646) expose les conditions et les limites des grands courants d'échange qui traversaient le royaume. Les plus grandes quantités de marchandises et les plus grosses masses d'argent concernaient les produit textiles, les toiles de l'Ouest surtout, puis, très loin après, les vins. Vers 1650 l'Angleterre émergeait de ses guerres civiles et les Provinces-Unies de leur interminable guerre avec l'Espagne. Ces deux puissances maritimes, dont les rivalités engendreraient trois guerres navales en vingt ans, augmentèrent aussitôt leur présence sur les routes de l'Amérique et spécialement aux Antilles, dont les îles, à peu près désertes vers 1630, commençaient de révéler leurs virtualités agricoles tropicales. On peut accorder à Richelieu, poitevin de naissance, et plus tard à Fouquet, intéressé aux trafics de Concarneau, d'Yeu et de Belle-Ile, le mérite d'avoir pressenti l'importance de ces régions neuves. Mais ces prémices appartiennent au règne personnel de Louis XIV, les ports français de l'Atlantique ne s'ouvrirent vers les Antilles que dans les années 1680.

Dans cette situation, la vie économique de cette époque doit se comprendre sous les formes d'une autarcie céréalière, chaque canton cherchant à produire à suffisance, à subsister par lui-même, en dehors des courants de commerce, en dehors même des circuits monétaires.

Agriculture et paysans.

La caractéristique primordiale de la paysannerie française était déjà d'être composée dans son immense majorité et depuis longtemps de tenanciers qui se succédaient de père en fils sur des parcelles où ils se considéraient comme propriétaires et où ils avaient effectivement à peu près tous les droits du propriétaire. Le cadre de la seigneurie dominant les campagnes était très inégalement réparti et se trouvait assez peu contesté. La seigneurie était peu importante dans le Midi alors que, dans d'autres régions, elle affirmait un rôle régulateur et pesait parfois durement sur le revenu paysan, par exemple en Bretagne intérieure, ou en Bourgogne, en Berry, en Auvergne, etc.

La fonction régulatrice de la seigneurie tenait au droit de justice. Il existait plusieurs dizaines de milliers de justices seigneuriales qui recevaient le contentieux agraire et jouaient donc le même rôle que les institutions donneraient plus tard aux justices de paix. Les justiciables les plus fortunés préféraient la certitude et l'efficacité des juridictions royales, mais les tribunaux seigneuriaux voyaient affluer sans réticences les plaideurs paysans.

La plupart des exploitants tenaient leur terre d'un seigneur et lui devaient de ce fait un cens considéré généralement comme de peu de valeur. Plus considérables, les droits de lods et vente, en cas de mutation par vente, montaient au douzième du prix. Les droits seigneuriaux étaient peu discutés parce qu'ils s'inscrivaient dans une tradition immémoriale et paraissaient la contrepartie de services réels rendus par le gentilhomme seigneur du lieu. En ces premières décennies du XVIIᵉ siècle avaient toute leur valeur les refuges dans le château en cas de danger des meubles, du bétail et des personnes. Le tenancier appartenait à la clientèle du seigneur, qui lui accordait sa protection parfois militaire contre des logements de soldats et son crédit socio-institutionnel dans des procès ou dans toute aventure des maisons et des familles.

A en juger par l'intensité des procès, deux redevances seigneuriales étaient controversées. D'abord les banalités, lorsqu'elles existaient, obligeaient les assujettis au service onéreux d'un moulin ou d'un four banal seigneurial ; des oppositions de communautés rurales en corps plaidant contre le seigneur n'étaient pas rares en ce cas. Le droit de chasse, lorsque les paysans se voyaient refuser la possibilité d'attraper du gibier sur leur territoire, était une autre fertile source de conflits. A vrai dire, le port d'armes était alors assez général et la chasse paysanne s'exerçait à peu près sans réserve dans cette première moitié du siècle.

Une exploitation agricole aurait en moyenne couvert de 10 à 30 hectares. Comme toutes les évaluations globales, cette précision est trompeuse. Comme en tout temps, il faut au XVIIᵉ siècle distinguer propriété et exploitation. On admet que la paysannerie possédait environ la moitié de l'espace mais cette proportion variait beaucoup, moindre autour des villes où s'étendait l'appropriation bourgeoise, beaucoup plus étendue dans les terres médiocres et les provinces reculées et à plus forte raison dans les montagnes. Dans une exploitation, un laboureur pouvait réunir des terres qui lui appartenaient en propre, des tenures seigneuriales soumises au cens, des champs loués selon un quelconque contrat de métayage ou de fermage. On rencontrait ainsi en Ile-de-France de très grands domaines de 100 ou 200 hectares, cinq ou six chevaux à l'écurie et une dizaine d'hommes travaillant sur les divers champs. A l'inverse, on pouvait trouver dans des pays de bocage de petites exploitations de moins de 10 hectares suffisant à peine à faire vivre une famille. Plus bas encore dans l'échelle sociale, on trouvait des brassiers, journaliers, manouvriers (on dirait de nos jours ouvriers agricoles), qui n'avaient rien à eux qu'une mauvaise maison et survivaient avec des travaux saisonniers. Certains courants migratoires étaient traditionnels de longue date, des Bretons et des Manceaux allant travailler en Ile-de-France, des Limousins et des Marchois voués au métier de maçon montant à Paris, des montagnards des Alpes partant aux beaux jours travailler dans la capitale, ramoner, maçonner, étamer les chaudrons. Les Poitevins et les Normands partant pour le Nouveau Monde n'étaient alors que quelques centaines. La plus forte émigration française conduisait des Auvergnats, Limousins et Pyrénéens dans les grandes villes espagnoles où ils trouvaient du travail et de hauts salaires. Plusieurs dizaines de milliers d'artisans français s'employaient ainsi à Barcelone, Madrid ou Saragosse. Ils séjournaient là-bas environ cinq années puis revenaient au pays avec un pécule de pièces d'argent dissimulé dans leur ceinture de linge. En dépit des guerres entre les deux pays, ce courant était toujours bien vivace.

On estime que 20 % du territoire était couvert de forêts. Ces espaces, quelle que fût leur appropriation, laissaient aux riverains des profits de cueillette, de chasse ou de braconnage et d'affouage (ramassage du petit bois pour le chauffage). Il y avait très peu de domaines forestiers clôturés et leur exploitation demeurait en grande partie communautaire, non sans disputes et procès. Des terres vagues, landes, marécages, offraient d'autres ressources que l'on tiendrait aujourd'hui pour négligeables, telles que ramassage des roseaux et osiers, extraction des tourbes et des argiles, pêche dans les canaux, ruchers, chasse aux canards, etc. On devine parfois leur importance pour les villageois lorsque les conflits les opposent aux entreprises d'assèchement de marais encouragées notamment par Sully puis par Richelieu.

Partout et toujours, la céréaliculture était dominante. Même sur les plus mauvaises terres, les paysans s'obstinaient à faire des grains. Dans le Midi, ensoleillé et sec, on laisse la terre en jachère une année sur deux : on dit que l'assolement est biennal. Avec des terres plus grasses et plus humides comme dans la plupart des provinces du Nord, on introduit une année de céréales de mars (avoine, orge) entre l'année des blés d'hiver et l'année de jachère. Ainsi l'espace libre pour la dépaissance de moutons comprend les champs en jachère et ceux où le blé a été levé en juillet jusqu'aux prochaines semailles de mars. Dans les villages des grandes plaines du Nord où se pratique cet assolement triennal, les exploitants s'appliquent à faire ensemble sur leur terroir divisé en trois parties une rotation des cultures de façon qu'un tiers reste bien dégagé pour la vaine pâture. Les coutumiers consacraient beaucoup d'attention et de prescriptions à ces règles qui permettaient d'avoir un élevage d'appoint sans dommage pour le blé en herbe.

On exprimait le rendement par le rapport entre la quantité semée et la quantité récoltée. Dire qu'on récoltait quatre à cinq pour un, c'était dire qu'en semant 1,5 hectolitre à l'hectare, on récoltait de 4 à 8 hectolitres neuf ou dix mois plus tard. Avec des sarclages, de l'engrais animal, on pouvait espérer des rendements jusqu'à 15 et 20 quintaux à l'hectare, mais c'était les années records des meilleures terres. Les intempéries et les maladies des blés pouvaient diminuer dramatiquement ces résultats.

La peur de manquer de provisions, d'aborder les mois de printemps sans réserves de grains conduisait à consacrer aux céréales toute la place cultivable. A vrai dire, plutôt que du froment, on semait un mélange, un méteil, blé et seigle, ou sarrasin, qui variait les risques de la plantation. On ensemençait avec du grain prélevé sur la récolte, de sorte qu'un champ portait toujours le même type de grains et qu'on reconnaissait à l'apparence un sac de blé provenant de tel ou tel domaine.

On laissait aux vignes des coteaux bien exposés pas trop loin des cités, de la sorte la vallée de la Seine comptait beaucoup de villages vignerons. Le Parlement de Paris, par un arrêt de 1577, pour laisser le plus d'espace aux blés et garantir la qualité des vins parisiens, interdit aux cabaretiers de la capitale d'acheter leurs vins à moins de vingt lieues. Cette mesure augmenta la fortune des vins de l'Auxerrois (Chablis), de l'Orléanais, des coteaux de Champagne et même de

Beaujolais (Brouilly) descendant par la Loire, descente améliorée notablement par l'ouverture du canal de Briare en 1642 qui facilitait l'acheminement vers Paris. Si la consommation de vin par le petit peuple des villes marquait une forte croissance, si le nombre des cabarets sur les grands chemins, dans les faubourgs et autour des places des marchés commençait d'alarmer les bonnes âmes, le profit des vignerons demeurait modeste. Faute de procédés garantissant le vieillissement et le transport, les écarts de prix et de réputation entre les vignobles régionaux restaient faibles. Les seuls changements notoires concernaient la production d'eaux-de-vie vendues dans les pays maritimes du Nord. Les privilèges médiévaux de Bordeaux empêchaient la descente des vins du haut pays avant la vente des tonneaux du terroir bordelais ; les négociants hollandais, achetant ces vins secondaires, avaient eu l'idée de les transformer et le bouillage des crus avait été introduit en Cognaçais et en Armagnac dès les années 1620. En Languedoc, où la vigne n'occupait jusque-là que des parcelles de la garrigue, le brûlage allait commencer dans les années 1660.

Dans un enclos à côté de la ferme, on cultivait des légumes, des choux, des raves, des salades et encore du lin ou du chanvre. Cette petite culture intensive était laissée aux soins des femmes. Tout le travail leur revenait, cultiver, récolter, préparer, peigner, filer, tisser les plantes textiles pour parvenir à habiller toute la famille par la seule économie domestique. A proximité des grandes cités drapantes comme Amiens, Beauvais ou encore Vitré, Alençon, Le Mans, les paysannes travaillaient parfois avec des métiers à tisser. Un marchand de la ville les plaçait dans la campagne, et, durant l'hiver, la main-d'œuvre féminine apportait ainsi un supplément de numéraire à l'équilibre de la maisonnée.

Il y avait peu de place pour les innovations. Le maïs venu du Mexique était apparu en Pays basque à la fin du XVIe siècle. Il gagnait peu à peu tout le Bassin aquitain vers 1620-1650. Espèce solide et abondante, le maïs offrait un secours en cas de disette des blés. La farine et les gâteaux de « millas » gardaient cependant une réputation populaire et médiocre. Surtout, ses plants ne pouvaient alors s'acclimater au nord de la Saintonge.

Les châtaignes étaient conservées en farines et panifiées (pain d'arbre). Elles fournissaient un supplément alimentaire et calorique essentiel dans les régions peu propices aux froments (Limousin, Auvergne) où l'on plantait volontairement des châtaigneraies. Ces régions du Massif central, réservoir de migrations vers Paris ou vers l'Espagne, réussissaient ainsi à maintenir une forte densité de population dans les cantons réputés pauvres et désertifiés plus tard par l'exode rural du XIXe siècle.

Aux alentours de Paris et de son énorme marché, on voyait déjà sous Louis XIII apparaître les façons culturales riches d'avenir, l'introduction dans le rythme d'assolement de plantes fourragères (trèfle, sainfoin, luzerne) qui enrichissent le sol et permettent en plus d'engraisser du bétail. Autres innovations fécondes en d'autres lieux : l'extension des mûriers pour la sériciculture gagnait en Vivarais, et la plantation des oliviers en Provence pour la fabrication de l'huile s'intensifiait. Ces changements arrivaient ponctuellement, silencieusement ; il faut les recherches des historiens dans les archives notariées et les terriers et compoix pour les découvrir et en montrer la modeste et patiente progression.

Artisanat, métiers et industries.

L'exercice d'un métier commençait précocement car le fils devait succéder au père très tôt, puisque l'espérance de vie était courte, et très précisément parce que les métiers étaient le plus souvent assez étroitement réglementés. Soit, par exemple, le fils d'un maître charpentier dans une bonne ville pourvue de métiers jurés : pendant son adolescence, son père l'a mis en apprentissage chez un autre maître charpentier, un contrat notarié a défini les devoirs du maître envers l'apprenti : le loger et nourrir dans sa famille moyennant paiement, et l'instruire dans tous les secrets et tours de main du métier de charpentier. Après trois à huit ans d'apprentissage, selon la technicité du métier, l'apprenti passait compagnon, c'est-à-dire salarié du maître. Dans nombre de métiers, la coutume voulait que les compagnons passent chez plusieurs maîtres ou accomplissent un tour de France pour glaner de nouveaux savoirs et expériences. Ces usages, difficilement datables, semblent s'imposer justement au début du XVIIe siècle.

Les compagnons des divers métiers s'entraidaient par le biais d'associations discrètes ou secrètes qui assuraient l'accueil des compagnons voyageurs, défendaient les salaires et l'embauche au moyen de grèves et de boycotts. Entre associations rivales éclataient des rixes sanglantes, par exemple chez les compagnons menuisiers entre « gavots » et « devoirants ». Ces désordres attiraient les condamnations et même, en 1655, sur plainte des autorités religieuses, un arrêt d'interdiction des compagnonnages par le Parlement de Paris. Ces mesures étaient parfaitement inapplicables et l'indépendance des compagnonnages se maintenait, obscure et imperturbable.

La plupart demeuraient compagnons leur vie durant. Un ouvrier fortuné, fils d'un maître le plus souvent, pouvait réaliser un chef-d'œuvre défini par les statuts du métier, acheter des lettres de maîtrise et ainsi accéder au rang de maître de métier. Il appartenait alors à une communauté jurée, reconnue par les autorités municipales, voire par des lettres royales ; elle s'appelait jurande, métier, serment ou guilde. La communauté avait ses statuts enregistrés à l'hôtel de ville fixant la discipline de la profession. Elle avait le monopole du métier dans la ville ; elle limitait le nombre des maîtres dans l'intérêt des membres de la profession et, en regard, veillait à l'exacte qualité du travail dans l'intérêt des consommateurs. Les pouvoirs de police et de représentation étaient confiés à un responsable élu portant le titre de garde, juré, syndic ou prud'homme. Le métier avait ses manifestations de piété, de charité et d'entraide assurée par sa confrérie portant le nom du saint patron de la profession.

A Paris, l'on comptait plus d'une centaine de communautés de métiers, mais leur élite se limitait aux six corps définis depuis le XVe siècle : drapiers, le corps le plus riche, épiciers, merciers, de loin les plus nombreux (plus de 2 000), pelletiers (une cinquantaine), bonnetiers et orfèvres, les plus spécialisés. Dans les cérémonies de la ville et dans la police économique, les maîtres des six corps tenaient une place d'honneur et exerçaient de réels pouvoirs.

Les structures rigides des métiers empêchaient la concurrence, protégeaient les familles en place et freinaient les innovations. En fait, nombre d'activités trop spécialisées ou trop médiocres échappaient aux jurandes. En outre, ces règles, variables selon les lieux, n'avaient cours que dans les grandes villes. Des travailleurs au noir (en chambre, d'où le nom de chambreland) passaient au travers des règles. Surtout certaines villes, des provinces même (le Béarn) et tous les villages et bourgades laissaient le travail entièrement libre. L'immense majorité des artisans établis en dehors des villes jurées ignoraient totalement le protectionnisme et les réglementations des métiers en corps.

Depuis toujours la première industrie de transformation, celle qui employait le plus de main-d'œuvre, qui occupait le plus de villes et de villages, qui commercialisait le plus ses produits, était la production textile. De grandes cités drapantes étaient depuis les siècles médiévaux établies dans les provinces du Nord-Est, avant tout en Picardie, avec Amiens et Beauvais. Les facilités et la dispersion de l'élevage des bêtes à laine et de la culture du lin et du chanvre avaient autorisé cependant une forte diversification des sites. Des milliers d'artisans textiles travaillaient en Normandie, en Champagne, mais aussi en Languedoc (Montpellier, Carcassonne, etc.). On travaillait les dentelles à Troyes, à Angers, au Puy-en-Velay et surtout à Alençon et dans les petites bourgades percheronnes alentour. On tissait des toiles dans le Maine et beaucoup en Bretagne, pour le costume populaire et pour les voiles des bateaux.

La métallurgie était également dispersée car il suffisait d'un peu d'affleurement de minerai de fer et de la proximité de forêts pour établir des forges. C'était le cas en Bretagne, en Périgord et Angoumois, dans le Pays de Foix (vallée de l'Ariège), dans les Ardennes (vallée de la Meuse). De la sorte, des ateliers minuscules et multipliés de cloutiers, dinandiers, couteliers, ferronniers, forgerons, armuriers pouvaient donner une réputation technique à des cantons qui par la suite des temps ont perdu toute vocation métallurgique.

De très grosses concentrations de main-d'œuvre, plusieurs dizaines ou centaines d'ouvriers, se rencontraient dans les fonderies de canons, les chantiers de vaisseaux et dans quelques rares manufactures (verrerie, tapisserie, corderie). Les éta-

blissements célèbres comme l'arsenal de Venise ou celui de
Zaandam en Hollande n'avaient pas d'équivalent dans la
France de ce temps.

La situation monétaire.

De la modestie des entreprises économiques, de leur
extrême dispersion, de leur rapport étroit aux ressources
régionales, on peut déduire la faiblesse de la circulation monétaire dans la France de Louis XIII. Cette époque fut dans
toute l'Europe un moment de récession monétaire et de défla-
tion. Les métaux précieux du Nouveau Monde étaient arrivés en Europe à partir des années 1560 à la cadence d'environ
300 tonnes nouvelles chaque année. Par le biais du commerce
et des migrants auvergnats, l'argent américain passait en
France et les frappes des hôtels des monnaies des régions
atlantiques montraient l'importance de cet apport. Au début
du XVIIᵉ siècle, cette inflation régulière et forte s'arrêta. Un
malencontreux édit de décembre 1614 avait surévalué l'or par
rapport à l'argent : il avait aussitôt provoqué la fuite des pistoles espagnoles (pièces d'argent de 8 réaux) vers les pays
étrangers où leur contrepartie d'or était plus chère. En 1618,
commençait la guerre en Allemagne et les marchés avec cet
espace, par exemple le trafic du port de Venise, porte méditerranéenne de l'Allemagne, s'effondraient immédiatement
et durablement. Enfin la guerre entre l'Espagne et la Hollande reprenait en 1621 ; les flottes transatlantiques espagnoles
allaient se montrer incapables de maintenir l'apport de
l'argent au niveau extraordinaire connu jusque-là ; même si
les arrivées d'argent du Mexique reprirent après 1660, le choc
économique fut considérable. La France, qui n'avait jamais
attiré qu'une part somme toute modeste de ces métaux précieux, se trouva plongée vers 1630 dans une véritable disette
monétaire, dans l'instant même où l'État s'efforçait par des
impôts montés en flèche de drainer le plus grand nombre
d'espèces.

Il faut rappeler ici que les espèces (la monnaie réelle)
n'avaient pas de valeur fixe : elle était déterminée par des
édits. Les prix étaient donnés en monnaie de compte (livres
divisées en 20 sous, de 12 deniers chacun).

Le marasme monétaire aggravait la tendance autarcique. Les rares monnaies qui circulaient, écus d'argent français et pistoles espagnoles, disparaissaient dans des bas de laine ou n'apparaissaient plus que rognées et billonnées, c'est-à-dire que les espèces au bon poids étaient surévaluées ou thésauri-sées et que les espèces soigneusement rognées aboutissaient dans les poches de ceux qui ne pouvaient les refuser, soit les paysans.

Ces désordres furent partiellement corrigés par une grande réforme monétaire (édits de mars 1640 et septembre 1641) : grâce à de nouveaux procédés techniques, coupoirs et balan-ciers, assurant une tranche nette et une frappe impeccable, le roi lança deux nouvelles pièces appelées à un grand ave-nir, le louis d'or pesant 22 carats et le louis d'argent comp-tant 26 grammes d'argent pur, comptés l'un pour 10 livres et l'autre 3 livres (écu blanc).

La réforme de 1640-1641 rétablissant un juste rapport entre les deux métaux précieux mettait fin à la fuite absurde des espèces d'argent provoquée par l'édit de 1614. En revanche, la disette monétaire liée aux guerres et aux rapports avec l'Espagne persistait. Pour les petits échanges populaires des marchés, les États frappaient depuis la fin du XVIᵉ siècle des petites pièces de cuivre, monnaies de billon, monnaies noi-res oxydées entre les mains, appelées selon leur valeur liard, douzain ou double denier. Le Conseil du roi, à la recherche de profits fiscaux, se laissait vite tenter par l'inflation des frappes de cuivre, de sorte qu'en quelques mois ou quelques années la part du billon était limitée dans les paiements et, pour finir, les pièces étaient dévaluées. Des émeutes de pay-sans à qui l'on refusait leurs piécettes de cuivre éclataient spo-radiquement en 1643, 1645 et surtout en 1658 (révolte des Sabotiers de Sologne). La meilleure conjoncture monétaire des années 1670-1680 fera oublier ces types de désordres.

Dans la réalité quotidienne, dans le marasme des années 1630-1660, on ne voyait guère d'argent monnayé dans les campagnes. Un notaire ou un marchand de village, usurier, prêteur et banquier, faisait les avances inévitables pour le paiement des tailles ou pour l'achat de bestiaux. Un labou-reur ou un domestique ne voyait la couleur des pièces qu'à l'échéance d'un bail ou d'un temps de service. La plupart du temps, on pouvait se tirer d'affaire grâce à l'autoconsommation ; on vivait du sien, de son pain et de ses légumes. Des arrangements familiaux, des jeux de papier notarié, des chaînes de compensations, les mille formes de l'économie de troc résumaient la vie matérielle des paysans. Bien entendu, cette économie souterraine échappe en grande partie à l'écriture. Il faut la deviner dans les textes notariés et les sources narratives.

Voyages incertains, autarcie agraire, artisanat parcellisé, disette monétaire, économie de troc, telles étaient les obscures réalités de la France moderne au travail. Les ressources du royaume, bien qu'à peu près étrangères au grand commerce, étaient cependant immenses. Les Français découvraient lentement les extraordinaires virtualités de leurs terroirs. On estime que la population française au début du XVIIe siècle (dans les limites des frontières d'aujourd'hui) aurait été comprise entre 18 et 21 millions d'habitants. Même avec une moindre étendue, le royaume d'Henri IV et de Louis XIII était de loin la première puissance de l'Europe, à peine ébranlée par la crise de 1630, par les efforts de guerre continentale et par les épreuves de la guerre civile. Voilà, sans doute, le vrai secret des politiques de gloire qui allaient offrir à la France de Louis XIV l'hégémonie de l'Europe.

Annexes

Les frontières du Nord-Est
1600-1660

PROVINCES-UNIES

Rhin

Meuse

Gravelines
Calais
Dunkerque
acquis en 1662
Bruxelles
PAYS-BAS
ESPAGNOLS
Thérouanne
Namur
Liège
ÉVÊCHÉ DE
LIÈGE
Arras
Le Quesnoy
Hesdin
Landrecies
Bapaume
Avesnes
Amiens
Rocroi
Charleville
Montmédy
Sedan
Luxembourg
Oise
Longwy
Thionville
Rethel
Verdun
Marne
Metz
Reims
Toul
Nancy
Haguenau
Seine
DUCHÉ DE LORRAINE
Strasbourg
Munster
Sélestat
Colmar
Mulhouse, alliée
des Cantons suisses
Montbéliard
Saône
FRANCHE-
Besançon
CANTONS SUISSES
COMTÉ
Rhône
BRESSE ET
BUGEY
Genève,
alliée des
Cantons suisses
DUCHÉ DE PIÉMONT-SAVOIE

- Trois-Évêchés : Metz, Toul
  et Verdun, acquis en 1559.
- Sedan, acquis en 1642.
- Bresse et Bugey, 1601.

- «Terre franche» de Gravelines ;
  Thérouanne.
- Artois.
- Places d'Artois, de Hainaut et
  de Luxembourg : conquêtes
  reconnues en 1659.

- Landgraviat de Haute- et Basse-Alsace.
- Sundgau.
- Préfecture des Dix villes impériales :
  acquisitions des traités de Westphalie.

Guerres civiles du XVIIe siècle

En italique, guerres protestantes du règne de Louis XIII.
✕ Batailles importantes.

Chronologie

Chronologie politique

8 novembre 1627	Évacuation de Ré par les Anglais.
29 octobre 1628	Capitulation de La Rochelle.
Février 1629	Entrée des Français en Piémont.
26 mai 1629	Prise de Privas.
28 juin 1629	Édit de grâce d'Alès.
18 juillet 1630	Chute de Mantoue.
10 novembre 1630	Journée des Dupes.
Mars 1631	Traité de Cherasco.
Mai 1631	Traité de Bärwald.
31 mai 1631	Manifeste du duc d'Orléans.
1er septembre 1632	Bataille de Castelnaudary.
Automne 1633	Occupation de la Lorraine.
Printemps 1634	Généralisation des intendants.
Mai 1635	Entrée en guerre ouverte.
Mai-juin 1635	Révolte des villes de Guyenne.
15 août 1636	Chute de Corbie.
1er juin 1637	Déroute des Croquants à La Sauvetat.
5 septembre 1638	Naissance du dauphin, futur Louis XIV.
30 novembre 1639	Déroute des Nu-pieds à Avranches.
9 août 1640	Prise d'Arras.
16 décembre 1640	Accord avec les révoltés catalans.
9 juillet 1641	Mort du comte de Soissons au combat de La Marfée.
9 septembre 1642	Prise de Perpignan.
4 décembre 1642	Mort de Richelieu.
14 mai 1643	Mort de Louis XIII.
19 mai 1643	Victoire de Condé à Rocroi.
Juillet 1643	Révolte des Croquants du Rouergue.
Septembre 1643	Cabale des Importants.
Mars 1644	Édit du toisé.
Août 1644	« Taxe d'aisés ».
7 septembre 1645	Lit de justice.
Octobre 1646	Édit du tarif.
Nov. 1647-avril 1648	Expédition du duc de Guise à Naples.
15 janvier 1648	Lit de justice.
29 avr.-9 juillet 1648	Réunions de la chambre Saint-Louis.
17 mai 1648	Victoire française à Zusmarshausen.
18 juillet 1648	Déclaration royale rappelant les intendants.
20 août 1648	Victoire de Condé à Lens.
26-27 août 1648	Journées des barricades à Paris.
22 octobre 1648	Déclaration royale confirmant celle de juillet.
24 octobre 1648	Paix de Westphalie.
5 janvier 1649	Fuite de la cour à Saint-Germain.

11 mars 1649	Paix de Rueil.
18 janvier 1650	Arrestation de Condé.
5 octobre 1650	Paix de Bordeaux.
13 février 1651	Libération de Condé.
Mars 1651	Convocation des États généraux.
7 septembre 1651	Majorité de Louis XIV.
7 avril 1652	Victoire de Condé à Bléneau.
4 juillet 1652	Massacre à l'Hôtel de Ville de Paris.
14 octobre 1652	Condé choisit de s'exiler.
Octobre 1652	Capitulation de Barcelone.
21 octobre 1652	Retour de Louis XIV à Paris.
31 juillet 1653	Capitulation de Bordeaux, dernière place frondeuse.
4 juin 1654	Sacre de Louis XIV.
Printemps 1658	Révolte des Sabotiers de Sologne.
14 juin 1658	Bataille des Dunes.
Août-novembre 1659	Négociations franco-espagnoles à Fontarabie.
7 novembre 1659	Traité des Pyrénées.
9 juin 1660	Mariage de Louis XIV et de Marie-Thérèse à Saint-Jean-de-Luz.
9 mars 1661	Mort de Mazarin.
5 septembre 1661	Arrestation de Fouquet.

Vie intellectuelle et artistique

1604	Achèvement du Pont-Neuf.
1605	Cervantès publie *Don Quichotte*.
1607	Honoré d'Urfé écrit *L'Astrée*.
1612	Achèvement de la place Royale (place des Vosges).
1620	Francis Bacon, *Novum Organum*.
1622	Marie de Médicis demande à Rubens la décoration du Luxembourg.
1623	Sorel publie l'*Histoire comique de Francion*.
1627	Achèvement de la place ducale, à Charleville.
1627	Simon Vouet revient de Rome à Paris rappelé par Louis XIII.
1632	Callot grave *Les Grandes* et *Les Petites Misères de la guerre*.

Février 1635	Fondation de l'Académie française.
Novembre 1636	Corneille achève *Le Cid*.
1637	Descartes publie le *Discours de la méthode*.
1642	Achèvement de la chapelle de la Sorbonne.
1643	Molière fonde l'Illustre-Théâtre.
1647	Premier opéra joué à Paris, l'*Orfeo* de Luigi Rossi.
1648	Création de l'Académie de peinture.
1651	Scarron publie *Le Roman comique*.
1652	Achèvement de l'église du Val-de-Grâce.
Janvier 1656	Pascal commence la publication des *Lettres provinciales*.
1658	Construction et décoration du château de Vaux.
1658	Privilèges des Musiciens du Roi.
1659	Molière fait jouer *Les Précieuses ridicules*.
1660	Première satire de Boileau.
1666	Furetière publie *Le Roman bourgeois*.

Religion

1604	Introduction en France du Carmel.
1609	François de Sales publie l'*Introduction à la vie dévote*.
1611	Introduction en France de l'Oratoire.
1612	Introduction des Ursulines.
1620	Miracle de Notre-Dame-d'Auray.
1625	Fondation des Pères de la Mission.
1627	Bulle *Universa* réduisant le nombre des jours de fête.
1633	Fondation des Filles de la Charité.
1638	Vœu de Louis XIII (10 janvier).
1642	Fondation de la congrégation de Saint-Sulpice.
1653	Mise en garde pontificale contre la doctrine janséniste.
1660	Mort de Vincent De Paul.

Économie et société

Bibliographie

Aumale Henri d', *Histoire des princes de Condé*, Paris, 1863-1896, vol. 3-5.

Avenel Georges d', *Richelieu et la Monarchie absolue*, Paris, 1895, 4 vol.

Aristide Isabelle, *La Fortune de Sully*, Paris, Ministère des Finances, 1989.

Babelon Jean-Pierre, *Henri IV*, Paris, Fayard, 1982.

Barbiche Bernard, *Sully*, Paris, Albin Michel, 1978.

Batiffol Louis, *Autour de Richelieu. Sa fortune, ses gardes et mousquetaires, la Sorbonne, le château de Richelieu*, Paris, 1937.

—, *La Duchesse de Chevreuse. Une vie d'aventures et d'intrigues sous Louis XIII*, Paris, 1913.

—, *La Vie intime d'une reine de France au XVIIᵉ siècle : Marie de Médicis (1600-1617)*, Paris, 1906, 2 vol.

Baxter Douglas Clark, *Servants of the Sword : French Intendants of the Army, 1630-70*, Urbana (Ill.), 1976.

Bayard Françoise, *Le Monde des financiers au XVIIᵉ siècle*, Paris, Fayard, 1988.

Beik William H., *Absolutism and Society in Seventeenth-Century France : State Power and Provincial Aristocracy in Languedoc*, Cambridge, 1985.

Bercé Yves-Marie, *Croquants et Nu-pieds*, Paris, Gallimard, 1974 ; rééd. coll. « Folio Histoire », 1990.

—, *Fête et Révolte. Des mentalités populaires du XVIᵉ au XVIIᵉ siècle*, Paris, Hachette, 1976.

—, *Histoire des Croquants. Étude des soulèvements populaires au XVIIᵉ siècle dans le sud-ouest de la France*, Genève, Droz, 1974, 2 vol. ; rééd. abrégée Éd. du Seuil, 1986.

Bérenger Jean, *Turenne*, Paris, Fayard, 1987.

Bergin Joseph, *Cardinal Richelieu : Power and the Pursuit of Wealth*, New Haven (Conn.), 1985 ; trad. fr. Paris, Laffont, 1985.

—, *Cardinal de La Rochefoucauld. Leadership and Reform in the French Church*, Londres, 1987.

—, *The Rise of Richelieu*, Londres, Yale University Press, 1991.

Bertière Simone, *La Vie du cardinal de Retz*, Paris, De Fallois, 1990.

Billacois François, *Le Duel dans la société française des XVIe-XVIIe siècles. Essai de psychosociologie historique*, Paris, EHESS, 1986.

Biraben J.-N., *Les Hommes et la Peste en France*, Paris, Mouton, 1975, 2 vol.

Bluche François, *Louis XIV*, Paris, Fayard, 1986.

—, *Dictionnaire du Grand Siècle,* Paris, Fayard, 1990.

Bonney Richard, *L'Absolutisme*, Paris, PUF, 1990.

—, *Political Change in France under Richelieu and Mazarin, 1624-1661*, Oxford, Oxford University Press, 1978.

—, *The King's Debts : Finance and Politics in France, 1589-1661*, Oxford, Oxford University Press, 1981.

Bosher J.F., « Chambres de justice in French monarchy », in *Essays in Memory of Alfred Cobban*, Londres, 1973, p. 19-40.

Bourgeon Jean-Louis, *Les Colbert avant Colbert*, Paris, 1973 ; rééd. PUF, 1986.

Buisseret David, *Henri IV*, Londres, Unwin Hyman, 1984.

Carmona Michel, *La France de Richelieu*, Paris, Fayard, 1984.

—, *Marie de Médicis*, Paris, Fayard, 1981.

—, *Richelieu. L'ambition et le pouvoir*, Paris, Fayard, 1983.

Carrier Hubert, *La Presse et la Fronde (1648-1653). Les mazarinades,* Genève, Droz, 1989, 2 vol.

Chartier Roger, Compère Marie-Madeleine et Julia Dominique, *L'Éducation en France du XVIe au XVIIIe siècle*, Paris, Sedes, 1976.

—, et Richet Denis, *Représentations et Vouloirs politiques autour des États généraux de 1614, Paris*, CNRS, 1982.

Chevallier Pierre, *Louis XIII*, Paris, Fayard, 1979.

—, *Les Régicides*, Paris, Fayard, 1989.

Clarke Jack Alden, *Huguenot Warrior : The Life and Times of Henry de Rohan, 1579-1638*, La Haye, 1966.

Collins James B., *Direct Taxation in Early Seventeenth-Century France*, Berkeley, University of California Press, 1988.

Constant Jean-Marie, *Les Conjurateurs. Le premier libéralisme politique sous Richelieu*, Paris, Hachette, 1987.

Dessert Daniel, *Argent, Pouvoir et Société au Grand Siècle*, Paris, Fayard, 1984.

—, *Fouquet*, Paris, Fayard, 1987.

Dethan Georges, *Gaston d'Orléans. Conspirateur et prince charmant*, Paris, Fayard, 1959.

—, *Mazarin. Un homme de paix à l'âge baroque, 1602-1661*, Paris, Imprimerie nationale, 1981.

Deyon Pierre, *Amiens, capitale provinciale. Étude sur la société urbaine au XVIIe siècle*, rééd. CRDP d'Amiens, 1986.

Dix-septième Siècle, n° 185, 1984, «retour à la Fronde».

Dodin A., *La Légende et l'Histoire. De Monsieur Depaul à saint Vincent de Paul*, Paris, ŒIL, 1985.

Doolin, Paul. R., *The Fronde*, Cambridge (Mass.), 1935.

Duccini Hélène, *Concini*, Paris, Albin Michel, 1991.

Dulong Claude, *Anne d'Autriche, mère de Louis XIV*, Paris, Hachette, 1980.

—, *La Fortune de Mazarin*, Paris, Perrin, 1991.

—, *Le Mariage du Roi-Soleil*, Paris, Albin Michel, 1986.

Dupaquier Jacques, *La Population française des XVIIe et XVIIIe siècles*, Paris, PUF, 1979.

Elliott John H., *Richelieu and Olivares*, Cambridge, 1984; trad. fr. Paris, PUF, 1991.

—, *The Count-Duke of Olivares : The Statesman in an Age of Decline*, New Haven (Conn.), 1986.

—, *The Revolt of the Catalans*, Cambridge, Cambridge University Press, 1963.

L'État baroque (1610-1652), Paris, Vrin, 1985.

Foisil Madeleine, *La Révolte des Nu-pieds*, Paris, Presses de la Sorbonne, 1970.

La Fronde en questions, Marseille, Université de Provence, 1989.

Fumaroli Marc, *Rhétorique et Dramaturgie cornéliennes*, Genève, Droz, 1990.

Garrisson Janine, *Henry IV*, Paris, Éd. du Seuil, 1984.

Giesey Ralph E., *The Juristic Basis of Dynastic Right to the French Throne*, Philadelphie, 1961.

—, *The Royal Funeral Ceremony in Renaissance France*, Genève, 1960 ; trad. fr. Paris, Flammarion, 1987.

Golden Richard, *The Godly Rebellion : Parisian Cures and the Religious Fronde (1652-1662)*, Chapel Hill (North Carolina), North Carolina University Press, 1981.

Goubert Pierre, *Beauvais et le Beauvaisis de 1600 à 1730*, Paris, EHESS, 1983.

—, *Les Français et l'Ancien Régime*, Paris, Colin, 1984.

—, *Mazarin*, Paris, Fayard, 1990.

Gutton Jean-Pierre, *La Société et les Pauvres. L'exemple de la généralité de Lyon (1534-1789)*, Lyon, Bibliothèque interuniversitaire, 1971.

—, *La Sociabilité villageoise dans l'ancienne France. Solidarités et voisinages du XVe au XVIIIe siècle*, Paris, Hachette, 1979.

Hanley Sarah, *The Lit de Justice of the Kings of France : Constitutional Ideology in Legend, Ritual, and Discourse*, Princeton (N.J.), 1983.

Harding Robert R., *Anatomy of a Power Elite : The Provincial Governors in Early Modern France*, New Haven (Conn.), Yale University Press, 1978.

Hayden J. Michael, *France and the Estates General of 1614*, Cambridge (Mass.), 1974.

Héroard Jean, *Journal*, éd. M. Foisil, Paris, Fayard, 1990, 2 vol.

Hickey Daniel, *The Coming of French Absolutism : The Struggle for Tax Reform in the Province of Dauphiné (1540-1640)*, Toronto, 1986.

Hildesheimer Françoise, *Richelieu. Une certaine idée de l'État*, Paris, Publisud, 1985.

Jackson Richard, *Vivat Rex. Histoire des sacres et couronnements en France*, Strasbourg, Presses de l'Université de Strasbourg, Ophrys, 1984.

Jacquart Jean, *La Crise rurale en Ile-de-France (1550-1670)*, Paris, Colin, 1974.

Jansen Paule, *Le Cardinal Mazarin et le Mouvement janséniste français*, Paris, Vrin, 1967.

Jouanna Arlette, *Le Devoir de révolte. La noblesse française et la gestation de l'État moderne (1559-1660)*, Paris, Fayard, 1989.

Kermina Françoise, *Marie de Médicis. Reine, régente et rebelle*, Paris, Fayard, 1979.

Kettering Sharon, *Judicial Politics and Urban Revolt in Seventeenth-Century France : The Parlement of Aix (1629-1659)*, Princeton (N.J.), 1978.

—, *Patrons, Brokers, and Clients in Seventeenth-Century France*, Oxford, 1986.

Kleinman Ruth, *Anne of Austria : Queen of France*, Colombus (Ohio), Ohio State University Press, 1985.

Knecht Robert, *Richelieu*, Londres, Longman, 1991.

Kossmann Ernst H., *La Fronde*, Leyde, 1954.

Labatut Jean-Pierre, *Les Ducs et Pairs de France au XVIIᵉ siècle*, Paris, PUF, 1972.

Lebrun François, *Les Hommes et la Mort en Anjou aux XVIIᵉ et XVIIIᵉ siècles*, Paris, Flammarion, 1975.

Ligou D., *Le Protestantisme en France de 1598 à 1715*, Paris, sedes, 1968.

Livet Georges, *La Guerre de Trente Ans*, Paris, PUF, 1963.

Lottin Alain, *Lille, citadelle de la Contre-Réforme (1598-1660)*, Lille, Éd. des Beffrois, 1984.

Major J. Russell, *Representative Government in Early Modern France*, New Haven (Conn.), 1880.

Martin Henri-Jean, *Livre, Pouvoirs et Société à Paris au XVIIᵉ siècle (1598-1701)*, Genève, Droz, 1969, 2 vol.

Mastellone Salvatore, *La reggenza di Maria de' Medici*, Florence, 1962.

Méthivier Albert, *La Fronde*, Paris, PUF, 1984.

—, *Le Siècle de Louis XIII*, Paris, PUF, 1964.

Meyer Jean, *Colbert*, Paris, Hachette, 1981.

—, *La Naissance de Louis XIV*, Bruxelles, Complexe, 1989.

Mongrédien Georges, *10 novembre 1630 : la journée des dupes,* Paris, Gallimard, 1961.

—, *Léonora Galigaï. Un procès de sorcellerie sous Louis XIII,* Paris, Hachette, 1968.

Moote Lloyd, *The Revolt of the Judges. The Parlement of Paris and the Fronde,* Princeton, 1971.

—, *Louis XIII, the Just,* Londres, University of California Press, 1989.

Morineau Michel, *Incroyables Gazettes et Fabuleux Métaux,* Paris, Maison des sciences de l'homme, 1985.

Mousnier Roland, *L'Assassinat d'Henri IV,* Paris, Hachette, 1964.

—, *Les Institutions de la France sous la monarchie absolue,* Paris, PUF, 1980, 2 vol.

—, *Paris capitale au temps de Richelieu et de Mazarin,* Paris, Pédone, 1978.

—, *La Plume, la Faucille et le Marteau,* Paris, PUF, 1970.

—, *La Vénalité des offices sous Henri IV et Louis XIII,* Rouen, 1945 ; rééd. Paris, PUF, 1971.

Muchembled Robert, *L'Invention de l'homme moderne,* Paris, Fayard, 1988.

Murat Inès, *Colbert,* Paris, Fayard, 1980.

Pagès Georges, « Autour du ''grand orage'' : Richelieu et Marillac, deux politiques », *Revue historique,* 1937.

Parker David, *La Rochelle and the French Monarchy : Conflict and Order in Seventeenth-Century France,* Londres, 1980.

—, *The Making of French Absolutism,* Londres, 1983.

Parker Geoffrey, *The Army of Flanders and the Spanish Road, 1567-1659,* Cambridge, 1972.

—, *The Thirty Years War,* Londres, 1984.

—, et Leslie Smith, éd., *The General Crisis of the Seventeenth Century,* Londres, 1978.

Pérouse de Montclos Jean-Marie, *Histoire de l'architecture française,* Paris, Mengès, 1989.

Petit Jeanne, *L'Assemblée des notables de 1626-1627,* Paris, 1936.

Picot Georges, *Cardin Le Bret (1558-1655) et la Doctrine de la souveraineté,* Nancy, Soc. d'impr. typographiques, 1948.

Pillorget René, *Les Mouvements insurrectionnels de Provence entre 1596 et 1715,* Paris, Pédone, 1975.

Pintard René, *Le Libertinage érudit dans la première moitié du XVIIe siècle,* Paris, Slatkine, 1988.

Porchnev Boris, *Les Soulèvements populaires en France de 1623 à 1648,* Paris, SEVPEN, 1963.

Ranum Orest, *Les Créatures de Richelieu,* Paris, Pédone, 1966.

—, *A Revolution. The Fronde* (sous presse).

Richet Denis, *La France moderne. L'esprit des institutions,* Paris, Flammarion, 1973.

Salmon John H.M., *Renaissance and Revolt : Essays in the Intellectual and Social History of Early Modern France,* Cambridge, 1987.

Schalk Ellery, *From Valor to Pedigree : Ideas of Nobility in France in the Sixteenth and Seventeenth Centuries,* Princeton (N.J.), 1986.

Solnon Jean-François, *La Cour de France,* Paris, Fayard, 1987.

Tallon Alain, *La Compagnie du Saint-Sacrement,* Paris, Éd. du Cerf, 1990.

Tapié Victor-Lucien, *Baroque et Classicisme,* Paris, 1957 ; rééd. Livre de Poche, 1980.

—, *La France de Louis XIII et de Richelieu,* Paris, Flammarion, 1980.

—, *La Guerre de Trente Ans,* Paris, 1965 ; rééd. Sedes, 1989.

Taveneaux René, *Le Catholicisme dans la France classique (1610-1715),* Paris, sedes, 1980, 2 vol.

Thuau Étienne, *Raisons d'État et Pensée politique à l'époque de Richelieu,* Paris, Vrin, 1966.

Thuillier Jacques, *Nicolas Poussin,* Paris, Fayard, 1988.

Vaissière Pierre de, *Un grand procès sous Richelieu : l'affaire du maréchal de Marillac (1630-1632),* Paris, 1924.

Vassal-Reig Charles, *La Prise de Perpignan*, Paris, 1939.

Vincent Jean-Antoine, *Relations militaires des années 1634 et 1635*, éd. M. Huisman, J. Dhondt et L. Van Meerbeck, Bruxelles, 1958.

Index

Table

Documents

Les frontières du Nord-Est, 1600-1660, 256.

Guerres civiles du XVIIᵉ siècle, 257.

COMPOSITION : CHARENTE-PHOTOGRAVURE À L'ISLE-D'ESPAGNAC
IMPRESSION : BRODARD ET TAUPIN À LA FLÈCHE (8-95)
DÉPÔT LÉGAL : MAI 1992. N° 15937-2 (1624M-5)

Collection Points

SÉRIE HISTOIRE

DERNIERS TITRES PARUS